KB184200

부의 관리

전문직의 시각

부의 관리
전문직의 시각

1판 1쇄 인쇄 2023년 1월 31일
1판 1쇄 발행 2023년 2월 7일

지은이 이장원·김강산·이태윤
발행인 김형준

편집 구진모
마케팅 김수정
디자인 프롬디자인

발행처 체인지업북스
출판등록 2021년 1월 5일 제2021-000003호
주소 경기도 고양시 덕양구 삼송로 12, 805호
전화 02-6956-8977 **팩스** 02-6499-8977
이메일 change-up20@naver.com
홈페이지 www.changeuplibro.com

ISBN 979-11-91378-33-7 (13320)

체인지업북스는 내 삶을 변화시키는 책을 펴냅니다.

부의 관리

감정평가사·법무사·세무사가 알려주는

부동산 절대원칙

세무사 **이장원** · 감정평가사 **김강산** · 법무사 **이태윤** 공저

전문직의 시각

체인지업
CHANGEUP

들어가기 전에

감정평가사로서 매일같이 부동산 시장의 최전선에 있으면서 참 많은 것을 보고 배웁니다. 갈수록 부동산 시장 내의 변수는 다양해지고, 가격 등락 폭이 요동치고 있는 것이 피부로 느껴집니다. 이 와중에 이런 변동성을 잘 활용하여 자산증가를 하는 분들을 보면서 가끔은 감탄하기도 합니다. 이른바 부동산 자산가들은 부동산 관련 전문직들과의 협업을 통해 본인의 자산관리를 많이 합니다. 다만, 여러 전문직들과 협업하는 것도 중요하지만 본인 스스로 부동산 기초지식을 쌓고 투자하는 것이 중요합니다. 이러한 사항들을 종합하여 정리해본 결과 부동산을 볼 때는 지역, 수익, 금리, 그리고 감정평가가 중요하다고 생각했습니다. 이를 반영하여 이 책을 썼습니다. 감정평가사뿐만 아니라 세무사, 법무사가 바라보는 시각은 비슷하면서도 약간 다른 양상을 갖고 있습니다. 이 책을 통해 다각도로 접근해보면 좋을 것 같습니다. 늘 좋은 인사이트를 주시고 좋은 기회를 마련해주신 이장원 세무사님, 이태윤 법무사님, 그리고 체인지업북스 담당자분들께 감사의 인사를 올리고 싶습니다. 감사합니다.

김강산 감정평가사

주택투자에 있어 법무사라는 전문직의 입장에서 어떤 시각을 가지고 임하는지 글을 써보자는 제안을 받고 많은 고민을 했습니다. 법무사는 물건이나 투자가치를 평가하지도 않고, 절세플랜을 컨설팅하는 입장도 아니니까요. 결론은 곳곳에 산재해 있는 법적인 위험들을 최대한 피하고 예방하는 것이 그간 열심히 쌓아 올린 부富의 손해를 줄이는 것이고, 그것이야 말로 한편으론 최고의 투자가치가 될 수 있다는 것이었습니다. 사실 처음이기도 하고 이러한 책을 집필하는 데 있어 법무사의 역할에 대해 많은 고민이 있었는데, 이 글을 쓰며 스스로의 생각을 정리할 수 있었고 결론을 잡을 수 있었습니다. 또한 저도 잘 몰랐던 세무사, 감정평가사의 관점에서 보는 부동산을 알 수 있었기에 부동산을 보는 새로운 시각이 형성될 수 있었던 뜻깊은 기회였습니다. 이러한 기회를 주신 이장원 세무사님, 김강산 감정평가사님, 체인지업북스를 비롯하여 존재의 이유가 되어주는 가족들에게 진심으로 감사드립니다.

이태윤 법무사

부동산, 특히 자산관리로 주택을 주로 다루는 '전문직'인 세무사로서 이 분야의 또 다른 전문직인 감정평가사 및 법무사와 협업을 하며 많은 고객들의 고민을 해결했습니다. 이에 착안하여 주택을 전문으로 다루는 3인의 전문직이 실무에서 경험하는 지식을 담아낸다면 이는 대한민국의 대표적 자산인 '주택'을 관리하고, 나아가 '부'를 관리하는 데 일조할 것이라고 생각하여 이 책을 기획하고 집필하게 되었습니다.

2023년 1월 3일, 사실상 주택관련 중과세는 막을 내렸다고 보아도 과장이 아닙니다. 그러나 중과세가 완전히 막을 내리지 않은 상황에서 나의 주택세금을 어떻게 관리해야 할지 아직도 많은 분들이 상담을 요청하고 있습니다. 세금으로 고민하고 있는 독자들에게 도움이 되고자 주택세금을 최대한 응축하여 담아내고자 하였습니다. 이 책이 부디 고민 해결에 도움이 되길 바랍니다.

힘든 출판과정에 참여한 두 공저자와 언제나 든든한 버팀목이 되어주는 가족 및 도움을 준 주변의 많은 분들께도 이 자리를 빌려 진심으로 감사를 전합니다.

이장원 세무사

차례

PART

1 감정평가사가 알려주는 부동산 절대원칙

「민법」 제99조에서는 토지 및 그 정착물을 부동산이라 정의하고 있으며, 부동산 이외의 물건을 동산으로 규정하고 있다. 이는 재화를 부동산으로 기준하여 분류한 것이다. 또한 우리는 주택을 주거 공간으로 인식하는 것이 아니라 추후 가격상승을 염두에 둔 물건으로 바라보기도 한다. 사회적으로도 부동산 가격, 특히 주택(아파트)가격에 대해 매우 민감하다. 개인만이 그렇게 느끼는 것이 아닌 우리나라 공동체의 재산에 대한 인식은 부동산을 중심으로 이루어져 있다. 많은 사람들이 이 부동산을 통해 부를 축적한 것을 우리 모두가 눈앞에서 목격했기 때문이다. 근로소득과 투자소득의 격차가 점점 더 커지고 있는 요즘, 앞으로는 더욱더 부동산에 대한 관심이 커질 것이다.

부동산에 관심을 둔다는 것. 이는 결국 수익성과 연결된다. 그렇다면 지금까지의 문법대로 부동산 또는 주택에 투자하면 지금처럼 수익을 거둘 수 있을까? 이 책은 이러한 물음에서부터 시작되었다. 개인적인 견해를 짧게 말하자면 앞으로의 부동산 투자는 지금까지의 부동산 투자와는 양적·질적으로 다른 양상이 보일 것으로 생각한다. 가장 다른 양상은 '부동산의 양극화'다. 이제는 그저 부동산을 갖고 있다고 해서 그것이 돈을 벌어다 주지 않을 수 있다. 즉, 수익이 좋으려면 '돈을 벌어다 줄 부동산'을 잘 찾는 것이 핵심이다. 그렇다면 어떻게, 어디서부터 부동산을 찾아봐야 할까? 그러려면 일단 지금까지와는 달리 좀 더 깊이 있게 부동산 관련 공부를 하고, 이론적으로도 부동산에 대한 고찰을 할 필요가 있다.

따라서 이 책은 '강남불패'라던가 '아묻따(아무것도 묻지 말고 따지지 마)'로 대표되는 여러 시중의 자료들과는 본질적으로 다른 내용을 담고자 했다. 부동산의 가격과 가치에 대한 짧은 고찰, 부동산의 수익력은 어떻게 보는지, 또 최근에 문제 되고 있는 전세, 경매, 증여, 그리고 감정평가까지 담았다. 부동산(주택)에 투자를 잘해서 돈을 많이 벌었다는 얘기들은 시중에 넘쳐난다. 그러나 그 이면을 살펴보면 실패한 사람도 매우 많다. 따라서 부동산에 대한 기본적인 공부는 하고 투자를 해야 한다. 부동산은 내가 가진 재산 중 가장 큰 자산 일터, 기왕에 투자하는 것이라면 기본적인 것은 알고 시작하자.

CHAPTER

한없이 어려운 부동산 투자, 무엇을 먼저 봐야 할까?

함부로 '싸다, 비싸다'라고 하면 안 된다

과거에도 그렇고 현재에도 우리나라의 가장 뜨거운 주제는 '부동산'이다. 정치적으로 부동산 가격을 어떻게 잡느냐에 따라 정부의 평가가 갈리기도 하고, 경제적으로 가계부채의 상당 부분이 부동산에 있기 때문에 너나 할 거 없이 모두가 부동산을 예의주시하고 있다. 사회적으로는 매일같이 부동산 관련 뉴스가 쏟아져 나오고, 서점에 가보면 베스트셀러 코너에 무조건 부동산 관련 서적이 올라와 있다. 어디 그뿐인가. 소위 우리나라에서 성공한 사람들 중 다수는 부동산 전문가를 자처하고 있다.

왜 이렇게 부동산에 관심이 많은 것일까? 가장 큰 이유는 한강의 기적을 보이며 급성장하던 와중에 부동산의 엄청난 가격상승을 바로 눈앞에서 목격했기 때문이다. 이는 곧 '열심히 일하며 살아봤자 집 한 채 사기도 어렵고, 꼭 집을 사지 않더라도 부동산 투자를 한

번만 잘하면 돈을 많이 벌어서 행복한 삶을 살 것'이라는 생각 때문이다. 또 아마 앞으로는 근로소득만으로 부를 증가시키기에는 거의 불가능할 것이라고 모두가 생각하기에 관심이 많은 것이다. 따라서 지금까지의 문법으로 부동산 투자를 하고 싶어한다. 다만 미래의 부동산 투자는 기존과는 다른 양상을 보일 가능성이 크다. 가장 큰 차이점은 '부동산의 양극화'다. 이제는 그저 부동산을 갖고 있다고 해서 그 부동산이 돈을 벌어다 주지 않을 수 있다. 즉, '돈을 벌어다 줄 부동산'을 찾는 것이 핵심이다. 그렇다면 어떻게, 어디서부터 부동산을 봐야 할까? 너무 비싼 부동산은 이미 고점인 것 같아 투자하기 꺼려지고, 또 너무 싼 부동산은 그 이유가 분명히 있을 것 같아서 투자하기가 꺼려지는 것이 현실이다.

그렇다면, '비싸다'라는 말은 어떤 의미일까? 말 그대로 예전에 비해 절대적으로 비싸거나, 제값보다 고가로 거래가 되는 것으로도 볼 수 있다. 절대적으로 비싼 것은 알고 있으니 '제값보다 고가로 거래가 되는 것'에 중점을 두어 좀 더 분석을 하자면, 이는 곧 '가치와 가격의 차이'에 대한 고찰로 넘어가게 된다. 가격은 과거에 결정된 값이다. 그러나 가치는 장래 기대되는 효용을 고려한 현재의 추정치다. 따라서 가치를 추정할 때는 아직 거래가 일어나지 않았으므로 전형적인 매수자와 매도자를 가정하고 여러 가지 분석을 해야 한다. '가치'는 복잡한 분석을 통한 현재의 추정치이므로, 단순한 과거의 값인 '가격'에 비해 쉽게 알 수 없다. 그래서 가격과 가치가 얼마나 차이가 나는지 가늠하기가 어렵다. 그러므로 단순히 절대값이 크다고 해서 '거품이다' 또는 '너무 비싸다'라고 재단할 수는 없다. '싸다'라고 느끼는 것은 이와 반대로 해석하면 된다.

동일한 물건이라고 해도 사람마다 그 물건에서 느끼는 효용이 다르듯이, 부동산 또한 사람마다 느끼는 효용이 다르다. 예컨대 누군가는 100 정도의 효용을 느끼는 부동산이, 다른 누군가에는 150 정도의 효용을 느낄 수도 있다. 부동산의 효용, 즉 부동산을 이용할 때 체감하는 만족감의 크기에 따라 부동산이 매매된다고 볼 수 있다. 그래서 과거에서부터 지금까지 많은 학자들이 '부동산의 가치는 장래 기대되는 편익(효용)의 현재가치 합'이라고 정의하고 있는 것이다. 그렇다면, 다른 재화와 마찬가지로 수요와 공급에 따라 가치를 도출하면 되지 않을까? 다수의 수요자와 다수의 공급자를 포착해 시장 내에서 통용되는 가치 또는 가격을 도출하는 것이 가능할 것처럼 보인다.

2

부동산 가격 사이의 '간극'을 잘 보고 투자하라

통상 경제재의 가격결정은 시장에서 결정되는 것으로 본다. 예부터 내려온 유구한 가격결정의 모형인 수요와 공급의 상호작용에 의한다고 보는 것이다. 이러한 수요와 공급이 존재하는 '시장'의 조건은 크게 세 가지로서, 다수의 수요자, 다수의 공급자, 재화의 동질성 등이 있다. 통상의 재화는 이 세 가지 조건만 맞는다면 시장이 형성되고, 가격과 수량에 따라 재화가 배분된다. 이에 따라 잉여가 발생하여 자본주의 시장 내의 생산성이 올라가게 된다. 그러나 부동산 시장은 다른 경제재화와 달리 유효수요를 갖춘 한정된 수요자와 소수의 공급자가 참가하는 시장이며, 또한 물건의 특성상 개별성이 큰 재화다. 그러므로 일반 경제학적 가격결정 과정의 논리, 즉 수요와 공급의 메커니즘만으로는 부동산의 가치형성 및 그 형성과정을 설명하기가 어렵다. 따라서 쉽게 부동산 가격을 분석하거나 가치를 추정하기가 어려운 것이다. 부동산 시장 내에서는 가격과 가치를 판단하기 어렵기 때문에 양자는 늘 간극이 발생한다. 그러므로 부동산 시장에서는 경제학적으로 설명이 어려운 가격의 왜곡현상이 발생하고, 누군가는 큰 이득을 얻곤 한다. 우리는 이런 사람들을 보고 '투자를 잘한다'고 한다. 이들은 '부동산 가격 사이의 간극'을 잘 보고 투자한다. 그래서 많은 사람들이 이러한 간극을 알기 위해서 여러 가지 강의를 수강하거나 수많은 책을 보곤 한다. 다른 책에서는 현재 대한민국의 부동산 현황이라던가, 재개발을 하는 곳 중에서 투자할 만한 데를 추천하는 등 실무적인 것들을 강조하고 있다. 그러나 이 책에서는 실무적인 내용을 보기 이전에, 이론적으로 부동산 가격을 볼 때 무엇을 어떻게 봐야 하는지를 먼저 살펴보고자 한다.

상품을 시장에 내놓을 때, 해당 상품이 완벽하면 출품 시기가 매우 늦어진 것이라고 말하곤 한다. 부동산 투자도 이와 마찬가지다. 투자할 때 완벽을 기하다 보면 투자 타이밍이 늦어질 가능성이 크다. 특히 경매나 공매 투자를 염두에 두었던 사람들은 이것저것 다 재보고 투자하다가 그 좋은 물건을 입찰조차 못 해본 경험이 있을 것이다. 시간이 너무 빠르게 흘러가기에 모든 것을 볼 수는 없다.

부동산 투자에 있어 법률과 세금에 관한 부분은 뒷부분에 법무사와 세무사가 상세히 다룰 예정이니, 여기서는 이것만큼은 반드시 알고 가도록 하자. 지역과 시장, 수익과 위험, 대출과 금리, 그리고 감정평가까지.

CHAPTER

2

지역과 시장을 보자

왜 지역(시장)부터 봐야 할까?

부동산의 가치형성 과정

'피결정성'. 부동산의 가격을 연구하다 보면 머릿속에 떠오르는 한 가지 단어다. 일반적으로 부동산 가격은 스스로 만들어지는 것이 아니라 대상 부동산의 이용과 인근지역 내 다른 부동산의 이용, 그리고 어디와 가깝냐에 따라 결정된다. 또한 부동산은 그 자체로서 일반재화와는 다른 특성들을 지니고 있기 때문에 우리가 익히 알고 있는 수요와 공급의 논리만으로는 부동산 가격을 찾아내기가 상당히 어렵다.

부동산은 일반재화와는 다른 성질(예컨대 고정성 등)을 지니고 있다. 일반재화의 가격결정 요인인 수요-공급과는 일부 비슷한 면이 있긴 하지만, 부분적으로는 다소 다른 가치결정 요인과 체계를 지닌

다. 따라서 수요와 공급의 작용에 따라 결정되는 일반재화의 가격과는 달리 부동산학에서의 가치는, 지역적으로 형성된 가격수준을 기초로 하여 개별 부동산의 개별성 등에 따라 추정되는 것으로 본다. 이를 '부동산 가치형성 과정'이라고 한다. 주택의 가격도 이와 마찬가지로 결정된다. 따라서 일단 얼마인지 가늠하려면 지역부터 먼저 봐야 한다. 이를 지역분석이라고 한다.

왜 지역부터 보라고 하는 것일까?

앞에서 살펴본 가치형성 과정에 따라 얼마만큼의 가치를 지니는지 알려면 지역부터 봐야 한다. 결론부터 말하면 부동산의 지역성 때문에 그렇다. 부동산은 그 부동산 하나만으로 시장을 만들지 않고 지역 내 다른 부동산과 함께 지역(시장)을 구성하며, 해당 부동산이 속한 지역과의 상호의존, 보완관계에 있다. 이를 '부동산의 지역성'이라고 한다. 부동산에는 이러한 지역성이 있으므로, 곧바로 그 부동산을 보는 것이 아니라 지역(시장)을 분석하고 그다음에 분석 대상 부동산을 살펴봐야 한다. 주택투자 시에도 마찬가지다. 주택이 갖는 특성은 대동소이하다. 사람이 살 만한 적당한 면적의 크기를 갖고 있을 것이고, 최근에 지어지는 대부분의 주택은 철근콘크리트로 만들 것이고, 원룸 또는 투룸에 필로티 구조라면 4층 정도의 규모를 갖고 있을 것이다. 그러나 어디에 입지하느냐에 따라 가격은 천차만별일 것이다. 지역(시장) 내 부동산의 가격수준에 영향을 받기 때문이다. 각 지역(시장)은 다른 지역(시장)과는 구별되는 그 지역 나름의 지역특성이 나타나게 되는데, 이를 파악하기 위해서 지역분석이라는 절차가 필요하게 된다.

사람과 부동산이 계속 변화하듯이 지역 또한 고정되어 있는 것이 아니라 항상 변화해간다. 따라서 지역분석을 지속적으로 해야 한다. 이를 통해 지역의 장래동향도 파악할 수 있게 된다. 왜냐하면 가치는 미래에 기대되는 편익에 따라 변동하므로, 지역의 변화를 분석해야만 미래에 기대되는 편익을 가늠할 수 있다. 지역특성은 그 지역의 일반적이고 표준적인 이용에 의해 구체적으로 나타나게 된다.

지역분석 어떻게 할까?

● 지역의 경계가 어디까지인지를 확정하자

일단 지역분석을 하려면 어디서부터 어디까지가 분석 대상지역인지를 확정하는 것이 중요하다. 이는 단순히 용도지역을 기준으로 경계를 확정한다던가 법정동이나 행정동으로 지역을 구분 지어서는 안 된다. 내가 투자를 염두에 두고 보는 주택이 어느 지역에 속해 있는가는 단순하게 결정되지 않는다. 주로 이용과 용도적 동질성을 기준으로 경계가 설정된다. 예컨대 내가 보는 주택이 행정동상 신림동에 속해 있다고 하더라도, 신림동 내 어느 시설에 가까운지, 원룸인지 투룸인지, 사용승인은 언제 되었는지 등에 따라 신림동 내에서도 세분화된 지역시장이 생겨난다. 이를 기준으로 하여 가격수준을 어느 위치까지 파악할지 범위를 결정하는 것이 핵심이다. 구제적으로는 도로, 철도, 공원 등과 같은 유형적 측면으로 경계를 설정할 수 있고, 소득수준과 문화생활 정도, 행정구역, 용도지역지구제 등을 기준으로 하여 경계를 설정할 수도 있다.

● 지역 내 가치형성요인을 살펴보자

지역의 경계설정이 되었다면, 해당 부동산이 소재하는 지역이 다른 지역과 어떻게 구별되는지를 정확히 조사하여 분석하되, 되도록 사회적 요인, 경제적 요인, 행정적 요인, 환경적 요인 등으로 분류하여 분석하는 것이 좋다. 물론 더 다양하게 대상 주택을 세분화해서 본다면 더 좋은 결과치를 얻을 수 있다. 예를 들어 '대학동 고시촌 내 신축 원·투룸'이 그 대상이라면, 개략적으로 빈도수가 높은 나이대는 20~40대 내외이며(사회적 요인), 예전에는 고시생이 많았으므로 타동네 대비 소득수준이 그리 높지 않았지만, 최근에는 서울 시내 자취수요가 증가하면서 사회초년생들이 많이 들어와 살게 되어 예전에 비해 소득수준이 올라가고 있는 상황이고(경제적 요인), 용도지역은 주로 제1종일반주거지역이나 제2종일반주거지역이 많으며(행정적 요인), 최근 지하철이 개통되어 가격수준은 상승한 상태(환경적 요인) 등으로 분석할 수 있을 것이다.

● 가격수준과 표준적 이용을 파악하자

지역의 경계를 설정하고, 지역 내 지역요인들을 분석했다면 그다음에 할 중요한 작업은 바로 지역 내 가격수준과 표준적 이용 파악이다. 표준적 이용은 해당 지역 내 정형화된 이용 패턴이라고 보면 편하다. 분석 대상 지역의 지역특성이 지역 내 부동산의 일반적이고 표준적인 이용을 형성한다. 이에 기하여 부동산을 가장 최고로 잘 쓰는 방법, 즉 최유효이용판정에 어떠한 영향을 미칠 것인가를 분석한다. 위의 예시에서 설정한 신림동 내 고시촌 안의 이용을 보면, 주택시장은 현재 4~5층 내외의 주택 또는 근린생활시설(학원, 독서실, 술집 등)로 사용하고 있으며, '이보다 적거나 또는 과한 주택을 개발하거나 매수하면 손해를 볼 수도 있겠구나'라고 가늠할 수 있다. 또한 대상 부동산의 가치는 지역의 가격수준 범위 내에서 형성되므로, 지역분석을 해야만 비싸게 사거나 싸게 파는 행위를 방지할 수 있다.

정리하자면, 부동산은 지역성이 강한 재화이므로 지역을 봐야 하고, 지역의 분석을 통해 가격수준 및 최유효이용판정 방향을 파악할 수 있고, 유사 동종 부동산의 가격자료 수집 범위 및 상대적 위치 등을 파악할 수 있다.

2 부동산의 이용과 입지가 가격에 미치는 영향

역사적으로, 부동산 가격의 본질에 대해서는 여러 학자들의 다양한 의견이 있었다. 예컨대, 내 땅의 생산력이 인근 토지들의 생산력보다 좋으면 지대가 상승한다D.Ricardo고 주장한다던가, 부동산 가격은 소유권 가치K.H.Marx라던가, 호가과정의 산물Ross 外이라던가 하는 등등의 의견들이 있었다. 이러한 여러 가지 의견들을 종합하여 부동산의 가격(가치)을 바라볼 때, 결국 부동산의 가격을 결정짓는 가장 중요한 요소는 바로 이용(용도)과 입지다.

부동산은 잘 쓰는 만큼 가치가 올라간다

● 최대한 잘 쓰는 게 핵심

앞서 말한 대로 부동산 시장은 독특한 수요와 공급을 갖고 있지만, 일반 경제재화와 비슷한 부분이 존재한다. 대표적인 것이 '효용'이다. 여기서 말하는 효용은 인간의 필요나 욕구를 만족시켜 줄 수 있는 재화의 능력을 의미한다. '내가 왜 이 부동산을 사야 하는지'를 보다 보면, '내가 원하는 것을 이 부동산이 갖고 있다'라고 볼 수 있다. 부동산의 능력, 즉 부동산의 생산성은 소유자나 임차인들에게 생활을 영위하기 위한 필요와 욕구를 만족시켜 준다. 이처럼 생산성이 우수할수록 많은 사람들이 원할 것이고, 원하는 부분만큼 가격이 오른다고 볼 수 있다. 만족감은 부동산의 매력도를 증진시켜, 살고(사고) 싶은 부동산이 된다. 그러므로 부동산이 높은 가치를 지니기 위해서는 다른 부동산에 비해 큰 생산성을 가지고 있어야 한다. 이 살고(사고) 싶은 욕구로 인해 부동산 가격이 상승하고 시장 내에서 매매가 성립한다. 따라서 부동산 가격이 최고로 형성되려면 '가장 살고(사고) 싶은 상태'로서 존재해야 하는데, 이를 위해서는 '부동산의 현재 이용 상태가 가장 최고 상태'로 있어야 한다. 이러한 상태를 부동산학적 용어로 표현하면 '최유효이용'이라고 한다.

● 가장 살고(사고) 싶은 상태와 가장 잘 팔 수 있는 상태는 같다: 최유효이용

앞서 말한 지역분석의 결과로 지역 내 표준적 이용이 무엇인지 알 수 있게 된다. 이 표준적 이용은 그 지역 내 부동산의 최유효이용을 판정하는 기준이 된다. 따라서 표준적 이용을 파악하고 최유효이용에 대한 판정 방향을 명백히 하기 위해서 지역분석을 하게 된다. 최유효이용은 객관적으로 보아 양식과 통상의 이용 능력을 가진 사람이 부동산을 합법적이고 합리적이며 최고·최선의 방법으로 이용하는 것을 의미한다. 쉽게 말해 일반 경제주체가 지금 시점에서 가능한 한 가장 잘 쓰는 이용이라고 말할 수 있다. 주택투자 시 이 부동산이 주택으로 쓰는 게 맞는지 반대로 주택으로 쓸 땅을 다른 용도로 쓰고 있는 것은 아닌지를 파악하는 것이 중요하다. 가치(가격)는 최유효이용을 전제로 결정되기 때문이다. 합리적인 사람이라면 100만 원짜리 땅을 50만 원에 팔지는 않을 것이다. 그렇다면 이 땅을 가장 최고의 상태로 쓰는 것은 어떻게 판정할까?

이(최유효이용)를 판정하는 방법은 물리적 가능성, 법적 허용성, 경제적 타당성, 최대수익성 검토 등의 순서로 이루어진다. 통상 이 네 가지 단계로 이루어진다.

(1) 물리적으로 어떻게 써야 하는가
(2) 현재 법적 제한 내에서 어떻게 써야 하는가
(3) 주위 상황 및 수익과 비용 분석을 통해 경제적으로 타당한가
(4) 앞서 설명한 세 가지 조건을 충족하는 용도 중에서 가장 최고의 수익을 창출하는 이용은 무엇인가

이렇게 가장 잘 쓰는 이용을 파악하기 위해서는 선제적으로 지역

의 가격수준과 표준적 이용 등을 파악해야 한다. 그러므로 내가 보는 물건이 지금 상태에서 최고로 잘 쓰는 이용인지를 보기 위해서는 지역 단위의 분석을 철저히 해야 할 것이다.

어디에 입지해 있느냐에 따라 가격은 미리 결정된다

● 부동산은 사람이 쓴다

부동산의 생산성은 곧 임대료 및 가격으로 표현된다. 이는 위치적 이점(접근성), 독점력, 생산성, 토지의 비탄력성 등에서 도출된다. 이 중 가장 크게 영향을 미치는 것은 위치적 이점으로 볼 수 있다. 즉, 부동산 가치의 본질은 효용(수익성)이며, 이에 가장 크게 기인하는 것은 위치적 이점(접근성)이다. 100년 전에도, 1000년 전에도, 심지어 10억 년 전에도 우리가 있는 위치의 값은 변하지 않았다. 과거에도 강남의 위치는 지금 있는 강남이었으며, 용산의 위치 또한 지금 있는 용산의 위치 그대로였다. 물리적인 위치는 과거에서부터 현재까지 전혀 변하지 않았다. 그러나 과거와 지금의 가장 큰 차이점은, '부동산'을 '사람'이 쓰면서 '가치'라는 것이 부여되었다는 점이다. 결국 가치는 사람이 부동산을 이용하면서 발생된 성질의 것이다.

● 상대적으로 희소한 위치에 있을수록 가격이 오른다

물리적 공급은 강남이건 용산이건 지방이건 전 세계에 딱 하나밖에 없다. 강남역 10번 출구 앞의 빌딩이건 지방 소도시의 읍내에 있는 논이건 전 세계에 딱 하나밖에 없는 희귀한 재화라는 얘기다. 과거에서부터 지금까지 부동산의 위치는 고정되어 있고, 물리적 공급은 매우 제한적이므로, 물리적으로 희귀하다는 성질 하나만 놓고 본다면 전 국토의 부동산 가격은 동일해야만 한다. 모든 필지가 다 물리적으로는 희귀하기 때문이다. 그러나 현실시장의 모든 부동산 가격은 다 다르다. 왜냐하면 부동산 가격은 물리적으로 절대적인 희소성을 갖고 있지만, '위치에 따라 상대적 희소성'을 지니고 있기 때문이다. 지방 소도시의 읍내에 있는 논과 대비하여 강남역 10번 출구 앞의 빌딩이 상대적으로 더 희소하기 때문에 가격 차이가 크다. 이 상대적 희소성을 결정짓는 가장 큰 요인이 바로 위치적 이점으로 볼 수 있다. 희소성이란 현재나 가까운 미래의 공급이 수요에 비해 상대적으로 충분하지 못한 상태를 의미한다. 사람들이 요구하는 특정 부동산에 대한 공급은 상대적으로 많지 않기 때문에 이런 특정 부동산은 큰 가치를 지니게 된다. 특히 주택의 경우는 더 그렇다. 왜 사람들은 강남에 살고 싶어 할까? 교통이 편리하고, 여러 회사들이 밀집되어 있으며, 한강에 가깝고 학군이 좋기 때문이다. 이런 부동산은 다른 부동산에 비해 상대적으로 매우 희소하게 된다. 우리는 이를 일컬어 '입지가 좋다'라고 말한다. 그러므로 부동산 투자 시에는 입지가 좋은 곳을 잘 분석해서 선정하는 것이 중요하다.

정리하자면,

(1) 부동산 가치(가격)는 이 부동산을 얼마나 잘 쓰느냐에 따라 달라진다.

(2) 사람이 부동산을 이용함에 따라 가치가 부여되고, 이 가치는 입지, 즉 어디에 있느냐에 따라 달라진다.
흥미롭게도 부동산의 가치는 계속 변화한다. 애초에 끊임없이 개개인은 변화하고 이에 따라 사회가 계속 변화하기 때문이다. 인문적 환경의 영향에 의해 부동산 가격은 시간의 흐름에 따라 변화하기 때문에 이를 이해하고 좀 더 넓은 시각으로 부동산 및 부동산 시장을 바라볼 필요가 있다.

접근성이란 무엇인가?

주택의 가치에 미치는 영향은 매우 복잡하고 다양하지만, 이번 챕터에서는 접근성에 주안점을 두고 살펴보도록 하자. 주거용으로서의 큰 효용을 주는 주택일수록 가치는 높아진다. 이 효용은 부동산의 수익으로 표현된다. 감정평가사들은 이 주택 효용을 일반적으로 다음과 같이 분류해 수익성 등을 측정한 이후 감정평가한다.

「감정평가 실무기준」 610.1.6.1 주거용지
주거용지(주상복합용지를 포함한다)는 주거의 쾌적성 및 편의성에 중점을 두어 다음 각 호의 사항 등을 고려하여 감정평가한다.
1. 도심과의 거리 및 교통시설의 상태
2. 상가와의 거리 및 배치상태
3. 학교·공원·병원 등의 배치상태
4. 조망·풍치·경관 등 지역의 자연적 환경

5. 변전소·폐수처리장 등 위험, 혐오시설 등의 유무
6. 소음·대기오염 등 공해발생의 상태
7. 홍수 사태 등 재해발생의 위험성
8. 각 획지의 면적과 배치 및 이용 등의 상태

앞서 부동산 입지에 따른 기초적인 이야기를 했다. 여기에 추가로 살펴보면, 도심과의 거리 및 교통시설의 상태, 그리고 상가와의 거리 및 배치상태가 주택의 가치에 미치는 영향이 크다는 것을 알 수 있다. 절대적 위치가 아닌 접근성에 의한 상대적 위치값이 좋아지기 때문이다. 최근 GTX 개통으로 인한 주택가격의 변화가 그 대표적인 예다.

● 접근성과 부동산 가격과의 관계

접근성이란 어떤 대상물과 상대적인 거리관계를 말하며, 이는 실측거리, 시간거리, 운임거리, 의식거리로 접근 정도를 측정한다. GTX 개통으로 인해 수도권과 서울 중심지와의 상대적 거리, 즉 접근성이 개선되어 GTX선 인근의 주택가격이 상승하고, 이에 따라 임대료가 상승하는 등의 여러 가지 현상들이 발생했다. 이처럼 부동산은 접근성이 좋으면 보통 '위치가 좋다'라고 하며, 이것은 이용 및 가치 등에 영향을 크게 주는 요인으로 파악한다. 단순히 물리적 거리를 보는 근접성과는 엄밀히 말하면 다른 개념이다. 도시는 시간이 지나거나 성장함에 따라 외연화되며, 집약화되어 간다. 외연화가 되거나 집약화되는 과정 중에서 핵심적 역할을 하는 것은 바로 '교통

수단'이다. 도시의 성장과 관련하여 도시 간 교통수단의 발달은 각 도시에 영향(효과)을 주며, 개별 부동산의 생산성이나 효용에도 큰 영향을 미치게 된다. 이에 따라 각 세부 부동산 시장별로 연계가 강화되고, 중심지의 가격이 상승하게 된다. 통상 배후지로서 주택가격 또한 상승하게 된다.

● 접근성 개선이 무조건 좋을까?

접근성이 개선되면 직주근접성에 긍정적인 효과를 주게 되어 지역 내 부동산 가격 및 거래량 상승의 효과를 가져올 수 있지만, 지역 내 부동산 가격 및 거래량이 단기에 급상승하여 투기적 수요에 의한 시장 과열이 발생하여 시장의 극심한 불균형을 초래할 수 있다. 추가로, GTX 개통 등 접근성이 좋아지게 된다면 지역의 경계 설정이 종전과 달라지게 될 수 있고, 인구이동 등 사회적 요인이 변할 수 있고, 부동산의 이용과 가격수준이 변화할 가능성이 있으므로 유의하여 지역을 분석해야 한다. 주택투자는 큰돈이 들어가는 투자행위다. 따라서 느낌으로만 판단할 것이 아니라 되도록 항목을 세분화해서 투자하는 것이 좋다. 이에 더하여, 부동산의 종류(유형) 또한 최대한 세분화하면 좋다. 단순히 주택이 아니라, 주택 중에서도 단독주택인지 다가구주택인지 다세대주택인지, 사용승인은 얼마나 지났는지 등등으로 분류하면 좋다. 세분화할수록 가치에 미치는 여러 요인들에 대한 확정이 용이하고, 투자의 신속성이 기해지며 지역분석에 도움을 줄 수 있기 때문이다.

3

주택투자 시 무조건 가서 봐야만 하는 이유(임장활동의 필요성)

그 동네에서 느끼는 분위기는 모두가 똑같이 느낀다

부동산 가치를 형성하는 모든 요소들은 굉장히 다양하고 복잡하다. 이런 요소들을 가치형성요인이라고 한다. 이는 대상물건의 경제적 가치에 영향을 미치는 일반요인, 지역요인 및 개별요인 등이라고 정의된다. 일반요인은 대상물건이 속한 전체 사회에서 대상물건의 이용과 가격수준 형성에 전반적으로 영향을 미치는 일반적인 요인(사회적·경제적·행정적 제요인을 포함)을 말하며, 지역요인은 대상물건이 속한 지역의 가격수준 형성에 영향을 미치는 자연적·사회적·경제적·행정적 제요인을, 개별요인은 대상물건의 구체적 가치에 영향을 미치는 고유한 개별적 요인이라고 정의한다.

● 부동산은 지역성으로 인해 지역마다 다 다르다

애초에 일반 경제적 재화는 인구, 금리, 정책, 세금 등 일반적 요인을 분석하는 것이 주된 분석(거시적 분석이라고 하는 모든 것들)이다. 그러나 부동산 시장은 이런 일반적 요인이 부동산의 지역성으로 인하여 지역의 자연적·사회적·경제적·행정적 조건과 결합하게 된다. 그래서 같은 거시변수라도 지역마다 영향을 달리 미치게 된다. 예컨대, 최근에 우리나라의 출생률이 저하되고 있고 전반적으로 노령화가 될 것이 예상된다면, 이 변수가 전국적으로 가격에 영향을 미치지만(일반적 요인), 지역별로 그 영향이 다르게 미칠 것이라고 예상되는 것(일반요인의 지역지향성)이 바로 그것이다. 또 다른 예로 금리인상을 들 수 있다. 금리가 인상되면 전 국토에 걸쳐 부동산 시장에 큰 충격을 주지만, 지역에 따라 또는 세부시장에 따라 그 영향이 달리 미치게 될 것이다. 이처럼 같은 요인이라 할지라도 지역에 따라 다른 영향을 미치게 된다. 이를 일반요인의 지역지향성이라고 한다. 이것이 바로 임장을 반드시 가야 하는 필요성의 근거가 된다. 이런 일반적 요인들이 각 지역별로 어떻게 적용되고 있는지를 직접 가서 봐야 한다.

● 책상 앞에서 봐도 되지 않을까?

요즘은 편안하게 컴퓨터 앞에 앉아서 투자 대상 주택의 도로 상황이라던가 과거의 모습까지도 볼 수 있는 상황인데, 그래도 꼭 가서 봐야 할까? 아니면 내가 보고 있는 주택만 완벽하게 조사하면 될 것처럼 느껴진다. 과연 그럴까? 앞서 살펴본 것처럼 애초에 부동산은 사람이 쓰는 효용의 값만큼 값어치가 결정된다. 부동산의 절대적 공급은 하나지만, 경제적으로는 공급이 매우 다양하게 이루어지기 때문에 용도가 하나가 아니라 여러 가지가 된다. 즉, 다양하게 쓸 수 있다는 말이다. 또한 옆 필지와 합병하거나 내 땅을 분할해서 쓸 수도 있고, 시간이 지남에 따라 여러 가지 요인들이 변화하면서 부동산 가격도 변화하게 된다.

우리가 임장활동을 하는 이유는 해당 부동산에 대한 정확한 정보를 알고자 함도 있지만, 지역 내 다른 유사부동산의 이용형태를 보기 위함도 있다. 부동산의 가치는 최유효이용을 전제로 결정되고 이 이용은 지역 내 표준적 이용에 제약을 받는다. 따라서 감정평가사는 주택지대 내 주택을 감정평가할 때 해당 주택만 보는 것이 아니라 해당 주택이 소재하는 인근지역 내 다른 여러 부동산들도 함께 본다. 이를 우리끼리 말로는 '현장에서 논다'라는 표현을 쓴다. 전형적인 주택지대라고 할지라도 주택만 있는 것이 아니라 세탁소도 있고, 편의점도 있고, 학원도 있고, 치킨집도 있을 것이다. 걷다 보면 이 동네의 끝이 보일 것이고, 어느 동네랑 연결되어 있는지를 본다. 현장조사하는 이 오후 시간에 밖에 있는 사람들의 나이대는 어떠한지, 하다못해 이 동네에서 제일 큰 카페는 어디에 있는지 등등이 무의식적으로 다 보이곤 한다. 궁금한 것이 있으면 실례를 무릅쓰고 열심히 영업을 하는 동네 공인중개사에게 시장동향이라던가 인근에 신축하는 아파트단지는 어디가 있는지 등등을 물어보곤 한다. 이 동네가 어떤 동네이고 동향은 개략적으로 어떠한지 스스로에게 확신에 차서 설명할 수 있을 정도가 되면 현장에서 그만 놀고 회사로 복귀

한다. 지역의 동향 등에 따라 내가 보는 부동산 가격이 변할 것이기 때문이다. 따라서 임장조사를 할 때는 대상 부동산만을 볼 것이 아니라 지역 내 여러 가지 다른 부동산들도 다 봐야 한다. 경찰이 사건 현장을 분석하듯이, 모든 정보가 현장에 있다는 생각으로 샅샅이 살펴보아야 한다. 다만, 모든 정보를 보는 것은 시간 제약이 크고 양이 방대하여 불가능에 가깝다. 따라서 임장조사 시 미리 최대한 실내에서 조사할 수 있는 많은 사항을 확인한 후 현장에서 대조해가면서 조사를 한다면 반드시 좋은 결과를 얻을 수 있을 것이다.

부동산은 다양하게 바라볼 수 있다

부동산은 경제적 재화 중에 굉장히 특이한 물건이다. 딱 달라붙어서 움직이지도 못하고, 특히 토지의 경우는 양을 늘릴 수 없으며, 영속적이고, 개별성이 뚜렷하다. 따라서 부동산이 거래의 대상이 된 이후부터 많은 학자들은 이런 특이한 물건을 연구하기 시작했다. 어떤 개념에 대해서 사회과학적인 분석이 들어가게 되면 그 개념을 정의하고, 그 개념을 보는 시각에 대해 분류한 후 탐구한다. 학자들은 부동산을 보는 시각을 유형적인 시각과 무형적인 시각으로 분류했다. 유형적인 시각은 인간의 눈에 비치는 부동산의 물리적 측면이고, 무형적인 시각은 눈에 보이지 않는 경제·법률·사회적인 시각으로서 유형적인 시각과는 달리 관념적으로 인식되는 특징이 있다.

● 부동산의 복합개념

부동산을 유형적인 시각, 즉 물리적인 시각으로 바라보면 말 그대로 토지, 건물 등으로 나누어서 보게 된다. 반대로 무형적인 시각으로 바라보게 되면, 경제·경영적 사고 등 부동산을 재화로 보는 경제적 시각, 사회·문화적인 측면에서 파악하는 사회적 시각, 그리고 각종 법적 규제 등으로 이루어진 것으로 보는 법률적 시각 등으로 더욱 세분화된다. 이렇게 부동산을 다각적인 측면에서 종합적으로 이해하고 사고하는 방식을 '부동산의 복합개념'이라고 부른다.

● 바라보는 시각에 따른 차이

개별 부동산을 바라보는 물리적인 시각과 법률적인 시각이 개별 주택마다 다른 양상을 보일 수 있기 때문에 반드시 임장활동을 해야만 한다. 일례로 투자대상 주택을 분석하기 위하여 등기사항전부증명서 및 건축물대장을 발급받았다고 해보자. 법률적인 시각에서 이 주택은 공부상 지하층은 대피소로, 1~4층은 주택으로 되어 있다. 과연 실제로도 그럴까? 현장에 가서 물리적인 시각으로 부동산을 보게 되면, 지하층은 주택, 1층은 근린생활시설 또는 사무소, 2~4층은 주택으로 쓰고 있는 경우가 부지기수다. 심지어 옥상에는 옥탑방이 있는 경우가 많다. 이렇듯 부동산은 복합적인 시각에서 봐야 하며, 각 시각별로 상이한 결과가 있을 수도 있다. 그러므로, 관련 공부의 공신력만 믿고 현장에 가지 않은 채 투자여부를 결정한다면 추후에 많은 번거로운 일이 발생할 수 있다. 이런 이론적인 이야기는 별론으로 하더라도 큰돈이 들어가는 활동이므로 현장에 가서 건물 상태는 어떤지, 또 공부상 1층인데 현황은 반지층이 아닌지 등등을 확인하는 것은 너무나도 당연하다. 너무나도 당연한데, 많은 사람들이 귀찮다는 핑계로 현장에 가지도 않은 채 투자여부를 결정하곤 한다. 현장에 답이 있다. 반드시 가서 보자.

4

가격수준 파악, 어떻게 해야 할까?

가격수준 파악 시 등기사항전부증명서를 반드시 봐야 하는 이유

요즘은 예전과 달리 부동산 중개업소에 발품을 팔면서 가격수준을 파악하기보다는, 국토교통부 실거래가 공개시스템을 많이 활용한다. 비단 이뿐만이 아니라 여러 부동산 시세 관련 어플을 통해서 향후 시세변동까지 예측하기도 한다. 그런데 많은 분들이 '등기사항전부증명서'를 확인하지 않고 시장 내 매매사례들을 검토한다. 그러면 안 된다. 반드시 등기사항전부증명서를 확인해야 한다. 실거래가 공개시스템상 실거래된 사례와 그 사례의 등기사항전부증명서상 내용이 다른 경우들이 있기 때문이다.

● 부동산과 동산의 차이

여러분이 지금 보고 있는 이 '책'과 같은 대부분의 물건들은 일단 '내가 갖고 있다는 것(점유)'만으로 내 것이라고 추정할 수 있다. 그러나 '주택과 같은 부동산들'은 늘 지니고 있을 수 없기 때문에 '누구의 소유인지' 모른다. 왜냐하면 소유자가 '내 것임을 보여주기 위해' 한시도 빠짐없이 주택에 있을 수는 없기 때문이다. 따라서 우리 법에는 내가 이 집에 없어도 '나의 것'이라는 증거로서, 등기사항전부증명서에 소유권등기를 하도록 하고 있다. 집에 없어도 이 집은 '나의 것'임을 모두가 알게 되는 것이다. 뿐만 아니라 등기사항전부증명서에는 소유권 이외의 사항도 등기가 된다. 이 주택에는 근저당권 설정이 언제 얼마나 되었는지, 전세권은 있는지 등등 권리에 관한 사항들이 가득 기재되어 있다. 그런데 등기사항전부증명서에 있는 용어는 어렵고, 내용도 다양해서 초보자들이 보기에는 상당히 어려운

부동산 거래신고 등에 관한 법률

제3조(부동산 거래의 신고) ① 거래당사자는 다음 각 호의 어느 하나에 해당하는 계약을 체결한 경우 그 실제 거래가격 등 대통령령으로 정하는 사항을 거래계약의 체결일부터 30일 이내에 그 권리의 대상인 부동산 등(권리에 관한 계약의 경우에는 그 권리의 대상인 부동산을 말한다)의 소재지를 관할하는 시장(구가 설치되지 아니한 시의 시장 및 특별자치시장과 특별자치도 행정시의 시장을 말한다)·군수 또는 구청장(이하 "신고관청"이라 한다)에게 공동으로 신고하여야 한다. 다만, 거래당사자 중 일방이 국가, 지방자치단체, 대통령령으로 정하는 자의 경우(이하 "국가 등"이라 한다)에는 국가 등이 신고를 하여야 한다.

서류다. 이번 챕터에서는 가격수준 파악에만 주안점을 두고 딱 하나만 알고 가면 좋을 것 같다.

부동산은 고가성을 갖는 재화이기 때문에 관행상 계약금 → 중도금 → 잔금의 절차로서 매매대금을 지급한다. 잔금 지급까지 완료해야만 모든 매매대금이 지급되는 것이다. 다만, 국토교통부 실거래가 공개시스템에 등록된 거래사례들은 계약금만 수수된 상태에서 신고된다. 위의 법률에 따라 '거래계약의 체결일부터 30일 이내'에 거래계약을 신고하기 때문이다. 따라서 보이는 거래사례들이 계약금만 수수되었는지, 아직 중도금 지급, 잔금 지급의 절차가 남아있는지 알 수가 없다. 아직 더 돈을 내야 하는지도 모르고 심지어 거래 중간에 계약이 해제될 수도 있기 때문에 실거래가 공개시스템만으로는 완전한 거래인지 알 수가 없다.

민법

第186조(부동산물권변동의 효력) 부동산에 관한 법률행위로 인한 물권의 득실변경은 등기하여야 그 효력이 생긴다.

민법과 관련 법률 및 판례에 따르면 부동산 계약을 하더라도 등기를 해야 소유권이 이전된다. 더 깊이 들어가면 많은 논점이 있으니 일단 이 정도만 알아두자. 부동산 매매가 완료되려면 '이 집의 소유권이 이동되었다'라는 의미로 소유권이전등기를 해야 하는데, 소유권이전등기는 잔금 지급과 동시이행관계에 있다. 따라서 등기사항전부증명서에 '소유권이전등기'가 되었다면 그 거래는 잔금까지 모두 지급된 완전한 거래로 볼 수 있다. 그러므로 국토교통부 실거래가 공개시스템 및 여러 가지 어플을 살펴볼 뿐만 아니라 등기사항전부증명서까지 발급하여 소유권이전등기가 경료되었는지까지 확인하고, 그다음에 해당 거래사례의 가격이 높은지 낮은지를 판단하는 것이 가격수준 파악의 첫 번째 절차다. 등기사항전부증명서는 대법원 인터넷등기소에서 간편하게 열람이 가능하니 반드시 확인하기 바란다. 정리하자면, 실거래가 공개시스템에 신고된 것만으로는 거래 완료가 되었는지 아직 모르기에 등기사항전부증명서까지 확인하는 것이 더욱 확실한 시세파악에 도움이 된다는 것이다.

용도지역만큼은 반드시 확인하자

● 내 부동산이지만 내 맘대로 쓸 수 없다

부동산의 소유권이 광범위하게 인정된다면 사회적으로 지가 급등, 생산수단 독점으로 인한 빈부격차 등 여러 문제가 발생할 수 있다. 따라서 대부분의 민주국가에서는 부동산에 사적재산권을 인정한다고 하더라도 이와 동시에 공적 제한을 많이 두고 있다. 따라서 '나의 것'이라고 하더라도 부동산은 마음대로 소유권을 행사하기 어려운 재화다. 이 땅에서는 무엇을 할 수 있고, 무엇을 할 수 없다고 우리끼리 약속한 것을 정리한 것이 각종 부동산공법이다. 부동산 가격은 부동산의 각종 공법상 제한의 제약을 받아 형성된다.

여기 다른 조건이 다 같은 두 필지의 땅이 있다고 가정해보자. 주택을 5층까지 지을 수 있는 땅과 10층까지 지을 수 있는 땅이 있다면 어떤 땅이 더 좋다고 할 수 있을까? 당연히 후자인 10층까지 지을 수 있는 땅이다. 높게 지을수록 더 많은 호수를 만들 수 있고, 이는 곧 수익성으로 직결되기 때문이다. 이렇듯 부동산의 공법상 제한은 부동산의 수익성 및 가격에 직접적인 영향을 미친다. 따라서 부동산의 공법상 제한을 기초로 하여 지역 내 가격수준의 경계와 종류가 결정되게 된다. 이 땅의 소유자가 누구인지, 어떤 은행에서 저당권을 설정했는지 등등을 알려주는 것이 등기사항전부증명서다. 그렇다면 이 땅에는 어떤 제한이 있고 무엇을 할 수 있는지를 알려주는 것은 무엇일까? 바로 '토지이용계획확인원'이다. 그러므로 토지이용계획확인원을 확인하는 것이 부동산 가격수준 가늠 및 개별 부동산의 가격 파악에 결정적인 도움이 될 수 있다. 토지이용계획확인원은 정부24(https://www.gov.kr)에서 발급하거나, 토지이음(http://www.eum.go.kr), 또는 일사편리(http://kras.seoul.go.kr) 등에서 확인할 수 있다.

우리나라의 토지이용 형태 및 공법상 제한을 결정하는 큰 틀과 관련 법령은 여러 가지가 있다. 다만, 등기사항전부증명서상 여러 가지 법적 용어가 어렵듯이 토지이용계획확인원에 있는 여러 공법상의 제한 해석도 참 어렵다. 따라서 이번 챕터에서는 용도지역 딱 하나만 알고 가면 좋을 것 같다.

국토의 계획 및 이용에 관한 법률

제2조(정의) 이 법에서 사용하는 용어의 뜻은 다음과 같다.
15. "용도지역"이란 토지의 이용 및 건축물의 용도, 건폐율(「건축법」 제55조의 건폐율을 말한다. 이하 같다), 용적률(「건축법」 제56조의 용적률을 말한다. 이하 같다), 높이 등을 제한함으로써 토지를 경제적·효율적으로 이용하고 공공복리의 증진을 도모하기 위하여 서로 중복되지 아니하게 도시·군관리계획으로 결정하는 지역을 말한다.

수많은 부동산 관련 법률 중 가장 대표적인 법률로 「국토의 계획 및 이용에 관한 법률」이 있다. 이 법은 도시·군 기본계획 및 도시·군 관리계획 등에 대한 사항을 규정하고 있다. 용도지역을 규정하고 있는 법 또한 이 법이다. 용도지역을 봐야 하는 이유는 너무나도 많은데, 그중에서 딱 두 개념만 보면 된다. 바로 용적률과 건폐율이다. 용적률은 대지면적에 대한 지상 건축물의 연면적 비율을, 건폐율은 건축면적의 대지면적에 대한 비율을 의미한다. 쉽게 말해 용적률은 몇 층까지 올릴 수 있는지를, 건폐율은 건축밀도를 얼마만큼 할 수 있는지를 의미한다. 따라서 통상 용적률과 건폐율이 클수록 건물을 더 크고 높게 지을 수 있기 때문에 용적률과 건폐율이 클수록 땅의 값어치는 올라간다. 그러므로 지역 내 인접한 필지라고 하더라도 용도지역에 따라 가격수준이 달라지며 이는 주택의 가격에도 큰 영향을 미치게 된다. 우리나라는 부동산을 바라볼 때 지상 건물보다는 토지 중심으로 보기 때문에 더욱 그렇다.

용적률: 총연면적(지하층 등 제외)/대지면적×100%
건폐율: 건축면적/대지면적×100%

용도지역은 크게 도시지역, 관리지역, 농림지역, 자연환경보전지역으로 구분되며 그 안에서도 세분화되어 있다. 자세한 용도지역 구분은 아래와 같다.

국토의 계획 및 이용에 관한 법률

第36조(용도지역의 지정) ① 국토교통부 장관, 시·도지사 또는 대도시 시장은 다음 각 호의 어느 하나에 해당하는 용도지역의 지정 또는 변경을 도시·군관리계획으로 결정한다.

1. 도시지역: 다음 각 목의 어느 하나로 구분하여 지정한다.

가. 주거지역: 거주의 안녕과 건전한 생활환경의 보호를 위하여 필요한 지역

나. 상업지역: 상업이나 그 밖의 업무 편익을 증진하기 위하여 필요한 지역

다. 공업지역: 공업의 편익을 증진하기 위하여 필요한 지역

라. 녹지지역: 자연환경·농지 및 산림의 보호, 보건위생, 보안과 도시의 무질서한 확산을 방지하기 위하여 녹지의 보전이 필요한 지역

2. 관리지역: 다음 각 목의 어느 하나로 구분하여 지정한다.

가. 보전관리지역: 자연환경 보호, 산림 보호, 수질오염 방지, 녹지공간 확보 및 생태계 보전 등을 위하여 보전이 필요하나, 주변 용도지역과의 관계 등을 고려할 때 자연환경보전지역으로 지정하여 관리하기가 곤란한 지역

나. 생산관리지역: 농업·임업·어업 생산 등을 위하여 관리가 필요하나, 주변 용도지역과의 관계 등을 고려할 때 농림지역으로 지정하여 관리하기가 곤란한 지역
다. 계획관리지역: 도시지역으로의 편입이 예상되는 지역이나 자연환경을 고려하여 제한적인 이용·개발을 하려는 지역으로서 계획적·체계적인 관리가 필요한 지역

3. 농림지역

4. 자연환경보전지역

용도지역 내 자세한 구분은 동법 77조, 78조 및 시행령 30조 등에서 찾아볼 수 있다. 예컨대 도시지역 내에서 자주 보이는 제2종일반주거지역의 경우 용적률은 150% 이상 250% 이하, 건폐율은 60% 이하의 범위 내에서 건물을 지어야 한다. 다만, 해당 지역의 조례 등에 따라 다소 다를 수는 있으니 확인해 보는 것도 좋다. 관련 법과 서울시 조례의 용적률 및 건폐율은 다음과 같다.

용적률

지역	세부지역 구분	국토의 계획 및 이용에 관한 법률	시행령	서울시 도시계획조례
주거지역	제1종 전용주거지역	700% 이하	50% 이하 → 100% 이하	100% 이하
	제2종 전용주거지역		100% 이하 → 150% 이하	120% 이하
	제1종 일반주거지역		100% 이하 → 200% 이하	150% 이하
	제2종 일반주거지역		150% 이하 → 250% 이하	200% 이하
	제3종 일반주거지역		200% 이하 → 300% 이하	250% 이하
	준주거지역		200% 이하 → 700% 이하	400% 이하
상업지역	중심상업지역	1,500% 이하	400% 이하 → 1,500% 이하	1,000% 이하 (4대문안 800% 이하)
	일반상업지역		300% 이하 → 1,300% 이하	800% 이하 (4대문안 600% 이하)
	유통상업지역		200% 이하 → 1,100% 이하	600% 이하 (4대문안 500% 이하)
	근린상업지역		200% 이하 → 900% 이하	600% 이하 (4대문안 500% 이하)
공업지역	전용공업지역	70% 이하	150% 이하 → 300% 이하	200% 이하
	일반공업지역		200% 이하 → 350% 이하	200% 이하
	준공업지역		200% 이하 → 400% 이하	400% 이하
녹지지역	보전녹지지역	200% 이하	50% 이하 → 80% 이하	50% 이하
	생산녹지지역		50% 이하 → 100% 이하	
	자연녹지지역		50% 이하 → 100% 이하	

건폐율

<table>
<tr><th>지역</th><th>세부지역 구분</th><th>국토의 계획 및 이용에 관한 법률</th><th>시행령</th><th>서울시 도시계획조례</th></tr>
<tr><td rowspan="6">주거 지역</td><td>제1종 전용주거지역</td><td rowspan="6">70% 이하</td><td>50% 이하</td><td>50% 이하</td></tr>
<tr><td>제2종 전용주거지역</td><td>50% 이하</td><td>40% 이하</td></tr>
<tr><td>제1종 일반주거지역</td><td>60% 이하</td><td>60% 이하</td></tr>
<tr><td>제2종 일반주거지역</td><td>60% 이하</td><td>60% 이하</td></tr>
<tr><td>제3종 일반주거지역</td><td>50% 이하</td><td>50% 이하</td></tr>
<tr><td>준주거지역</td><td>70% 이하</td><td>60% 이하</td></tr>
<tr><td rowspan="4">상업 지역</td><td>중심상업지역</td><td rowspan="4">90% 이하</td><td>90% 이하</td><td rowspan="4">60% 이하</td></tr>
<tr><td>일반상업지역</td><td>80% 이하</td></tr>
<tr><td>유통상업지역</td><td>80% 이하</td></tr>
<tr><td>근린상업지역</td><td>70% 이하</td></tr>
<tr><td rowspan="3">공업 지역</td><td>전용공업지역</td><td rowspan="3">70% 이하</td><td>70% 이하
(산업단지 80%)</td><td rowspan="3">60% 이하</td></tr>
<tr><td>일반공업지역</td><td>70% 이하
(산업단지 80%)</td></tr>
<tr><td>준공업지역</td><td>70% 이하
(산업단지 80%)</td></tr>
<tr><td rowspan="3">녹지 지역</td><td>보전녹지지역</td><td rowspan="3">-</td><td>70% 이하
(산업단지 80%)</td><td rowspan="3">60% 이하</td></tr>
<tr><td>생산녹지지역</td><td>70% 이하
(산업단지 80%)</td></tr>
<tr><td>자연녹지지역</td><td>70% 이하
(산업단지 80%)</td></tr>
<tr><td rowspan="2">기타 지역</td><td rowspan="2">기타 지역</td><td rowspan="2">60% 이하</td><td>기타지역
20% 이하</td><td rowspan="2">-</td></tr>
<tr><td>산업단지공장
80% 이하</td></tr>
</table>

● 시세파악은 용도지역을 기준으로 구분해보자

이렇듯 각 필지마다 건축의 크기 및 밀도 등이 용도지역에 따라 달라지므로, 반드시 용도지역만큼은 확인한 다음, 용도지역별로 가격수준을 파악하는 것도 시세파악에 좋은 방법이다. 용도지역별로 시세를 파악하는 것은 보통 토지나 다가구주택, 단독주택 등에 국한된다고 생각하기 쉬우나, 특히 서울의 경우 최근 재개발구역 내에 소재하거나 노후된 주택지대 내에 소재한 다세대주택의 경우에도 토지값 상승에 따른 가격상승 등이 발생하고 있기에 반드시 용도지역별로 가격 가늠을 해야 한다.

실거래가를 바라볼 때 알아두어야 할 상식

● 실거래가 분석 시 유의해야 할 세 가지

실거래가를 분석할 때 유의해야 할 세 가지는 다음과 같다. ① 자료의 확대해석에 유의해야 한다. 자료의 확대해석은 적절한 시장자료가 부족하거나 철저한 시장탐구가 부족한 경우에 나타나기 쉬운 오류 중 하나다. 시세가 10~11억 원인 아파트단지 내에서 최근에 8억에 거래된 사례 하나만을 보고 아파트 시세가 하락이 되었다고 단정 지으면 안 되는 것이다. ② 불추종의 오류에 유의해야 한다. 이는 어떤 명제의 진위가 불확실한데도 그것을 확실한 것으로 간주하여 어떤 결론을 도출할 때 발생하는 오류를 의미한다. 실거래가가 10억 원이라고 해서 그 10억 원을 검토해 보지도 않고 이를 기초로 모든 분석행위를 진행하는 경우가 있다. 첫 단추를 잘못 끼우면 그다음에 아무리 단추를 잘 끼운다고 하더라도 틀린 답으로 갈 수밖에 없다. ③ 대표성이 없거나 분석자료로 활용되기 힘든 실거래가를 분석하면 안 된다는 것에 유의해야 한다. 분석 대상 주택이 준공 후 5년 정도 지난 철근콘크리트조 주택인데, 30년 된 벽돌조 주택들을 분석하는 행위가 바로 그것이다. 이와 유사하게 유의해야 할 점은, 비슷한 연수의 단독주택이라고 하더라도, 급매 등으로 인해 시세 수준보다 낮은 가격으로 거래가 되었다면 이것 역시 대표성이 없는 매매사례가 되므로 시세 파악 시 유의해야 한다.

● 거래에 사정이 개입된 것으로 보이는 실거래가

① 시간적으로 충분하게 방매되어 형성된 실거래가 아닌 경우가 있다. 대표적으로 급매 등이 있다. 이러한 거래들은 정상적인 거래의 범주에 해당하지 않아 만약 급매인 것을 알게 된다면 실거래가 분석 시 이런 자료는 배제하는 것이 좋다. ② 거래조건이 비정상적인 경우가 있다. 예컨대 상속·증여에 의한 거래, 강요에 의한 거래 등의 경우에는 거래의 자연성이 결여될 가능성이 높기 때문에 실거래가 분석에서 배제하는 것이 좋다. ③ 거래 당사자가 시장을 잘 모르고 사기를 당한다거나 완전 저가매매 혹은 고가매매를 한 경우라고 판단된다면 이를 분석 대상인 실거래가에서 배제하는 것이 좋다.

상기 설명한 실거래가격에 대한 내용 외에도 심도 깊은 주제들이 많다. 대부분 실거래가격에 관련한 문제들은 시장 내에서 최대한 다수의 실거래가를 수집하면 해결될 수 있는 문제이므로, 본인의 투자

성향과 앞서 언급한 유의점 등을 활용하여 적절한 가격수준 파악에 힘쓰면 될 것이다.

CHAPTER

3

투자 시 수익은 어떻게 봐야 할까?

1

부동산에 투자하는 이유는 무엇일까?

이번 챕터에서는 넓은 의미로서의 투자수익에 대해 이야기해 보고자 한다. 부동산 시장은, 부동산 시장 내 투자수익률 등에 영향을 받기도 하지만, 부동산 시장 전체가 주식시장, 채권시장 등 다른 여러 시장과 대체 경쟁을 하고 있기 때문에 거시적 시각에서 수익률을 알아야 할 필요가 있다. 다소 어려운 이야기일 수 있으나 투자를 하려면 이 정도는 알아야 한다.

기본적으로 우리가 부동산 투자를 하는 이유는 대표적으로 다음과 같다.

매달(매년) 돈이 들어온다

부동산 투자를 통해 얻을 수 있는 수익은 크게 두 가지가 있다. 부동산 운영으로 생기는 매년의 수익(월세 등)과 부동산을 팔았을 때 생기는 수익(판 금액-산 금액)이 있다. 전자를 목표로 하는 투자자는 보통 수익성 부동산에 투자한다. 이런 목적의 투자자들은 투자자금의 수익률을 예금, 채권, 주식, 기타 다른 투자대안의 수익률과 비교하여 투자를 결정한다. 후자를 목표로 하는 투자자들은 보통 아파트 또는 입주권(분양권)에 투자한다.

돈 빌리기가 쉽다

레버리지 효과(타인의 돈으로 지분수익률 극대화)를 활용하기 위해 대부분의 투자자들은 본인의 자금 이외에 금융기관의 차입자금을 이용해 투자한다. 부동산은 눈에 보이는 실물자산이기 때문에 타 재화 대비 담보력이 크다. 따라서 통상, 부동산은 대출 비율이 타 투자재 대비 크기 때문에 레버리지 효과를 기대하기 좋다.

은퇴자산으로 활용할 수 있다

지금은 일을 하기 때문에 일정한 소득이 있다고 하더라도 은퇴 이후 소득이 없는 경우를 대비할 때 부동산 투자는 매력적인 투자안이다. 부동산은 다른 자산과 다르게 없어지지 않는 영속성을 지니고 있으며, 이론적으로 부동산 가격은 장기우상향하는 성질을 갖고 있기 때문이다. 통상 이런 목적을 갖고 투자하는 사람들은 부동산 활동 시 다른 사람에 비해 장기적인 투자계획을 갖고 투자한다.

절세에 효과적이다

부동산 투자는 절세수단으로도 사용될 수 있다. 우리나라 소득세는 누진적으로 적용된다. 따라서 소득이 많아질수록 세금도 많아지므로, 단순히 소득이 증가한다고 해서 수익률도 그만큼 증가하지는 않는다. 그러나 대출을 통해 부동산에 투자하면 절세를 할 수 있다. 예컨대 수익성 부동산의 경우 이자지급분과 감가상각분은 세제상 공제되기 때문이다. 이에 따라 소득이 작아지고 적용되는 세율도 낮아지게 된다. 특히 감가상각분이 공제된다는 것은 부동산 투자가 다른 투자 대안보다도 절세효과를 크게 하는 요인이 된다. 또한 다른 투자안에 비해서 각종 절세혜택이 많고, 전문가에게 컨설팅을 잘하면 후대에 부를 이전할 때 절세할 수 있는 루트가 많다.

인플레이션에 대한 방어를 하기에 효과적이다

인플레이션이 심한 시기에는 부동산과 같은 실물자산을 소유하는 것이 인플레이션 방어에 효과적이다. 물론 부동산 가격이 소비자 물가지수와 항상 같은 추세로 가는 것은 아니지만, 다른 재화의 가격이 상승함에 따라 건축비가 상승하고, 토지가격이 상승하는 등의 경향이 있다. 부동산이 인플레이션 방어 효과가 있다는 것은, 자산가치의 보존 수단으로 부동산을 선호하는 이유가 된다.

정리하면, 매기 수익이 발생하고, 타인자본을 활용하기가 쉽고, 매입 시점부터 은퇴 시까지 폭넓게 활용이 가능하고, 절세에 효과적이며 인플레이션 방어에 용이하기 때문이다. 더 쉽게 정리하자면, 돈(수익)이 되기 때문이다.

2

부동산의 수익력을 측정해보자

이미 우리는 부동산 투자의 여러 가지 이점에 대해 알고 있다. 그렇다면 투자성과로서의 수익률은 무엇이 있을까? 투자 시 수익률을 어떻게 봐야 하는지 스스로 알아야 투자할 때 성공확률이 높아진다. 다만, 안타깝게도 수익률을 나타내는 지표들이 너무나도 다양하고 많아서 헷갈리기도 하고 어렵게 느껴지기도 한다. 따라서 이번 챕터에 나오는 개념들만 알아도 꽤 도움이 될 것이다.

시장에서 이미 가격과 임대료의 비율은 결정된다

앞에서도 살펴보았듯이, 부동산 가격은 수요와 공급의 이론만으로는 규명이 되지 않고, 통상 지역의 가격수준 내에서 형성된다. 세계대전 이전, 부동산이 아직은 투자재가 아니라 경제재로서의 부동산으로 있었던 시기에는 부동산 가격이 지역 내 거래사례와 임대료 수준 위주로 결정되었다. 쉽게 말해 내 부동산의 값이 지역 내 다른 부동산의 값에 큰 영향을 받았던 것이다. 지역 내 유사부동산의 가격이 100원이고 임대료가 10원인 것을 알았다면, 내 부동산의 임대료가 현재 20원인 경우 내 부동산의 가격은 200원으로 지레짐작할 수 있는 것이다. 여기에서 환원율이라는 개념이 발생하게 되었다. 이런 추정은 현재 대한민국의 부동산 시장에도 적용이 되곤 한다. 그래서 투자자들은 지역 내 유사부동산의 가격과 임대료를 알기 위해 부단한 노력을 하고 있다. 유사부동산의 가격이 100원이고 임대료가 10원일 때 우리는 이것을 100:10으로 표현하기도 하지만, 우리에게 익숙한 율(%)로 표시할 수도 있다. 이를 율(%)로 표현하자면 10%가 되고, 우리는 이것을 환원율이라고 부른다. 그래서 환원율을 부동산 소득과 가치 간의 비율이라고 한다.

$$\text{부동산 가치(가격)} = \frac{\text{임대료 등 매기 기대되는 순수익}}{\text{환원율}}$$

환원율만 안다면, 부동산 가격(가치)을 판단하기가 아주 수월해진다. 애초에 부동산의 지역성에 따라 가격수준이란 것이 존재하기 때문에 급매, 강매 등이 없다면 일반적으로 가격수준보다 많이 싸게 팔지 않을 것이고, 가격수준보다 많이 비싸게 사지 않을 것이다. 따라서 지역 내 임대료 수준만 알게 된다면 환원율을 이용하여 내가 보는 부동산의 가격 파악이 쉽게 된다.

위험을 고려하자

다만, 적정한 환원율을 파악하기가 여간 힘든 일이 아니다. 역사적으로 보게 되면, 세계대전 이후 부동산이 투자재로서 각광받게 되면서 손쉽게 가치를 판단하기가 어려워졌다. 인구의 이동이 다양해지면서 이제 우리 동네의 부동산을 우리 동네 사람들만 사지 않게 된 것이 그 원인 중 하나다. 부동산 가격이 상승할 것으로 예상된다면 다른 동네 사람들이 우리 동네 부동산을 사기도 하고, 투기적 거래들도 많이 발생하게 된다. 따라서 이제 단순히 지역 내 가격수준과 임대료만으로는 가격을 판단하기가 어려워졌다. 즉, 가격과 가치 간의 간극이 본격적으로 발생하기 시작한 것이다. 따라서 투자재로서의 부동산 가격을 판단하는 것은 사업성과 연결되게 된 것이다.

애초에 부동산 투자는 사업으로 볼 수 있다. 투자 여부를 판단하는 지표는 대표적으로 크게 두 가지가 있다. 얼마나 버는지와 얼만만큼의 수익률을 내는지가 바로 그것이다. 어떠한 사업을 막론하고 사업의 구조를 압축하고, 정리하고, 간결하게 표현하자면, 다음과 같이 나타낼 수 있다.

수익-비용>0 성공
수익-비용=0 실패
수익-비용<0 실패

수익과 비용을 비교·분석해서, 수익이 비용보다 크다면 사업을 진행하는 것이고, 작다면 사업성이 없다고 결론짓는 것이다. 위의 산식을 부동산에 간단히 대입한다면, 부동산에서 나오는 수익은 매기 예상되는 임대료에 매도 시 예상가액이 될 것이고, 부동산에서 발생하는 비용은 산 금액 및 기타 부대비용이 될 것이다. 이렇게 분석하는 것을 NPV법(순현가법)이라고 한다. 이 이외에도 다른 방법이 있는데, 바로 IRR법(내부수익률법)으로 알려진 방법이다. 투자에 대한 내부수익률과 요구수익률을 서로 비교하여 투자결정을 하는 방법을 말하는데, 쉽게 말해 '나는 10%만 나오면 될 거 같은데, 분석해보면 수익률이 얼마나 나올까?'를 검증하는 방법이다. 통상 전자인 NPV법이 후자인 IRR법보다 우수하다고 평가받는다. 투자자들은 투자의 질보다는 얼마나 벌 수 있는지를 따지는 투자의 양을 더 보기 때문이다.

그런데 아무리 얼마를 벌지, 수익률은 얼마나 나올지 등등을 분석해도 투자할 때 늘 사람들은 불안해 왔다. 비용은 당장 내가 지출하는 금액이기 때문에 예측이 잘 되는데, 수익은 향후 내가 갖고 있는 동안에 들어올 것으로 '예측'되는 수익이기 때문에 변동될 확률이 높기 때문이다. 그래서 단순히 저 두 방법만 갖고 투자하기에는 위험성이 높았다. 그러나 1952년에 포트폴리오 이론H.M.Markowitz이 나오게 되었다. 이는 어느 한 자산만을 선별하여 투자하는 것이 아닌, 여러 개의 자산을 분산투자함으로써 하나에 집중되어 있을 때 발생할 수 있는 불확실성을 제거하여 분산된 자산으로부터 안정된 결합 편익을 획득하도록 하는 자산관리 방법을 의미한다. 즉, 투자여부를 판단할 때 '위험'이라는 것을 명시적으로 고려하기 시작했으며, 분산투자를 통해 어느 정도 위험을 상쇄시킬 수 있게 되었다. 투자할 때 단순 수익과 비용만 보는 것이 아니라 '투자위험'까지 분석하는 방법이므로, 실물자산이자 타 상품 대비 상대적으로 위험이 덜한 '부동산'이라는 투자상품이 각광받기 시작했다. 이 이론을 바탕으로 투자재로서의 부동산 수익률을 다음과 같이 산정할 수 있으며, 이를 통해 부동산의 가치(가격)를 가늠해 볼 수 있다.

환원율 = 무위험률+위험프리미엄

부동산 가치(가격) = $\dfrac{\text{임대료 등 매기 기대되는 순수익}}{\text{무위험률+위험프리미엄}}$

위 산식에서 볼 수 있듯이, 위험프리미엄이 올라가면 올라갈수록 가치(가격)는 낮아지게 된다. 따라서 위험을 최대한 줄이는 것이 투자성과에 큰 영향을 미치게 된다. 다만, 무위험률은 개별 투자자가 제거할 수 없는 위험이며, 이는 시장 상황 등에 좌우된다. 금리인상 시 부동산 시장이 하락기에 접어들 가능성이 큰 이유도 이 이론으로 설명이 된다. 금리가 인상되면 무위험률도 올라가서(시장위험 등) 부동산 가치(가격)가 떨어지게 된다.

부동산 투자는 남의 돈을 빌려서 한다

요즘은 부동산 투자를 할 때 100% 본인의 현금만 가지고 투자하는 사람은 찾아보기가 힘들다. 그만큼 부동산 투자를 할 때는 은행 등 각종 금융기관의 대출을 활용한다. 1980년대 이후 미국에서 주택모기지상품이 유행하기 시작하면서 부동산 투자 시 타인자본에 대한 이자도 고려하기 시작했다. 타인자본을 활용하여 내 지분에 대한 수익률을 상당 부분 상승시킬 수 있기 때문이다. 부동산을 금융재로 바라볼 때는 지분(자기자본)과 부채(타인자본)로 봐야 하며, 자기자본수익률과 타인자본수익률을 합친 것을 종합수익률로 봐야 한다.

예컨대, 임대료가 10원이고 부동산 가격이 100원인 부동산에 내 100원을 모두 투하하면 (종합)수익률은 10%가 나올 것이다. 그러나 은행에서 60원을 빌리고 이자를 5원을 내서 투자한다면, 내 수익률은 (10원-5원)/(100원-60원)=12.5%의 수익률이 나온다. 단지 남의 돈을 이용했을 뿐인데 내 수익률이 올라가는 현상을 볼 수 있다. 이에 따라 현재 우리가 부동산을 매매할 때 금융기관의 타인자본을 활용해서 매매를 하곤 한다. 이제 부동산을 바라보는 시각이 투자재에서 금융재로 바뀐 것이다.

$$\text{환원율} = \frac{\text{지분액}}{\text{저당액}+\text{지분액}} \times \underset{(\text{자기자본수익률})}{\text{지분수익률}} + \frac{\text{저당액}}{\text{저당액}+\text{지분액}} \times \underset{(\text{타인자본수익률})}{\text{저당이자율}}$$

이 시각에서 바라보게 된다면, 부동산에서 은행 등 금융기관이 빌려줄 수 있는 비율이 꽤 중요해진다. 이를 LTVLoan Transfer Value라고 하는데 이 LTV의 크기에 따라서 부동산 시장, 특히 주택시장 내 부동산 가격이 요동치곤 한다. 이와 동시에 저당이자율도 중요해진다. 부동산의 종합수익률 대비하여 이자가 저렴하다면 투자하는 것이 유리하다. 다만 최근과 같이 금리가 상승하여 저당이자율이 상승한다면 종합수익률이 일정하다고 가정했을 때 '내가 먹는 수익'이 줄어들게 되므로, 투자 시 각별히 유의해야 할 것이다.

앞에서 살펴보았듯이 주택투자의 유의점을 정리해보면 다음과 같다.

① 시장에서 결정된 임대료와 가격 간의 비율이 있다. 이를 반드시 찾자.
② 수익과 비용뿐만 아니라 여러 위험까지 고려하고, 될 수 있으면 분산투자를 하자.
③ 대출의 크기와 저당이자율을 반드시 확인하고, 이를 이용할 수 있다면 감당이 가능한 범위 내에서 적극적으로 활용하자. 내 수익률이 올라간다.

CHAPTER

주택대출과 금리, 그리고 전세

대출을 활용하여 수익을 극대화해보자

주택을 볼 때, 토지와 건물로 볼 수도 있고, 내 투자자산으로 볼 수도 있다. 그러나 이번 챕터에서는 '자본+부채의 산물'로 주택을 보는 시각, 즉 금융재로서의 부동산을 바라보는 시각에서 주택투자에 관한 이야기를 해보고자 한다.

부동산 금융이란 무엇일까?

우리는 여러 뉴스를 통해 이미 우리나라의 가계부채가 GDP를 웃돌고 있다는 것을 알고 있다. 가계부채 중 상당 부분은 주택 등 부동산 시장에 들어가고 있는 상황이다. 그렇다면 왜 사람들은 이토록 대출을 통해 부동산을 매입할까? 일단 이것부터 알고 가야 한다. 대출은 결국 남의 돈이기 때문에 언젠가는 돌려줘야 하고 빌린 기간에 계속 이자를 줘야 하지만 투자자들은 되도록 대출을 많이 받고 싶어 한다.

금융에 대해서는 다양하게 정의할 수 있으나, 자금 융통의 줄임말로서 사전적 의미로는 다음과 같이 정의하고 있다. '재화나 서비스가 개입되지 않고 화폐 그 자체의 수요와 공급에 의해 발생하는 화폐만의 독립적인 유통'. 그러므로 부동산 금융은 부동산을 운용 대상으로 하여 필요한 자금을 조달하는 일련의 과정이라고 할 수 있다. 부동산 금융의 핵심은 대출에 있다. 이는 앞서 종종 나왔던 개념인 레버리지 효과로 간략히 설명할 수 있다. 부동산 시장은 남의 돈을 통해서 내 수익률을 극대화할 수 있는 장점이 두드러지기 때문에 대출이 많게 된다. 부동산 금융을 잘 활용한다면 주택거래가 활성화되고, 돈이 다소 부족하더라도 자가주택을 매입할 수 있게 된다. 또한 주택연금 등 여러 가지 장치를 통해 다양한 자산설계 등이 가능하게 된다. 더욱이 우리나라의 부동산 시장, 그중에서 특히 주택시장은 주로 대출에 편중되어 있기에 이자비용과 종합수익을 비교·분석하여 종합수익이 더 크다고 판단되면 상대적으로 자금을 마련하기 쉬운 대출을 통해 부동산을 매입하는 경향성이 크다.

대출을 활용하여 수익을 극대화해보자

레버리지 효과란 타인으로부터 빌린 차입금을 지렛대 삼아 지분수익률을 높이는 효과를 말한다. 앞서 말한 대로 종합수익률이 저당이자율보다 크다면 레버리지 효과가 발생하여 빌리는 행위만으로 수익을 극대화할 수 있게 된다. 투자할 때 우리는 늘 수익을 예측하려 하며 그 방법과 접근은 모두가 다 다르지만 공통분모가 하나 있다. 지금 시점에서 예측하는 수익은 말 그대로 예상치로서 언제든지 변동될 수 있다는 것이다. 따라서 불확정적인 수익을 예측하기보다는 지금 당장 대출을 얼마나 받을 수 있는지와 대출에 대한 이자를 얼마나 내야 하는지가 중요해진다. 대출의 기본 구조는 부동산 가격에 LTV를 적용하는 것에서부터 시작된다. LTV는 지역마다, 부동산 종류마다, 정책마다, 심지어 투자자의 신분에 따라 다 다르기 때문에 얼마나 대출을 받을 수 있는지 면밀히 살펴봐야 한다. 금리가 상대적으로 낮고 가격상승이 예측되는 시기에는 최대한 대출을 많이 받는 것이 투자의 척도가 된다. 우리가 벌고자 하는 세후투자수익은 투자자 혼자 다 갖는 것이 아닌, 일단 정부와 은행에서 가져간 후 남은 잉여수익이기 때문에 정책 및 세금의 방향성이 일정하다면, 금리가 낮을수록 은행이 가져가는 몫이 낮아져 상대적으로 세후지분수익이 높아지기 때문이다. 그렇다면 굳이 은행에서 돈을 빌려야 하는가에 대한 의문이 남게 된다. 반드시 그런 것은 아니다. 우리나라에는 전 세계에 없는 주택제도가 있다. 바로 전세가 그것이다.

2

갭투자가 답일까?

전세제도를 정확히 바라보자

2022년 10월 이후 최근 들어 깡통전세나 역전세에 대해 관심이 높아지고 있다. 예컨대 시세가 2억 원인 집에 전세 3억 원을 놓거나, 전세 설정 당시 주택의 시세가 3억 원이고 전세가 2.9억 원인데 시세가 하락하여 시세가 2.5억 원이 되어버린 주택 등을 의미한다.

사실 우리가 인지하는 주택전세는 사전적 의미로는 전세라기보다 주택임대차라고 보는 것이 맞다. 이하 말하는 전세는, 엄밀히 말하면 '보증부월세이면서 보증금이 100%인 임대차 관계'를 의미한다. 전세권 설정은 임대차계약보다 번거롭고 돈도 많이 들기 때문에 세입자가 전입신고 및 확정일자를 받는 등의 절차를 거치면 주택임대차보호법 및 여러 관련 법령에 따라서 전세권과 비슷하게 취급할 수 있게 해준다. 최근 발생하는 여러 가지 전세와 관련된 문제들은 여기서 발생한다. '일반인들이 바라보는 전세에 대한 시각'과 '임대차 관계라는 특수한 계약관계'에서 발생하는 법상의 간극이 바로 그것이다. 전세제도의 가장 큰 핵심은 집은 하나인데 관련된 사람은 여럿이라는 점이다. 이는 곧 부동산의 수요는 공간에 대한 수요와 자산에 대한 수요가 합쳐진 수요라는 점에서부터 전세제도가 시작된다고 할 수 있다.

● 부동산의 가치는 크게 두 가지로 구분된다: 공간가치와 자산가치

부동산의 가치를 세분화해서 바라보는 시각은 다양하다. 그중에서 대표적인 것은 부동산의 공간으로서의 가치와 자산으로서의 가치를 합한 것이 부동산 전체의 가치라는 시각이다. 이는 각각 공간시장과 자산시장으로 나뉘어 인식된다. 양 시장은 대체 관계에 놓인다. 일정한 현금흐름을 중시하는 투자자는 공간시장에, 자산가치 상승을 중시하는 투자자는 자산시장에 투자한다. 시장 내 자금량은 한정적이므로 양 시장은 대체 관계 속에서 시장을 형성하게 되며, 이때 중요한 매개체로는 시장이자율과 자본환원율, 위험률 등이 있다. 다만, 재미있게도 양 시장은 따로 떨어진 시장이 아닌 유기적인 피드백 관계에 놓여 있기도 하다. 예컨대 공간 수요가 상승하여 부동산 가치가 상승한다면, 이에 영향을 받아 자산가치도 상승하게 된다. 쉽게 말해 월세 잘 나오는 집의 가치는 다른 집보다 높게 측정된다. 따라서 투자자의 성향에 따라 다른 시장에 참여한다고 해도 결국 부동산 시장 내 모든 시장을 관찰한다.

① 부동산의 공간만을 소비하고자 하는 사람들은 그 공간의 사용을 통해 여러 가지 효용을 얻고자 하는 사람들이다. 장사를 통해 매출액을 증대시키려 하는 상인들의 경우 위치가 좋은 곳에서 장사를 하고 싶을 것이다. 만약 높은 임대료를 지불하더라도 매출액이 그보다 상회하는 수준이 나온다면 해당 장소에 임차하여 장사를 할 것이다. 혹은 지방에서 올라와 서울에 입사한 사회초년생의 경우, 직장과의 거리를 기준하여 주거공간을 찾으려고 할 것이다. 예컨대 다른 조건이 같다면 회사와 '1시간 거리에 있는 50만 원짜리 월세집'과 '회사와 10분 거리에 있는 80만 원짜리 월세집'을 비교하면서 통근 거리, 교통비 등을 고려할 것이다. 이 둘의 공통점은 가격상승보다는 말 그대로 그 공간을 사용하고 싶다는 것이다. 공간이 주는 가치는 그런 것이다. 수익, 접근성 등으로 표방되는 효용.

② 반대로 부동산의 자산성을 통해 자본을 축적하고자 하는 사람들은 부동산의 공간을 활용하기보다는 부동산의 교환가치성을 중시하여 다시 되팔 때 얻게 되는 차익을 위해 부동산을 매입한다. 통상 주택의 경우 자산성을 중시하기 때문에 차익을 위하여 주택을 매입하는 사람들이 많다. 이런 사람들은 굳이 공간을 소비할 필요가 없다. 따라서 나한테는 필요 없지만 누군가에게는 반드시 필요한 그 공간을 빌려주고 임대료를 받는다. 우리나라의 경우 월세를 받지 않고 100% 보증금의 형태로서 공간을 빌려줄 수 있다. 이를 우리는 전세라고 한다.

부동산을 밥통에 비유하자면 공간시장에서의 부동산은 밥통에서 나오는 밥의 양(임대료)을, 자산시장에서의 부동산은 밥통의 가격(자산가격)이 상승하는 것이라고 볼 수 있다. 밥의 양을 중시하는 사람은 더욱 공간시장을 볼 것이고, 밥통 가격을 중시하는 사람은 자산시장을 바라볼 것이다. 재미있게도 양 시장은 큰 관련성을 지니고 있다. 밥의 양(임대료)이 보다 많이 나오게 된다면 밥통의 가격(자산가격)은 비싸질 것이기 때문이다.

보증금과 수익성, 그리고 금리의 상관관계

부동산을 갖고 있는 기간(운용기간) 동안 얻을 수 있는 수익은 구체적으로 무엇이 있을까? 갭투자에 대해 알아보기 이전에 우리는 부동산에서 나오는 수익들에 대해서 정확히 알 필요가 있다. 부동산에 따라 다양하게 운용수익이 나올 수 있지만, 통상 크게 네 가지로 구분된다.

① 보증금(전세금) 운용수익
② 연간 임대료
③ 연간 관리비 수입
④ 주차수익, 광고수익 등

연간 임대료는 월세에 12달을 곱하면 된다. 연간 관리비 수입은 실비를 공제하여 수익으로 인식하면 된다. 예컨대 관리비를 한 달에 10만 원을 받았고 실제 나간 관리비용은 한 달에 7만 원일 경우 임대인은 3만 원의 수익(1년에 36만 원)이 생기게 된다. 주차수익이나 광고수익 등은 개별적·추가적으로 잡으면 된다. 그러면 보증금을 활용한 수익은 어떻게 봐야 할까?

● 보증금의 성격

만약 임차인이 월세를 미납한다면 집주인은 어떻게 해야 할까? 쫓아내면 된다. 그러나 현실에서 쫓아내기란 여간 어려운 일이 아니다. 임차인이 집을 매우 더럽게 써서 집 상태가 아주 엉망이 된다거나 반려견을 10마리 넘게 키워서 집에 냄새가 밴다면? 임차인이 나갈 때 집을 원상회복해주면 된다. 그러나 임차인이 자발적으로 원상회복을 한다는 것이 현실적으로 힘들다는 것을 우리는 잘 알고 있다.

이를 방지하기 위해서는 어떤 장치를 설정하면 될까? 미리 월세를 선납 받는 것이 그 방법이 될 수 있다. 계약기간 만료 시 월세 미납 부분이나 원상회복비를 해당 선납한 월세에서 공제하고 남은 부분을 임차인에게 주면 된다. 이것이 보증금의 시작이다. 보증금이란 임차인이 임대인에게 지불하는 월세, 월관리비 이외에 받는 일시금을 의미한다. 이는 월세와 월관리비의 이행을 담보조건으로 하여 계약임대기간이 종료될 때 임대인이 임차인에게 일시에 지급한다.

그렇다면 여기서 궁금증이 생긴다. 임대인은 임차인에게 매달 돈을 받을 수 있는데 굳이 무엇 때문에 보증금 100%로 하는 전세임대차계약을 할까? 바로 기회비용 때문이다. 기회비용은 사전적 의미로 어떤 선택으로 인해 포기된 기회들 가운데 가장 큰 가치를 갖는 기회 자체 또는 그러한 기회가 갖는 가치를 의미한다. 예컨대 전세 보증금이 2억 원이고 계약기간이 2년이라고 한다면, 임차인은 2년간 2억 원에 해당하는 기회비용을 상실하고, 임대인은 2년간 2억 원에 해당하는 자산이 생긴다. 임대인은 이 2억 원을 통해 자금운용을 잘하게 된다면, 월세를 받았을 경우 예상되는 수익을 초과하는 수익을 얻을 수 있게 된다. 반대로 자금운용을 잘못하게 된다면 그냥 월세를 받는 것이 최선의 선택이 될 수 있다. 정리하자면 월세를 받는 것이 좋을지, 아니면 전액 보증금으로 받아서 따로 운용해야 할지 선택의 기로에 서 있는 것이다. 이는 곧 부동산의 수익성과 관련하여 보증금을 어떻게 보는지와 연관되어 있다.

● 보증금을 바라보는 시각

보증금을 바라보는 시각은 크게 세 가지가 있다. (1) 기회비용을 얻는 입장에서는 되돌려줘야 하는 돈이기 때문에 안전자산으로 보는 시각이 있고, (2) 임차인에게 집을 담보로 돈을 빌린 것이라는 시각이 있고, (3) 월세 대신 받는 돈으로 보는 시각 등등이 있다. 어떻게 보느냐에 따라 투자자는 주택전세보증금에 대해 인식하는 수익성이 달라지게 된다.

① 첫 번째 시각: 보증금은 안전자산이다.

보증금은 계약기간 종료 시 월세 미납이 없는 경우 되돌려줘야 하는 금액이라는 시각이다. 이는 보증금의 원금 상환에 중심을 둔 방법으로 일반적 투자자의 행태에 부합하지 못한다는 비판이 있다. 즉, 되도록 보수적인 수익으로 봐야 한다는 시각이다.

② 두 번째 시각: 보증금은 임차인에게 임대인이 빌린 돈이다.

보증금을 일종의 차입금으로 보는 시각이다. 보증금의 크기가 커질수록 은행의 대출비율 제한을 완화하는 효과를 볼 수 있고, 따라서 보증금은 레버리지 효과를 극대화하기 위한 수단으로 인식한다.

③ 세 번째 시각: 월세 대신 받는 돈이다.

보증금은 월세로 전환이 가능하고, 월세가 곧 부동산의 수익을 구성하므로 월세 대신 받는 것으로 보는 시각이다. 결국 월세 미납의 리스크는 그만큼 충당금 경비로 차감해야 하므로 이 시각은 타당하지 못하다는 비판이 있다.

중요한 점은, 투자자 입장에서 보았을 때 어떤 시각을 갖든지 간에 금리와 연관이 크다는 것이다. 이는 다음의 두 가지 부분에서 연관성이 크다.

ㄱ. 전세와 월세는 공간시장 내에서도 서로 대체적인 관계에 놓인다. 금리가 낮아지게 되면 임차인 입장에서는 되도록 월세보다는 전세를 선호할 것이다. 예컨대 전세대출 2억 원에 이자율 4%인 경우 임차인이 내야 하는 이자는 연 800만 원이지

만, 이자율이 2%로 내려갈 경우에는 그 절반인 400만 원의 이자만 내면 된다. 임차인 입장에서는 은행에 이자를 내는 것과 임대인에게 월세를 내는 것은 같은 걸로 느끼기 때문에 전세 이자부담이 내려가므로 전세수요가 상승하게 된다. 반대로 임대인 입장에서는 기회비용이 줄어들기 때문에 되도록 월세를 선호하게 되어 전세공급이 줄어들 것이다.

ㄴ. 전세금의 크기와 관련해서도 연관성이 크다. 임차인 입장에서는 금리가 낮아지면 월부담액이 낮아지므로 되도록 종전과 비슷한 전세금을 원하지만, 임대인 입장에서는 종전과 같은 기회비용을 얻기 위해서는 전세금을 증액시키는 것이 좋다. 이를 종합해보면, 금리인하는 전세시장에서 늘어나는 전세수요 대비 전세공급을 더 희귀하게 만들고, 전세금의 크기도 커지게 만들며, 거의 부동산 가격에 근접하는 수준까지 커지기도 한다. 최근 파격적인 금리인상 전까지 최근 몇 년간 이러한 상황이었다. 이 과정에서 갭투자가 유행하게 되었고, 이를 통해 부를 축적한 사람들도 많아졌다. 즉, 금리가 낮은 경우 어떤 시각으로 보든지 간에 보증금의 크기가 '알아서' 커지게 되고, 커진 보증금을 통해 임대인이 다른 투자를 하기가 쉬워졌다. 커진 보증금을 기초 삼아 자산시장에서도 가격이 상승하게 되었고(앞의 밥통 예시 참고), 주택가격이 기하급수적으로 상승하게 되었다고 볼 수 있다. 이를 잘 활용한 것이 갭투자다.

갭투자가 답일까?

공간만을 임대할 때 전세라는 제도를 활용할 수 있고, 이 전세라는 제도는 금리와 연관성이 크다고 앞의 내용을 요약할 수 있겠다. 지난 몇 년간 이를 활용하여 갭투자라는 것이 성행했다. 예컨대, 2억 원의 빌라가 있고, 전세가 1.8억 원이라고 해보자. 이 빌라에 투자하는 투자자는 2천만 원만 있으면 해당 빌라를 살 수 있다. 이를 갭투자라고 한다. 비교적 소액으로 주택을 소유할 수 있게 되는 것이다. 이를 앞서 말한 공간시장과 자산시장이라는 시각에 대입한다면, 임차인은 1.8억 원만큼의 효용성을 갖는 공간시장을 소비하고, 임대인은 0.2억 원을 자산시장에 투자함으로써 한 주택에 2인 이상의 관련자가 생기는 것이다. 만약 계약기간 만료 시 이 주택 가격이 4억 원이 된다면, 임차인은 계약 시와 동일한 1.8억 원만큼을 가져가면 되고, 임대인은 0.2억 원에 자산가격상승분 2억 원을 더한 2.2억 원을 가져가면 된다. 얼마나 투자하기 매력적인 상품인가. 단지 갖고 있다는 이유만으로 큰 시세차익을 얻을 수 있게 된다. 특히 지난 2년간 서울 및 수도권에 소재한 주택은 다 이런 식으로 큰 시세차익을 얻을 수 있게 되었다. 그래서 모두가 앞으로도 그렇게 돈을 벌 수 있을 것이란 생각을 한다. 투자는 본인의 선택이기 때문에 모든 선택을 존중한다. 다만 부동산 하락기가 조만간 도래할 것이라고 예상하는 독자라면, 다음의 두 가지 유의사항을 살펴보고 투자하는 것이 좋을 듯싶다.

● **임차인의 소득이 고정된 상태에서 금리가 인상된다면?**

이 글을 쓰고 있는 현재 서울 시내 원룸, 투룸 등 오피스텔 및 다세대주택의 전세 상황을 살펴보자. 애초에 서울 시내 원룸, 투룸 등 오피스텔 및 다세대주택의 주 타깃층은 대학생 및 사회초년생이다. 입지가 좋고 건물을 아주 잘 지은 한강변, 강남, 서초, 송파 인근의 주택을 제외하면 가격수준은 크게 다르지 않다. 예를 들어 이 책을 보는 독자가 사회초년생이며 연 세후 3,600만 원의 수입이 있다고 가정해보자. 전세 2.5억 원짜리 오피스텔을 기준으로 전세대출금리 2% 조건으로 80%인 2억 원을 대출받았다면 연 400만 원(월 약 33만 원) 수준의 이자만 내고 공간을 소비할 수 있다. 그런데 금리가 인상이 되어 전세대출금리가 5%가 되었다고 해보자. 그러면 그 오피스텔은 연 400만 원(월 약33만 원)의 공간에서 이제는 연 1,000만 원(월 약 83만 원)의 공간으로 탈바꿈할 것이다! 누군가의 도움 없이 본인의 힘만으로 저 이자를 감당할 수 있을까? 만약 부담하기 힘들다면 이론상으로는 보증금의 크기를 낮추고 반전세를 가던가 월세로 가면 되는 것처럼 생각된다. 그러나 실제로는 그렇지 않다.

많은 청년들이 부모님 집으로 들어간다. 서울에서 살기를 포기한다는 것이다. 수도권에 사는 청년들은 차라리 전철이나 버스 등 대중교통을 통해 통학이나 통근을 선택을 한다. 수요가 전세에서 월세로 가는 것이 아닌 수요 그 자체가 없어진다! 이게 현실이다. 부모님 집이 서울과 거리가 먼 사람들은 고시원이나 주거환경이 더욱 열악한 곳에 들어가게 된다. 수입은 일정한데 주거비만 올랐으므로, 종전 주거비에 맞는 곳을 찾아 들어가기 때문이다. 또는 좀 더 외곽으로 밀려간다. 이 또한 지금 서울 시내 3억 원 미만의 원룸 등이 처한 현실이다. 공간의 실수요자가 없어지고 있는 것이다.

물론 물가상승이된 만큼, 또는 금리가 인상된 만큼 소득도 같이 올라간다면 감당이 가능하다. 그러나 우리 사회의 대학생이나 사회 초년생들의 수입은 거기서 거기다. 월 주거비로 100만 원 이상을 감당할 사람이 그리 많지 않다. 따라서 금리가 인상되어 주거비가 올라가는데, 올라간 주거비만큼 소득이 상승하지 않는다면 전세뿐만 아니라 임차수요가 줄어들게 된다. 이런 수요현상을 보고 시장 내 전세보증금의 크기가 작아지기 시작하고, 이는 곧 역전세의 위험으로 다가올 수 있게 된다. 2년 전에 1.8억 원으로 계약한 전세라도 전세수요가 줄어들면 1.5억 원이 될 수도 있다. 이러면 임대인은 본인 수중의 돈 3천만 원으로 그것을 메꿔야 한다. 함부로 갭투자 했다가 역전세라는 아픔을 겪어본 사람들은 갭투자를 그리 선호하지 않는다. 따라서 임차인의 소득이 고정된 상태에서 금리가 인상된다면 갭투자로 손해가 날 가능성이 커진다. 그런데 지금 유튜브나 투자 관련 책을 보면 '어서 빨리 임대사업자를 내고 3억 원 미만의 오피스텔과 다세대주택을 매입하면서 갭투자를 하라'고 권하고 있다. 이에 대해서는 각자가 현명하게 판단해야 한다.

● 전세계약기간이 만료되는데 주택가격이 하락한다면?

자산가격이 계속 상승하여 시세 2억 원(전세 1.8억 원)의 주택이 4억 원이 되어 2억 원의 시세차익을 얻었다고 해보자. 그러면 기쁜 마음으로 전세계약기간 만료 시 보증금을 다 돌려줄 수 있을 것이다. 반대로 자산가격이 하락하여 시세 2억 원(전세 1.8억 원)의 집이 시세 1.5억 원이 된다면? 투자자는 3천만 원의 손실이 발생한다고 했다. 주택가격 상승에 대한 이득은 임대인이 다 가져가지만, 반대로 하락에 대한 위험 역시 오롯이 임대인이 갖기 때문이다. 주택가격 하락의 원인은 꽤 다양하므로 쉽게 예측하기는 어렵다. 그러므로 대응이 중요해진다. 주택가격이 하락한다면 임대인이 할 수 있는 방안은 여러 가지가 있다. 그중 대표적으로 할 수 있는 방안은 바로 버티기다. 주택을 포함한 부동산 가격은 장기에 우상향할 것이라고 생각하고 있으며, 지금 당장 큰돈이 필요하지 않다면 그냥 갖고 있으면 된다. 최근 몇 년간 부동산 시장이 불타올랐을 뿐, 2008년부터 2015년 무렵까지 부동산 가격은 그리 오르지 않았다. 오히려 떨어질 때도 있었다. 그때도 버틴 사람들은 수익의 결실을 맺었다. 그렇다면 나도 결실을 맺어야 하지 않겠는가. 그러나 갭투자를 할 경우 주택가격 하락 시 버티기가 여간 힘든 것이 아니다. 그 이유는 바로 계약 때문이다.

부동산은 영속성을 지니고 있다. 그중 일정 기간 동안 사용 대가로서 공간만을 소비하고 임대료를 받을 수 있다. 임대차계약은 기간이 정해진 계약이다. 이 중 전세계약은 통상 2년을 주기로 하게 된다. 임차인이 임대인에게 준 전세보증금을 2년 뒤에 돌려줘야 한다는 뜻이다. 우리가 쉽게 그냥 전세계약이라고 표현하는 그것은, 사실 금융적 시각에서 볼 때는 주택을 담보로 한 만기 2년의 파생상품이다. '2년 뒤에 원금을 그대로 줘야 하는 파생계약'이라는 것이다. 반드시 줘야만 한다. 만약 2년 뒤에 전세시세가 떨어져서 원금을 주지 못한다면 세입자는 소송을 통해 확정판결을 받고 이를 기초로 경매를 진행할 수도 있다. 따라서 주택가격이 하락했을 경우, 보증금을 주지 못해 버티지 못하고 팔게 된다면, 하락의 손실을 그대로 임대인이 다 받을 수 있다. 급매가 시세보다 싼 이유는 반드시 팔아야만 하는 이유가 있기 때문이다. 그 이유 때문에 싸진다. 전세계약 만료 시 보증금을 돌려주지 못한다면, 매입금액 대비 싸게 팔아야 하는 사태가 발생할 수도 있다. 따라서 갭투자 시 이런 사항에 유의해야 한다.

반대로 세입자의 시각에서도 위험은 존재한다. 수익을 임대인이 다 가져가는 만큼 위험도 임대인이 다 부담해야 하는데, (1) 원금을 다 돌려받지 못할 가능성이 있고, (2) 보증금을 돌려받기 위해 소송을 통해 경매까지 진행하려면 상당한 시일과 비용이 들고, (3) 속칭 동시 진행을 통해 마음먹고 기만하려고 하면 어찌할 방도가 없다. 이 부분은 법의 미비라고 생각한다. 가격상승 시에는 상승분을 다 임대인이 가져가고, 가격하락 시에는 임대인이랑 임차인이 같이 위험을 공유한다? 이것은 말이 안 된다. 그래서 최근에 주택보증보험이 주목받고 있다. 임대보증금보증보험은 임대사업자가 임대보증금을 반환하지 않는 경우 임차인에게 임대보증금의 반환을 책임지는 보증상품이고, 전세보증금반환보증보험은 전세계약 종료 시 임대인이 임차인에게 반환해야 하는 전세보증금의 반환을 책임지는 보증상품을 의미한다. 아직까지는 주로 임대사업자에게만 해당 보험상품이 팔렸으나 앞으로 주택가격 하락기가 심화된다면 일반 임차인들도 보험 가입을 요구할 것으로 예상된다.

과연 갭투자가 답일까? 시장 상황, 소득, 전세가율 등을 고려하고 여러 가지 위험을 보았을 때 개인의 상황에 따라 답이 될 수도 있고 아닐 수도 있다. 물론 투자에 실패할 수도 있고 성공할 수도 있다. 다만 우려되는 것은 이런 사항을 모르는 채 그저 좋다고 해서 따라 하는 것이다. 투자는 본인의 돈으로 본인의 책임하에 하는 것이다. 그러나 되도록 알 수 있는 것은 많이 알고 투자한다면 훨씬 더 성공 확률이 높아질 것이다.

CHAPTER

주택투자와 감정평가

1

경매감정평가액은 시세일까?

왜 경매일까?

부동산 상승기가 예상되면 부동산을 사는 사람은 더 오를 것을 예상해서 살 것이고, 부동산 하락기가 예상되면 떨어질 것을 예상해서 사거나 사지 않을 것이다. 이처럼 부동산을 사는 사람은 그만한 이유가 있고, 파는 사람은 파는 이유가 있다. 부동산 시장은 일반재화 시장과 마찬가지로 사이클을 가지고 있다. 무한정 오르지도, 무한정 내려가지도 않는다. 따라서 부동산 시장이 하락기여서 가격하락이 명백해 보이는 때에도 부동산 가격은 쉽게 떨어지지 않는다. 버티면 되기 때문이다. 이런 현상은 부동산 자산가들에게서 많이 보이는 형태다. 이들은 가격이 떨어져도 팔지 않으면 손해가 아니기에 버틴다.

그런데 만약 반드시 팔아야만 한다면 어떻게 될까? 부동산을 반드시 팔아야만 하는 경우의 수는 굉장히 다양하다. 그중에서 대표적인 것은 '돈을 갚지 못해서' 파는 것이다. 부동산을 담보로 돈을 빌려준 채권자는, 이 부동산이 앞으로 가격이 오르건 내리건 상관없이 지금 당장 이 부동산을 팔아서 돈을 받으려고 할 것이다. 자유로운 방매가 아닌 어찌 보면 채권회수를 위해 빠르게 매매를 할 텐데, 이렇게 되면 제값을 받지 못하고 팔기 십상이다. 그러나 새로운 제3자가 이 부동산을 제값을 주고 사주게 되면 채권채무관계가 해소되고, 채무자도 어느 정도 금전적 이득을 챙길 수 있을 텐데, 이를 위해서 우리 법에서는 경매제도를 두고 있다. 다른 사람이 이 부동산을 사서 돈 줄 사람은 돈을 주고, 돈 받을 사람은 돈을 받으라는 의미다.

경매감정평가액은 시세일까?

〈감정평가에 관한 규칙〉

제5조(시장가치기준 원칙) ① 대상물건에 대한 감정평가액은 시장가치를 기준으로 결정한다.

토지보상을 하거나 표준지공시지가 산정 시를 제외하고는 감정평가 시 기준가치는 거의 대부분 시장가치로 하고 있다. 감정평가의 원칙적인 기준가치는 시장가치이기 때문이다. 경매 감정평가 또한 시장가치를 기준가치로 하고 있다. 따라서 경매감정평가액은 시장가치다. 그렇다면 시장가치는 과연 시세일까? 주택투자 시 많은 분들이 궁금해하는 부분이고 이에 관련한 책들도 많고 유튜브나 각종 블로그에도 해당 내용에 대한 정보들이 많다. 그러나 핵심적으로 알고 있는 사람은 그리 많지 않다. 가치다원론(가격다원론)에 대해 정확한 이해 없이 설명하고 있기 때문이다. 시장가치 및 가격에 대해 정확히 분석을 하기 위해서는 그 값이 주는 의미에 대해 알고 있어야 한다.

● 가격과 가치의 차이

가치란 무엇일까? 예부터 많은 사람들이 가치에 대해 여러 가지 정의를 내리곤 했다. 그중에서도 '우리가 대하는 가치는 경제적 가치다'라는 전제를 바탕으로 설명해 보고자 한다. 이 경제적 가치에 대해 누군가는 교환의 대상이라고 하기도 하고A.Smith 외, 누군가는 장래 기대되는 편익을 현재가치로 환원한 값으로 보기도 했다I.Fisher. 사람마다 경제적 가치에 대한 인식이 다르긴 하지만 확실한 것은 '돈'으로 본다는 것은 같다. 그렇다면, 가치와 가격은 과연 같은 것일까? 경제학적 관점에서는 가치와 가격을 엄격히 구분 짓지는 않는다. 가격은 가치에 수렴할 것이며, 시장 내에서 수요자와 공급자가 거래를 통해 안정화되는 것으로 보기 때문이다. 그러나 부동산을 바라볼 때는 양자를 엄격히 구분한다.

가격과 가치의 가장 큰 차이는, 가격은 하나밖에 없지만 가치는 여러 개가 존재한다는 사실이다. 가격은 교환거래에서 매수자와 매도자가 상호 합의한 거래금액을 말한다. 일단 거래가 종결되면 이 금액은 가격이 되고, 이 용어는 교환이란 절차를 함축적으로 내포하고 있다. 달리 표현하면 가격은 교환의 결과로 나타난다. 이에 반해 가치는 장래 기대되는 편익을 현재가치로 환원한 값이다. 보는 관점에 따라 무수히 많이 있을 수 있다. 따라서 가격은 과거의 값이 되지만, 가치는 접근 방법에 따라 기대되는 편익이 달라질 수 있기 때문에 다양한 형태를 갖는다.

● 가치다원론

쉽게 말해 목적에 따라 가치는 변화하므로 감정평가사들이 산출한 시장가치는 목적에 따라 그 금액이 달라진다. 따라서 시장가치를 산출한 감정평가의 목적이 무엇인지를 아는 것이 분석의 첫걸음이 된다. 경매를 통해 주택투자를 염두하고 있다면 경매감정평가서를 통해 해당 물건의 분석을 시작할 것이므로, 경매감정평가액을 정확하게 보려면 경매 감정평가의 목적이 무엇인지가 중요하게 된다.

경매 감정평가의 목적

일단, 경매 감정평가에 대해 알려면 담보에 대해 간략하게라도 알고 있어야 한다.

- 사업자금 10억 원이 필요한 A는 은행에 가서 필요한 돈을 대출받으려고 한다.
- 은행 입장에서는 A를 잘 알지도 못하고 A가 돈을 갚지 못할 위험도 있으니, A의 신용만 보고 1억 원까지 대출을 해주려고 한다.
- 사업자금이 부족한 A는 본인 소유의 단독주택을 담보로 돈을 빌리고자 한다.
- 은행은 감정평가사에게 감정평가를 의뢰한 결과 A 소유 주택은 15억 원으로 평가되었고, 은행은 이를 기초로 하여 가격수준 및 리스크 등을 고려해 A에게 10억 원을 대출해주었다.

처음 보는 사람이 와서 대뜸 '10억 원을 빌려달라'고 한다면 어떻게 하겠는가. 이 책을 보는 여러분이라면 어떻게 답하겠는가? 아마 백이면 백 다 '안 된다'라고 할 것이다. 그러나 그 처음 보는 사람이 '만약 내가 돈을 못 갚으면 내 집을 가져가도 좋다'라고 한다면 어떻게 답할 것인가? 만약 그 집이 10억 원을 초과한다면, 돈을 빌려줘도 괜찮을 것이다. 은행도 마찬가지다. 이 사람의 신용도, 직업 등등을 고려한다고 하더라도 돈을 돌려받지 못할 위험은 언제나 있다. 이러한 위험을 줄일 수 있는 가장 좋은 방법은 그 사람의 부동산을 담보로 대출해주는 것이다. 이때 진행하는 것이 담보감정평가다. 담보감정평가의 목적은 '지금 당장 처분이 가능한 금액이 얼마인지'가 아닌 '안정성과 환가성 등을 고려한 안정적인 금액'이다. 의뢰인이 궁금한 것이 바로 그것이기 때문이다. 그러므로 통상 시장에서 불리는 시세 대비 다소 낮은 금액으로 감정평가가 된다. 그렇다면 경매감정평가액은 어떤 목적을 갖고, 어떤 성질을 지닐까?

> A의 사업이 잘되지 않아서 원금과 이자를 상환하지 못하였다. 채무불이행이 되어 은행은 A의 주택을 처분하여 대출금을 회수하려고 한다.

채무자가 돈을 갚지 못하면 은행은 손해를 입게 된다. 어떻게 하면 은행은 대출금을 회수할 수 있을까? A의 주택을 팔면 된다. 은행 입장에서는 팔아서 빨리 대출금을 회수하면 할수록 좋다. 그러나 마음대로 팔 수 없다. 이때 여러 가지 선택을 할 수 있는데, 그중에서 가장 많이 하는 선택은 경매개시다. 경매는 법원에서 진행한다. 과거 호가제와는 달리 현재는 입찰제로 진행한다. 입찰제로 진행할 때 무엇보다 중요한 것은 '최초 법사가격'이다. 입찰의 기준이 되는 가격으로서 최초 설정한 법사가격을 보고 경매 참여자들은 A의 주택 가격을 가늠하게 된다. 그러나 법원은 이 물건의 가격이 얼마인지 모른다. 따라서 이때 법원에서는 감정평가사에게 평가명령을 내리게 된다. 그러므로 경매 감정평가의 가장 중요한 목적은 채무자(A)와 채권자(은행) 간의 채권채무관계 해소다. 쉽게 말해 부동산을 팔아서 대출금 등을 충당하는 것이 목적인 것이다. 감정평가사는 법원 및 채무자(A)를 대신해서 해당 부동산의 시세 등을 조사하고 다소 호가적인 성격의 금액을 평가한다. 만약 A가 가압류 등에 걸리지 않고 팔 거라면 '최초에 얼마쯤을 제시'할지가 주안점이 된다. 그러므로 경매감정평가액은 이론적으로 시세보다 다소 높다. 다만 유의할 점은 시장가치를 기준하여 감정평가하므로 누가 쓰느냐에 따라 금액이 바뀌지 않는다는 것이다. 전형적인 매수자와 매도자를 전제하며 주관적이고 개별적인 개발이익 및 기타 조건을 고려하지 않는다. 예컨대 정상적 상황하에서는 경매 감정평가액이 100원으로 되었지만, 인접필지 소유자 또는 특수상황에 놓여 있는 사람에게는 300원에 낙찰될 수 있다. 따라서 때로는 경매감정평가액과 낙찰가액에 큰 차이가 날 수 있다. 경매로 수익을 많이 발생시킨 사람들은 이러한 간극을 잘 보고 투자하기도 한다.

2

돈을 받지 않고 파는 거래, 상속과 증여

내가 내 아파트를 아들한테 줄 때도 세금이 발생한다

매매는 돈을 주고 재산을 주고받는 유상양도와 돈을 주지 않고 재산을 주고받는 무상증여로 구분된다. 수익이 발생하거나 재산을 이전할 때는 세금이 따르는 것이 원칙이므로, 유상양도 시 양도세 등이 발생하게 되는데 문제는 무상증여의 경우 돈이 수수되지 않았으므로 어떻게 과세할지가 문제된다. 양도세와 마찬가지로 취급한다면 증여는 양도차익이 0원이므로 세금이 발생하지 않는데, 이러면 과세형평에 큰 문제가 발생한다. 재산을 받았는데 세금이 0원이라면 우리나라 모두가 양도가 아닌 증여의 형태로 재산을 이전할 것이기 때문이다. 상속도 마찬가지다. 따라서 우리나라는 이것을 상속세 및 증여세법에 의거하여 상속 및 증여재산에 관하여도 과세를 하고 있다. 그렇다면, 어떤 기준에 의거하여 과세를 할까?

만약 그때 사고팔았다면_시가

뒤에 나올 '세무사가 알려주는 부동산 절대원칙'에서 자세히 기술되어 있으니 이번 챕터에서는 기초적인 시가에 대해서 알아보자. 예를 들어 5년 전에 8억 원에 산 아파트의 현재 시세가 10억 원이라고 해보자. 이 아파트를 아들에게 0원에 판다면 당연히 양도차익이 0원이므로 아무런 세부담이 없다(0원-8억 원). 그런데 만약 이 아파트를 타인에게 10억 원에 판다면 어떻게 될까? 2억 원의 양도차익(10억 원-8억 원)이 생기므로 세부담이 발생할 것이다. 10억 원짜리라는 물건은 같은데 0원에 팔면 세금이 없고, 10억 원에 팔면 세금이 발생한다는 것은 형평성에 맞지 않다.

<상속세 및 증여세법>

第60조(평가의 원칙 등) ① 이 법에 따라 상속세나 증여세가 부과되는 재산의 가액은 상속개시일 또는 증여일(이하 "평가기준일"이라 한다) 현재의 시가時價에 따른다. <중략>
② 제1항에 따른 **시가는 불특정 다수인 사이에 자유롭게 거래가 이루어지는 경우에 통상적으로 성립된다고 인정되는 가액으로 하고 수용가격·공매가격 및 감정가격 등 대통령령으로 정하는 바에 따라 시가로 인정되는 것을 포함한다.**

그럼, 이 경우에 과세를 하려면 어떻게 해야 할까? 상속세 및 증여세법에 따른 시가의 정의에 그 힌트가 숨겨져 있다.

여기서 포인트는 '거래가 이루어지는 경우'다. 즉, 상속·증여 당시에 '만약 거래가 되었다면 얼마일까?'가 핵심인 것이다. 그런데 앞서 말한 것처럼 부동산 가격은 실제로 팔기 전에는 가격이 얼마인지 쉽게 재단할 수가 없다. 개별성 때문이다. 모든 부동산은 다 다르다. 아무나 시세를 말하지만 어느 누구도 정확한 가격을 알 수는 없다. 그래서 평가기간 내에 본건을 매매한 기록이 있거나 감정평가를 받은 내역이 있으면 그 가격으로 상속재산 또는 증여재산과표가 산정된다. 그렇다면 반드시 감정평가를 받아야 하는 것일까? 아니다. 감정평가를 받지 않고 가격을 평가할 수 있는 경우가 있다. 공동주택, 특히 아파트의 경우가 많다.

아파트는 유사매매사례가액이 있을 가능성이 크다

<상속세 및 증여세법 시행규칙>

제15조(평가의 원칙 등)

③ 영 제49조제4항에서 "기획재정부령으로 정하는 해당 재산과 면적·위치·용도·종목 및 기준시가가 동일하거나 유사한 다른 재산"이란 다음 각 호의 구분에 따른 재산을 말한다.

1. 「부동산 가격공시에 관한 법률」에 따른 공동주택가격(새로운 공동주택가격이 고시되기 전에는 직전의 공동주택가격을 말한다. 이하 이 항에서 같다)이 있

는 공동주택의 경우: 다음 각 목의 요건을 모두 충족하는 주택. 다만, 해당 주택이 둘 이상인 경우에는 평가대상 주택과 공동주택가격의 차이가 가장 작은 주택을 말한다.
가. 평가대상 주택과 동일한 공동주택단지(「공동주택관리법」에 따른 공동주택단지를 말한다) 내에 있을 것
나. 평가대상 주택과 주거전용면적(「주택법」에 따른 주거전용면적을 말한다)의 차이가 평가대상 주택의 주거전용면적의 100분의 5 이내일 것
다. 평가대상 주택과 공동주택가격의 차이가 평가대상 주택의 공동주택가격의 100분의 5 이내일 것

법은 누구에게나 똑같이 적용되어야 한다. 위의 상속세 및 증여세법 시행규칙 제15조에 해당하는 거래사례가 같은 단지 내에 있다면 그 금액으로 재산가액이 산정된다. 감정평가를 받지 않아도 말이다. 이렇게 자동으로 재산가액이 산정되는데, 그렇다면 감정평가를 왜, 그리고 언제 해야 할까? 최근 몇 년간 가격급등기에는 직전의 거래가격이 최고가인 경우가 많았다. 따라서 직전의 거래가격 중 유사매매사례가액을 그대로 적용하면 재산가액이 과도하게 산정될 여지가 많았었다. 시세가 10~11억 원인 아파트단지 내에 13억 원짜리 실거래가격 하나가 있다고 해서 그 아파트가 곧바로 13억 원이 되지는 않는다. 고가매매일수도 있고, 계약이 취소될 수도 있다. 그러나 법상으로는 그대로 13억 원을 적용하여 재산가액을 산정할 수 있게 된다. 따라서 감정평가를 받아서 시세대로 평가를 하게 되면 더욱 목적에 적합한 재산가액 산정이 가능하다. 감정평가를 통해 절세를 할 수 있게 된 것이다. 상승기가 아닌 하락기의 경우에도 목적에

적합한 감정평가를 통해 절세가 가능하다. 투자 이후에 재산관리 목적으로서 증여를 계획하는 투자자 분들이 많으며, 이를 아는 똑똑한 투자자들은 감정평가사에게 감정평가의뢰를 해서 재산가액을 정확하게 감정평가한다. 투자, 또는 이미 갖고 있는 재산에 대해서 감정평가를 해야 할지, 그대로 유사매매사례가액으로 증여를 할지 물어보는 것도 재산을 지키는 길이라고 생각한다.

핵심! Check Point

부동산 가격을 바라보는 눈

부동산 가격의 간극을 잘 보고 투자하라

부동산 가격은 과거에 결정된 값인 반면, 부동산 가치는 복잡한 분석을 통한 현재의 추정치이므로 단순한 과거의 값인 '부동산 가격'에 비해 쉽게 알 수 없다. 부동산 가격은 사람들의 만족감 크기에 따라 결정된다고 볼 수 있다. 다만, 부동산의 내재적 가치는 부동산과 부동산 시장의 특성 때문에 단순한 수요와 공급만을 통해 도출하기가 어렵다. 따라서 주택투자를 잘하는 사람들은 부동산 가격을 바라보는 눈, 즉 부동산 가격 사이의 간극을 잘 보고 투자한다. 그러려면, 지역과 시장, 수익과 위험, 대출과 금리, 그리고 감정평가까지 잘 분석할 줄 알아야 한다.

부동산 가격은 어떻게 만들어질까?

일반재화의 가격과는 달리 부동산학에서의 가치는 지역적으로 형성된 가격수준을 기초로 하여 개별 부동산의 개별성 등에 따라 추정되는 것으로 본다. 따라서 지역부터 보아야 한다. ① 해당 지역의 경계가 어디까지인지를 확정하고, ② 지역 내 가치형성요인을 살펴본 뒤 ③ 가격수준과 표준적 이용을 파악한다면, 지역을 바라볼 기초적인 작업은 끝난다.

부동산 가격에 영향을 미치는 요인

부동산은 잘 쓰는 만큼 가치가 올라간다. 따라서 최대한 있는 상태에서 가장 잘 쓰는 게 핵심이다. 이를 최유효이용이라고 하며, 물리적 가능성, 법적 허용성, 경제적 타당성, 최대수익성 검토 등의 순서로 이루어진다. 통상 이 네 가지 단계를 통해 어떻게 쓰는지 판단할 수 있다. 또한 가격은 어디에 입지해 있느냐에 따라 결정된다. 특히 상대적으로 희소한 위치에 있을수록 가격이 오르기 때문에 상대적 희소성을 판단하는 것이 중요하다. 이에 가장 크게 영향을 미치는 것은 접근성이다. 접근성이 개선되면 일반적으로 가격은 상승한다. 그러나 접근성 개선이 무조건 좋은 것만은 아니다. 지역 내 부동산 가격 및 거래량이 단기에 급상승하여 투기적 수요에 의한 시장 과열이 발생하여 시장의 극심한 불균형을 초래할 수 있기 때문이다. 따라서 접근성 개선과 진입 타이밍 등을 종합적으로 고려하는 것이 중요하다.

직접 가서 눈으로 확인하라_임장활동의 필요성

그 동네에서 느끼는 분위기는 모두가 똑같이 느낀다. 만약 전국의 토지가 같은 이용을 하고 있다면 임장활동을 할 필요가 전혀 없다. 그러나 부동산은 지역성으로 인해 지역마다 다 다르다. 금리인상 등 우리나라 전국에 걸쳐 영향을 미치는 요인이 변동한다면 전 지역에 똑같은 효과가 미치지 않고, 지역에 따라 또는 세부시장에 따라 그 영향이 달리 미치게 될 것이다. 이것이 바로 임장을 반드시 가야 하는 필요성의 근거가 된다. 어떤 형태로 영향을 미치는지를 직접 가서 보는 것이 중요하다는 말이다. 또한 부동산은 지역을 먼저 보고 개별부동산을 봐야 하므로, 임장을 가서 지역에 대한 인사이트와 개별 부동산에 대한 인사이트 둘 다를 봐야만 한다. 부동산은 유형적인 시각과 무형적인 시각 등 여러 시각으로 볼 수 있는데, 바라보는 시각에 따른 차이가 존재할 수 있으므로, 현재 이용상태 등을 보기 위해서라도 반드시 임장을 가야 한다.

가격수준 파악, 어떻게 해야 할까?

요즘은 예전과 달리 국토교통부 실거래가 공개시스템 등을 많이 활용한다. 참고할 만한 사례들을 분석할 때는 반드시 등기사항전부증명서를 확인해야 한다. 국토교통부 실거래가 공개시스템상 실거래는 계약만 이뤄진 상태에서 신고하므로 이게 완전한 거래인지 알 수 없기 때문이다. 따라서 등기사항전부증명서에 '소유권이전등기'가 되었다면, 그 거래는 잔금까지 모두 지급된 완전한 거래로 볼 수 있다. 그러므로 소유권이전등기까지 되었는지 반드시 확인해 보자. 실거래가에는 여러 사정이 개입되어 있을 수 있으므로, 다양한 유의사항들에 대한 이해가 필수적이다. 또한 용도지역만큼은 반드시 확인하는 습관을 만드는 것이 좋다. 용도지역별로 건폐율과 용적률 등이 다르므로 토지의 경우 이에 기초하여 시세가 형성되기 때문이다.

경매감정평가액은 시세일까?

부동산을 사는 사람은 그만한 이유가 있고, 파는 사람 역시 그만한 이유가 있다. 하락기에 부동산 가격이 떨어져도 팔지 않으면 손해가 아니기에 버티며 팔지 않는다. 그런데 만약 돈을 갚지 못해서 반드시 팔아야 한다면 가격이 떨어진 그 상태로 팔 수밖에 없다. 반드시 팔아야만 하는 부동산이 나오는 시장, 이를 우린 경매(시장)라고 한다. 이때 최저매각가격의 기준이 되는 경매감정평가액은 다소 호가적인 성격의 금액이다. 목적에 따라 감정평가사들이 감정평가하는 금액의 성질이 변화하기 때문이다.

돈을 받지 않고 파는 거래, 상속과 증여

내가 내 아파트를 아들한테 줄 때도 세금이 발생한다. 이를 (상속세)증여세라고 한다. 매매는 돈을 주고 재산을 주고받는 유상양도와 돈을 주지 않고 재산을 주고받는 무상증여로 구분된다. 수익이 발생하거나 재산을 이전할 때는 세금이 따르는 것이 원칙이므로, 유상양도 시 양도세 등이 발생하게 되는데 문제는 무상증여의 경우 돈이 수수되지 않았으므로 어떻게 과세할지가 문제된다. 이때 과세의 기준은 시가다. 쉽게 말해서 만약 그때 돈을 주고 사고팔았다면 추정되는 금액이다. 일률적으로 과세하다 보니 개개별 모든 부동산의 시가를 측정하기는 어렵다. 그러나 특히 아파트는 유사매매사례가액이 있을 가능성이 큰데, 단순히 이를 적용하기보다는 감정평가를 한다면 상속·증여재산가액을 개별적으로 평가하여 절세에 도움이 될 수 있다.

PART

2 법무사가 알려주는 부동산 절대원칙

주택을 취득하는 데 있어 알아야 할 법무 지식을 살펴보면 취득 초기 및 취득 단계에서는 등기부 등 각종 공적 장부를 보고 권리관계 및 진정성을 파악하는 것이 필요하고, 보유 단계에서는 임대차, 전세권 등과 얽혀있는 법적 지식을 갖추는 것이 필요하다. 거기에 기본적인 민사집행법상 경매 관련 지식을 갖춘다면 더할 나위 없을 것이다.

지방세인 취득세는 매매대금 다음으로 가장 큰돈이 들어가는 것이므로 이에 관한 대략적인 지식이라도 있어야 자금계획에 있어서 차질이 없을 것이고, 절세를 구상하는 측면에서도 도움이 되기 때문에 기본적인 방향은 숙지하도록 하자.

주택 등 부동산에 투자할 때 투자하려는 부동산의 권리관계가 확실하지 않는 등 법적불안정성이 있다면 아무리 투자가치가 높다고 해도 망설여질 것이다. 따라서 기본적인 지식을 쌓아서 위험을 최소화하는 것이 중요하다.

부동산 투자를 위해서 다양한 전문직군의 시각이 있을 것이다. 그중 감정평가사나 세무사에게서는 입지와 절세 등의 자금적인 요소를 많이 고려한 내용을 볼 수 있다. 법무사에게서 투영할 수 있는 것은 안정성이다. 어떻게 하면 거래를 안전하게 끌고 갈 수 있는지, 또 어떻게 하면 리스크를 최소화할 수 있는지의 여부가 법무사 시각에서는 성공적인 주택투자를 위해서 가장 중요하게 생각해야 할 요소다. 2부에서는 이러한 점을 위주로 서술해보고자 한다.

CHAPTER

부동산 투자 초기 단계

등기부등본, 건축물대장을 통해 주택의 기본 정보를 확인하자

우리는 부동산 투자를 위해서 원하는 건물 및 토지의 입지조건이나 평가액, 하자여부 등 객관적 요소들을 고려함과 동시에 그 건물이나 토지의 권리관계가 거래해도 좋을 만큼 깨끗한지, 또 내가 부동산을 취득하는 데 있어서 권리관계에 하자는 없는지를 살펴보게 된다. 이를 살펴보는 데 가장 기초적인 자료는 건축물대장, 토지대장 등 각종 대장과 부동산등기사항증명서(등기부등본)다.

그런데 단순히 매도인이 소유자로 등재되어 있기만 하면 별걱정 없이 거래해도 괜찮은 것일까? 권리변동의 내용이 구별하기 용이하고 간단한 사항이라면 별문제 될 것이 없겠지만, 등기부상에는 소유권 이외에 다양하고 복합적인 권리관계들이 얽혀있는 경우가 상당수다. 그럴 때는 망설이지 말고 법무사, 세무사, 감정평가사, 변호사 등 다양한 법률전문가들의 조언에 귀를 기울일 필요가 있다. 하지만 법률전문가들의 조언을 듣더라도 어느 정도 알고 듣는 것과 전혀 모르고 듣는 것은 하늘과 땅 차이일 것이다. 일단은 부동산등기에 관한 가장 기초적인 개념부터 세워본다면 이후에 어떤 등기부등본을 보더라도 쉽게 권리관계를 파악할 뿐만 아니라 법률전문가들의 조언을 이해할 수 있을 것이다.

기본 개념의 이해

● 민법

> 민법 제186조(부동산물권변동의 효력)
> 부동산에 관한 법률행위로 인한 물권의 득실변경은 등기하여야 효력이 생긴다.

민법부터 꺼내니 어렵다고 생각할 수 있으나, 전혀 그렇지 않다. 부동산등기의 개념을 잡기 위한 가장 첫 번째가 민법 제186조와 제187조를 이해하는 것이다. 부동산이라 함은 토지 및 그 정착물(민법 제99조 제1항), 즉 토지와 건물이라고 보면 되고, 물권은 물건에 대한 권리로서 점유권, 소유권, 지상권, 지역권, 전세권, 유치권, 질권, 저당권을 일컫는 말이다. 법률행위는 의사표시를 요소로 하는 법률요건, 예를 들면 매매, 유언 등을 의미하며, 등기는 우리가 익히 알고 있는 것과 같이 등기부등본에 일정한 사항을 기재하는 것을 말한다.

이러한 의미에서 부동산 매매 과정을 생각해보자. 매매계약서를 작성하고 매매대금을 모두 지급하였더라도 소유권이전등기를 하지 않는다면 어떻게 될까? 등기를 해야 효력이 생기기 때문에 결국 소유권을 취득하지 못하게 되고, 마찬가지로 자녀에게 부동산을 증여한다고 해도 소유권이전등기를 하지 않는다면 자녀가 소유권을 취득하지 못하게 되는 것이다.

민법 제187조(등기를 요하지 아니하는 부동산물권취득)
상속, 공용징수, 판결, 경매, 기타 법률의 규정에 의한 부동산에 관한 물권의 취득은 등기를 요하지 아니한다. 그러나 등기를 하지 아니하면 이를 처분하지 못한다.

민법 제186조와는 달리 제187조는 등기를 요하지 않는 사항을 규정하고 있다. 즉, 위와 같은 사유가 있으면 곧바로 등기를 하지 않아도 소유권을 취득할 수 있다는 뜻이다. 예를 들어 사망으로 상속이 발생한 경우에 이를 따로 등기하지 않아도 상속인들은 사망시점에 곧바로 소유권을 취득하게 되는 것이다.

"등기에는 공신력公信力이 없다."라는 말을 들어본 적이 있을 것이다. 공신력이라 함은 사전적 의미로 '외형적 사실을 믿고 거래한 사람을 보호하는 공적인 신용의 힘'이라고 한다. 이 187조 규정 때문에 등기에는 공신력을 인정할 수 없게 된다. 왜냐면 상속, 공용징수, 판결, 경매 등의 취득은 등기부에 곧바로 기재가 되지 않기 때문에 현실적으로 외형적 사실이 바로 반영될 수가 없는 것이다. 이렇게 반영되지 않는 등기부를 믿고 거래하는 사람을 보호한다면 시장에 아주 큰 혼란이 오게 될 것이다. 따라서 등기부는 공시公示의 기능만을 할 뿐이다. "일단은 이 부동산 상태가 이러한데 웬만하면 믿을 만한 현상을 기재한 것이지만, 그걸 완벽하게 보장은 하지 않으니 알아서 조심해서 거래하라."는 느낌이다. 그래서 드러나지 않은 위험 요소들을 판별하기 위해서는 많은 공부와 전문가의 상담이 필요하다.

● 부동산등기법

제1조(목적)
이 법은 부동산등기에 관한 사항을 규정함을 목적으로 한다.

제3조(등기할 수 있는 권리 등)
등기는 부동산의 표시와 다음 각호의 어느 하나에 해당하는 권리의 보존, 이전, 설정, 변경, 처분의 제한 또는 소멸에 대하여 한다.

1. 소유권
2. 지상권
3. 지역권
4. 전세권
5. 저당권
6. 권리질권
7. 채권담보권
8. 임차권

부동산등기법 제1조와 제3조를 보면 어떤 내용이 등기부에 들어가는지 알 수 있다. 부동산에 관한 여러 권리가 있지만 3조에 기재된 권리에 관해서만 등기할 수 있다.

부동산등기부 보는 법

매매계약서를 작성하고 잔금을 치를 일만 남아있는데 갑자기 매도인으로 계약했던 사람이 알고 보니 소유자가 아니라면 정말 황당할 것이다. 이런 상황이 발생하는 것을 예방하기 위해서 부동산 매매계약 전에 부동산등기사항증명서를 열람해야 한다. 통상 등기부등본이라고도 하는데, 부동산등기사항증명서에는 그동안 소유권이 어떻게 이전되어 왔는지, 또 어떠한 내용의 담보가 잡혀 있는지 등이 나와 있고, 그러한 내용들을 바탕으로 그 담보로 인하여 집을 뺏길 위험은 없는지, 거래관계를 유지해도 안전한지를 판단할 수 있게 된다.

● 부동산등기부 발급

부동산등기부 발급은 두 가지 방법으로 가능하다. 인근 등기소에 방문하거나 대법원 인터넷등기소(www.iros.go.kr)에 접속하여 등기열람/발급란에 들어가서 원하는 부동산등기를 열람/발급할 수 있다. 열람은 700원, 발급은 1,000원의 수수료가 소요된다.

● 부동산등기부의 종류

부동산등기는 토지, 건물, 집합건물 이렇게 3가지 종류로 되어 있다. 인터넷등기소에서 등기부를 발급받을 때도 이렇게 나누어져 구분된다. 토지는 말 그대로 대지, 임야, 전, 답 등 땅을 나타내는 등기부이고, 건물은 한 동으로 세워진 빌딩 같은 건물이 통째로 하나의 등기부에 편성되어 있는 등기부다. 보통 다가구주택의 경우나 근린생활시설(상가), 상가주택 등으로 이루어진 빌딩 등이 이러한 형태로 등기부가 편성된다. 이때 토지등기와 건물등기가 별도로 존재하게 된다. 집합건물은 아파트처럼 외관상으로는 빌딩같이 통째로 보이는 건물이지만, 내부적으로 각 호수 또는 층별로 나뉘어 있어서 각각의 호수 또는 층마다 등기부가 편성되어 있는 형태다. 보통 다세대주택, 아파트, 오피스텔이라고 할 경우 이러한 형태로 등기부가 편성된다. 집합건물에는 특이하게 대지권이라는 것이 있어서 별도로 토지등기 없이 각 호수별로 대지지분이 면적비율로 쪼개져서 부여되기 때문에 해당 집합건물 호수의 소유권 이전에 따라 지분도 함께 자동적으로 따라가게 되는 형태를 가진다.

● 부동산등기부의 구성

등기부는 1개의 부동산마다 1개의 등기만 존재한다. 그리고 그 등기사항은 표제부와 갑구, 을구로 구분되는데, 각 부분에 해당하는 내용은 아래와 같다.

표제부

표제부는 부동산의 구조, 면적 등 외관을 표시하는 부분이다. 부동산이 '나 이렇게 생겼다'라고 자랑하는 것이다. 표제부 내용은 반

제15조(물적 편성주의) ① 등기부를 편성할 때에는 1필의 토지 또는 1개의 건물에 대하여 1개의 등기기록을 둔다. 다만, 1동의 건물을 구분한 건물에 있어서는 1동의 건물에 속하는 전부에 대하여 1개의 등기기록을 사용한다.
② 등기기록에는 부동산의 표시에 관한 사항을 기록하는 표제부와 소유권에 관한 사항을 기록하는 갑구甲區 및 소유권 외의 권리에 관한 사항을 기록하는 을구乙區를 둔다.

드시 토지대장, 건축물대장의 내용을 따라가게 되어 있으므로 그와 일치해야 한다. 따라서 대장상의 표시내용과 등기사항증명서상 표제부의 기재 내용이 다르다면 등기사항의 표시를 변경하는 절차를 밟아야 한다. 이하에서는 아파트 같은 구분된 건물의 등기사항증명서에 관한 각 항목을 알아보고자 한다.

표제부(1동의 건물의 표시)

① 표시번호: 등기를 순번으로 번호 표시한 부분이다.
② 접수: 표제부의 부동산 표시사항 기입을 신청한 날짜다. 이를 토대로 대략 부동산이 얼마나 오래되었는지 가늠할 수 있다.
③ 소재지번, 건물명칭 및 번호: 부동산의 정확한 주소를 알 수 있다.
④ 건물내역: 부동산의 층수와 각 층의 면적을 알 수 있다.
⑤ 등기원인 및 기타사항: 등기가 된 원인이 기록된 칸인데 변경된 사유와 그 일자를 기재하는 난이다.

[집합건물] 서울특별시 강북구 수유동

【 표 제 부 】 (1동의 건물의 표시)				
표시번호	접 수	소재지번,건물명칭 및 번호	건 물 내 역	등기원인 및 기타사항
~~1~~ ~~(전 1)~~	~~1992년1월31일~~	~~서울특별시 도봉구 수유동~~	~~철근콘크리트조 슬래브지붕 3층 다세대주택 (8세대) 1층 91.21㎡ 2층 91.21㎡ 3층 85.51㎡ 지층 91.21㎡~~	~~도면편철장 제2책 제153면부터 제160면까지~~ 부동산등기법 제177조의 6 제1항의 규정에 의하여 2001년 04월 11일 전산이기
~~2~~		~~서울특별시 강북구 수유동~~	~~철근콘크리트조 슬래브지붕 3층 다세대주택 (8세대) 1층 91.21㎡ 2층 91.21㎡ 3층 85.51㎡ 지층 91.21㎡~~	~~1995년3월1일 행정구역변경으로 인하여 2001년5월22일 등기 도면편철장 제2책 제153면부터 제160면까지~~
3		서울특별시 강북구 수유동 [도로명주소] 서울특별시 강북구 인수	철근콘크리트조 슬래브지붕 3층 다세대주택 (8세대) 1층 91.21㎡ 2층 91.21㎡ 3층 85.51㎡ 지층 91.21㎡	도로명주소 2013년4월25일 등기

표제부(전유부분의 건물 표시) (대지권의 표시)

① 건물번호: 구분건물이 해당하는 층과 호수를 표시한 부분이다.

② 건물내역: 구분건물의 구조와 전용면적을 표시한 부분이다.

③ 대지권 종류: 구분건물은 토지에 관하여 전유부분 면적에 비례한 대지권을 가지게 된다. 건물이 토지에 관하여 지상권이나 임차권을 토대로 지어진 것이라면 대지권의 종류는 지상권이나 임차권이라고 기재된다. 일반적으로 건물은 토지소유권 확보 후 지어지는 것이 보통이므로 대체로 소유권, 대지권이라고 표시된다.

④ 대지권 비율: 한 동의 건물이 깔고 앉은 토지 중에서 한 구분건물이 보유하고 있는 토지지분이 얼마나 되는지 표시한 것이

다. 재개발이나 재건축 시 해당 지분이 클수록 넓은 주택을 분양받을 수 있으므로 투자가치를 판단하는데 중요한 요소다.

갑구

갑구에는 소유권에 관한 사항들이 기재된다. 내가 구매하려는 부동산의 주인이 누구인지, 그 사람이 정당한 권리를 가진 사람인지를 확인할 수 있다. 그 밖에 소유권이전청구권 가등기, 가압류 및 가처분, 환매등기 등이 기록될 수 있는데, 이러한 사항이 기재된 경우에는 절대로 해당 부동산을 거래해서는 안 된다. 나중에 이러한 권리에 기해 추가적인 권리를 행사하는 사람이 있을 경우 그 사람에게 나의 소유권을 주장할 수 없기 때문이다.

【 갑 구 】 (소유권에 관한 사항)				
순위번호	등 기 목 적	접 수	등 기 원 인	권리자 및 기타사항
1 (전 2)	소유권이전	1992년5월27일 제28397호	1992년4월20일 매매	소유자 유 410924-******* 서울 도봉구 수유동 532-95 3층 1호
				부동산등기법 제177조의 6 제1항의 규정에 의하여 2001년 04월 11일 전산이기
2	소유권이전	2008년6월19일	2008년6월15일	소유자 이 811215-*******
		제60855호	매매	서울특별시 강북구 수유동 102호 거래가액 금120,000,000원
3	~~압류~~	~~2010년2월18일~~ ~~제8572호~~	~~2010년2월10일~~ ~~압류(고객지원부-428)~~	~~권리자 국민건강보험공단 111471-0008863~~ ~~서울시 마포구 염리동 168-9~~ ~~(강북지사)~~
4	3번압류등기말소	2011년8월26일 제55303호	2011년8월26일 해제	

① 순위번호: 일반적으로 등기를 접수한 날을 기준으로 순서를 매긴다. 다만 해당 순위를 토대로 부가적인 권리행사가 있다

면 1-1, 1-2 같은 부가번호(부기등기라고도 한다)로 기재된다. 갑구 내에 권리들끼리 다툼이 발생할 경우에는 우선순위번호로 그 우열을 가릴 수 있게 된다.

② 등기목적: 등기한 목적을 기록한 칸이다. "소유권보존"은 집을 지어서 첫 등기가 이루어졌을 때, "소유권이전"은 매매나 기타 법률행위를 통하여 소유권이 넘어간 때에 기재된다.

③ 접수: 등기를 접수한 연월일을 기록한 칸이다. 갑구에 있는 권리와 을구에 있는 권리들끼리 순위 다툼이 생길 경우 접수날짜를 기준으로 그 우열을 가릴 수 있게 된다.

④ 등기원인: 등기한 이유를 기록한 칸이다. 예를 들어 등기목적이 소유권이전일일 경우 등기원인은 매매, 증여, 상속 등 법률행위 및 법률의 규정에 따른 내용이 기재된다.

⑤ 권리자 및 기타사항: 현재 소유자가 누구인지, 이전에 소유자들은 누구였는지 등과 그 권리자의 주민등록번호, 주소, 거래가액 등이 기재되어 있는 칸으로 반드시 현 상황과 일치하는지 확인해야 한다.

을구

을구에는 소유권에 관한 사항 외의 것들이 기재된다. 주로 근저당권 같은 담보물권과 전세권, 임차권, 지상권 등이다. 이러한 사항이 등기되어 있으면 반드시 거래할 때 말소를 어떻게 할 것인지 확인한 후에 계약에 임해야 한다.

【 을 구 】 (소유권 이외의 권리에 관한 사항)				
순위번호	등 기 목 적	접 수	등 기 원 인	권리자 및 기타사항
1	근저당권설정	2019년3월26일 제51527호	2019년3월26일 설정계약	채권최고액 금136,200,000원 채무자 주식회사 경기도 부천시 삼정동 근저당권자 주식회사 은행 110111- 서울특별시 중구
2	근저당권설정	2021년9월2일 제198836호	2021년8월31일 설정계약	채권최고액 금450,000,000원 채무자 주식회사 서울특별시 강서구 근저당권자 주식회사 160111- 서울특별시 서초구

-- 이 하 여 백 --

① 순위번호: 등기된 순서를 매긴 번호이다. 을구에 기재된 권리 간에 다툼이 있을 경우 이 순위번호로 우열을 가린다.

② 등기목적: 등기한 목적을 기록한 칸이다. 예를 들어 주택을 담보로 은행에 돈을 빌리는 경우 근저당권설정을 목적으로 하여 등기가 이루어진다.

③ 접수: 등기를 접수한 연월일을 기록한 칸이다. 갑구에 있는 권리와 을구에 있는 권리들끼리 순위 다툼이 생길 경우 접수날짜를 기준으로 그 우열을 가릴 수 있게 된다.

④ 등기원인: 등기한 원인을 기록한 칸이다. 근저당권이 설정된 경우 그 등기원인은 "2021년 5월 31일 설정계약" 같은 형태로 기록된다.

⑤ 권리자 및 기타사항: 현재 권리자가 누구인지와 주소 등을 기록한 칸이다. 그 외에 근저당권의 경우에는 대체로 빌린 돈에서 120%가량이 반영된 채권최고액이, 전세권의 경우 전세금이 기록된다.

등기의 내용에 따른 분류

● 기입등기

새로운 등기원인에 의하여 어떤 사항을 등기부에 새로 기입하는 등기를 말하며, 보통 등기라고 하면 기입등기를 의미한다. 건물을 새로 신축하여 형성되는 소유권보존등기, 흔히 우리가 많이 하는 매매 등을 원인으로 하는 소유권이전등기, 근저당권설정등기 등이 이에 속한다.

● 변경등기

등기가 일단 이루어지고 난 후에 그 등기된 사항에 대하여 후발적인 변경 사유가 있는 경우 하게 되는 등기다. 최초 기입등기로 소유권이전등기를 한 이후에 소유자의 주소가 변경되었다면 등기명의인표시변경등기를 하게 되고, 근저당권설정등기를 한 이후에 채무자나 채권최고액이 변경된 경우에는 근저당권변경등기를 하게 된다.

● 경정등기

어떤 등기를 함에 있어서 등기접수 이전에 신청인 또는 등기관의 착오 등으로 인하여 원시적으로 등기와 실체관계의 불일치가 생긴 경우에 이를 시정하기 위한 등기다. 즉, 애당초 잘못 기입된 등기를 바로잡는 것이다. 변경등기가 등기접수 당시와 실체가 일치하였다가 나중에 변경 사유가 생겨서 등기하는 것이라면 경정등기는 애초에 잘못된 실체관계의 내용을 접수하여 불일치가 생긴 경우에 하는 것이다. 등기명의인표시를 경정등기하거나 건물표시를 경정하는 경우가 더러 있는데, 등기도 사람이 하는 일인지라 애초에 자료를 잘못 판단하고 기입하는 상황이 발생하곤 한다.

● 말소등기

기입된 등기에 대응하는 실체관계가 없어진 경우 등기를 소멸시키며 행하는 등기다. 일반적으로 등기된 내용이 전부 빨간색 한 줄로 가로 지으며 삭선되면서 말소등기가 이루어진다. 등기부에 빨간 줄이 그어졌다면 이제 그 내용은 부동산에 관한 권리관계에서 의미가 없다는 뜻이 된다. 흔히 볼 수 있는 것으로는 은행대출금(근저당채무)을 모두 상환한 경우 근저당권말소등기를 하게 된다.

● 말소회복등기

말소회복등기는 어떤 등기의 전부 또는 일부가 부적법하게 말소된 경우, 그 말소된 것을 다시 원래대로 되돌려 놓는 등기다. 이때 말소 당시로 소급하여 말소가 되지 않았던 것과 같은 효력이 생기게 된다.

● 멸실등기

멸실등기는 기존의 등기된 부동산이 전부 멸실된 경우에 행해지는 등기다. 토지나 건물의 일부가 멸실된 때에는 표시변경등기를 하지만, 전부가 멸실되었다면 멸실등기를 해야 한다. 실무상 건물을 전부 허물어서 멸실되면 건축물대장을 말소한 후에 이를 토대로 건물멸실등기를 한다.

건축물대장, 토지대장 보는 법

부동산 거래 시에는 등기사항증명서와 함께 토지대장, 건축물대장을 확인해봐야 한다. '등기사항증명서에 건물의 표시, 권리자의 내용 등 웬만한 내용은 다 기재되어 있으니 그것만 봐도 괜찮은 것 아니냐'라고 반문할 수도 있으나, 반드시 대장을 확인해야 하는 이유는 부동산의 면적이나 층수 등 기본적인 외관을 정확하게 알고, 행여나 위반건축물에 해당하여 발생할 수 있는 불측의 손해를 예방하기 위함이다.

등기사항증명서상 부동산의 구조, 면적 등의 표시사항은 반드시 대장에 기재된 내용을 따라야 하고, 권리자 등 법적인 권리에 관한 내용은 반드시 등기사항증명서상의 내용을 따라야 한다. 따라서 부동산의 표시에 관한 사항이 대장과 등기부상 서로 불일치하게 된다면 소유권이전등기 같은 권리에 관한 등기를 하기 전에 반드시 표시변경등기가 선행되어야 한다. 그렇지 않으면 접수한 등기가 각하될 수 있다.

등기 접수한 이후 다른 후순위 등기가 들어온 상태에서 각하가 될 경우, 재접수하더라도 순위에서 밀리기 때문에 불측의 손해를 입을 가능성이 존재한다. 따라서 이러한 표시변경등기는 별것 아닌 것처럼 보여도 매우 중요하게 체크해 봐야 하는 것이다.

아래에서는 건축물대장의 내용을 자세히 살펴보자. 건축물대장의 종류에는 일반건축물대장, 집합건축물대장이 있는데 일반건축물대장을 예로 들어보자.

■ 건축물대장의 기재 및 관리 등에 관한 규칙 [별지 제1호서식] <개정 2018. 12. 4.>

일반건축물대장(갑)

(2쪽 중 제1쪽)

고유번호	정부24접수번호 20211118-87366842	명칭 주건축물제1동	호수/가구수/세대수 0호/0가구/0세대	
대지위치 서울특별시 중구		지번 349	도로명주소 서울특별시 중구	
※대지면적 195㎡	연면적 522.77㎡	※지역 제2종일반주거지역	※지구	※구역 상대정화구역
건축면적 116.3㎡	용적률 산정용 연면적 389.83㎡	주구조 철근콘크리트구조	주용도 제2종근린생활시설	층수 지하 1층/지상 5층
※건폐율 59.64%	※용적률 199.91%	높이 17.52m	지붕 평슬라브	부속건축물 동 ㎡
※조경면적 ㎡	※공개 공지·공간 면적 ㎡	※건축선 후퇴면적 ㎡	※건축선 후퇴거리 m	

건축물 현황					소유자 현황			
구분	층별	구조	용도	면적(㎡)	성명(명칭) 주민(법인)등록번호 (부동산등기용등록번호)	주소	소유권 지분	변동일 변동원인
주1	지1층	철근콘크리트구조	제1종근린생활시설(소매점)	132.94	이	경기도 용인시 수지구 풍천동1	1/1	2017.8.25.
주1	1층	철근콘크리트구조	제1종근린생활시설(소매점)	89.19	800420-1******			소유권보존
주1	2층	철근콘크리트구조	제2종근린생활시설(사무소)	108		- 이하여백 -		
주1	3층	철근콘크리트구조	제2종근린생활시설(사무소)	86.84	※ 이 건축물대장은 현소유자만 표시한 것입니다.			

이 등(초)본은 건축물대장의 원본내용과 틀림없음을 증명합니다.

문서확인번호 1637-2116-5243-1234

(2쪽 중 제2쪽)

고유번호 1114016200	정부24접수번호 20211118-87366842	명칭 주건축물제1동	호수/가구수/세대수 0호/0가구/0세대
대지위치 서울특별시 중구	지번 349	도로명주소 서울특별시 중구	

구분	성명 또는 명칭	면허(등록)번호	※주차장					승강기	허가일 2016.9.13.
건축주		1980	구분	옥내	옥외	인근	면제	승용 1대 / 비상용 대	착공일 2016.10.28.
설계자	이 건축사사무소	중구-건축사사무소						※하수처리시설	사용승인일 2017.6.26.
공사감리자	이 건축사사무소	중구-건축사사무소	자주식	대 ㎡	4대 ㎡	대 ㎡		형식 부패탱크방법	관련 주소
공사시공자 (현장관리인)	김 건설(주)	수원시-건축공사업-10-0	기계식	대 ㎡	대 ㎡	대 ㎡	대	용량 50인용	지번

※제로에너지건축물 인증	※건축물 에너지효율등급 인증	※에너지성능지표(EPI) 점수	※녹색건축 인증	※지능형건축물 인증
등급	등급	점	등급	등급
에너지자립률 %	1차에너지 소요량(또는 에너지절감률) kWh/㎡(%)	※에너지소비총량	인증점수 점	인증점수 점
유효기간: . . ~ . .	유효기간: . . ~ . .	kWh/㎡	유효기간: . . ~ . .	유효기간: . . ~ . .

도로명

내진설계 적용 여부	내진능력	특수구조 건축물	특수구조 건축물 유형
지하수위 G.L m	기초형식	설계지내력(지내력기초인 경우) t/㎡	구조설계 해석법

변동사항

변동일	변동내용 및 원인	변동일	변동내용 및 원인	그 밖의 기재사항
2017.6.26.	신청에 의한 신규작성[건축과-14094(2017.06.26)]		8.12.28.)호에 의거 위반건축물 표기정정[내역 : 2017년 4층 유리/경량철골 16㎡ → 15㎡로, 2017년 5층 유리/경량철골 16㎡ → 15㎡로 정정]	- 이하여백 -
2017.12.8.	위반건축물 표기 : - 2017년,증축(4층),16㎡,유리/경량철골,근린생활시설(사무소) - 2017년,증축(5층),16㎡,유리/경량철골,단독주택[주택과-44948(2017.12.08)]	2021.9.3.	위반건축물 표기해제 : [주택과-18819(2021.09.03.)]호에 의거 [주택과-44948(2017.12.08.)]호를 해제	
2018.12.28.	주택과-44948(2017.12.08.)호와 관련, 주택과-39862(201			

① 대지위치, 지번: 집이 세워진 토지의 주소를 알려주는 칸

② 대지면적: 집이 건축된 한 필지 토지 전체의 면적

③ 건축면적: 실제로 집 부분에 해당하는 바닥면적

④ 건폐율: 한 필지 토지 전체의 면적과 실제로 집 부분에 해당하는 바닥면적의 비율

⑤ 연면적: 건물의 각 층 바닥면적의 합

⑥ 용적률 산정용 연면적: 용적률을 구할 때 연면적 계산에서 제외되는 주차장, 취사장 같은 시설의 면적을 나타낸다.

⑦ 용적률: 한 필지 토지 전체의 면적과 연면적과의 비율을 나타낸다.

⑧ 지역, 지구, 구역: 집이 지어진 땅이 어떤 용도지역, 용도지구, 구역인지를 나타낸다.

주구조, 주용도, 층수, 높이, 지붕, 부속건축물 등 해당 건물이 어떤 재료로 지어졌는지, 어떤 용도인지 등이 기재된다.

⑨ 건축물 현황: 구분항목에는 주1, 주2 같은 형식으로 기록되는 경우가 있는데, 이는 한 필지의 대지에 지어진 주 건물의 개수를 의미한다. 부1, 부2 같은 형식으로 기록된 경우에는 부속 건물을 의미한다. 층별 항목에는 해당 층을, 구조는 해당 층이 어떤 재료와 방법으로 지어졌는지를, 용도는 해당 층을 어떻게 사용하려고 하는지를, 면적은 해당 층의 면적이 기재된다.

⑩ 소유자 현황: 현재 집주인의 정보가 기재된 현황이다. 앞서 서술한 바대로 등기사항증명서상 권리자를 따라서 기록하게 되어 있으며, 통상 등기사항증명서상의 소유자정보가 변경되고

난 후 1주일 이내에 대장상 소유자기재도 변경된다.

⑪ 허가일자, 착공일자, 사용승인일자: 각 해당 내용이 기재되는데, 사용승인일자가 건물의 탄생일이라고 보면 되고 사용승인일을 기준으로 취득세가 산정된다.

⑫ 건축물 에너지 소비정보 및 그 밖의 인증정보: 건축물의 친환경적인 요소, 에너지성능 등을 기재한다. 이들 부분에서 점수가 높다면 그만큼 효율적인 건물이고 유지관리비도 덜 소요된다는 의미다.

⑬ 변동사항: 해당 건물의 용도변경, 증축, 개축, 대수선 같은 변동이 있을 경우 구체적 내용을 기재한다. 또한 건축법에 위반되는 사항이 있는 건물이라면 위반건축물로 기재되어 이행강제금이 부과된다. 이 부분을 잘 보고 거래를 해야 취득으로 인해서 불상의 이행강제금을 부담하게 되는 경우를 피할 수 있다.

2

그 밖의 참고할 수 있는 정보를 통해 확인하는 주택투자 지식

지역신문, 부동산카페 등 부동산 관련 사이트 등을 통하여 개발호재가 있는 지역을 찾는 것이 중요할 것이다. 예를 들면 교통시설의 경우 지하철역이 개설된다든지, 도로가 확장되어 기존의 교통체증이 해소된다든지 하는 경우이고, 학군의 경우 특수목적고 같은 시설이 생긴다든지, 기타 생활편의시설의 경우 도서관이나, 대형쇼핑몰, 할인점 등이 들어오는 경우다. 그 밖에 기존 혐오시설(고물상, 폐기물매립지, 교도소 등)이 이전 및 철수할 예정일 경우에도 개발호재가 있다고 볼 수 있다. 이러한 개발호재가 있는 지역은 추후 개발로 인해 주거환경이 크게 개선되면서 집값이 다른 지역보다 월등히 상승할 가능성이 높다.

이러한 사항들은 주로 토지이용계획확인원 등을 통하여 대략적으로 확인할 수 있고, 토지이용계획확인원을 통해 나타난 도시계획이나 지구단위계획구역 등을 열람하여 구체적으로 파악이 가능하다. 해당 내용은 감정평가사 파트에서 자세히 파악할 수 있다.

보통 주변의 주택, 특히 아파트 시세를 판단하고자 할 때는 KB시세나 국토교통부의 부동산실거래가 조회를 참고하곤 한다. 부동산실거래가 조회는 부동산거래계약신고에 의하여 등록된 것들을 정리하여 보여주는데, 이러한 것들이 실제로 소유권이전등기가 완료되었는지는 확인할 수가 없었다. 즉, 암암리에 가격을 올려 신고했다가 나중에 해제신고를 하는 등의 허위신고 형식으로 아파트의 시세를 조종하는 행위가 가능했고, 이러한 행위로 인하여 실거래신고 조회의 의미가 무색하게 되는 경우도 있다. 하지만 2022. 8. 19.부터 인터넷등기소 등기정보광장(https://data.iros.go.kr)에서 매매를 원인으로 하여 소유권이전등기가 완료된 집합건물(아파트 등)에 대한 부동산실거래가 조회서비스를 제공하기 시작했는데, 이는 진정성 있는 시세를 파악하는데 중요한 자료가 될 것으로 보인다.

소유권이전등기신청 시에 들어가는 서류 및 비용들은 보통 취득세, 국민주택채권매입금, 인지세, 인감증명서, 등기필정보들인데 이러한 등기가 완료된 실거래가신고라면 언제든지 단순신고 및 해제할 수 있는 국토교통부의 부동산실거래가 조회보다는 훨씬 진정성 있는 것으로 볼 수 있다. 시세조종행위를 위하여 취득세 등 큰돈을 부담하면서까지 할 요인은 거의 없기 때문이다.

3

셀프 등기, 이런 건 위험하다

인터넷상에는 온갖 정보들이 많으니 이제는 웬만한 소유권이전등기쯤은 각자가 알아서 하는 경우가 많다. 내 집을 내 손으로 등기한다는 점에서도 스스로에게는 큰 의미가 있을 것이다. 소유권은 등기함으로써 취득하는 것이기에. 그러나 등기사항증명서상 권리관계가 깨끗하고 이해관계인이 없다면 직접 셀프 등기하는 데 큰 지장은 없겠지만, 다음과 같은 사항이 등기되어 있다면 반드시 전문가의 의견을 참고해야 한다. 무턱대고 셀프 등기로 진행했다가 크나큰 재산상의 피해를 볼 수 있다.

근저당권 및 질권설정등기

【 을 구 】 (소유권 이외의 권리에 관한 사항)				
순위번호	등 기 목 적	접 수	등 기 원 인	권리자 및 기타사항
1	근저당권설정	2019년3월26일 제51527호	2019년3월26일 설정계약	채권최고액 금136,200,000원 채무자 주식회사 경기도 부천시 삼정동 근저당권자 주식회사 은행 110111- 서울특별시 중구

근저당권이나 질권 같은 담보물권이 설정되어 있다면 반드시 이 담보를 어떻게 해소하고 취득할 것인지를 고민해야 한다. 우리는 대체로 은행에 대출을 받으면서 부동산을 담보로 제공하고 해당 부동산에 근저당권을 설정한다. 만약 대출이자 미납 등으로 인하여 연체가 발생하게 된다면 은행은 채권회수를 위하여 근저당권을 기화로 부동산경매를 일으킬 수 있다. 매도인이 근저당권을 말소하지 않은 상태에서 이를 해결하지 않고 부동산을 취득하게 된다면 이후에는 언제든지 부동산이 경매에 넘어갈 위험에 노출되고, 소유권을 상실할 수 있는 상황에 놓이게 된다.

이러한 경우에는 대체로 잔금 지급과 동시에 매도인과 함께 매도인이 대출받은 은행에 방문하거나 미리 매도인이 거래 은행지점과 연락하여 잔금일에 상환해야 할 채무와 납입할 가상계좌를 확정한다. 그리고 잔금 지급 당일에 방문 또는 가상계좌에 입금하여 매도인의 채무를 일시 상환한다. 이때 은행으로부터 상환완료확인증을 받고 근저당권말소를 의뢰하면 은행 담당 법무사 또는 변호사사무실에서 근저당권말소등기를 접수한다. 또 다른 방법은 매매대금을 근저당권이 설정되어 있는 매도인의 채무액을 공제한 금액만 지급하고 근저당권의 채무자변경등기를 함으로써 기존 등기된 근저당권을 그대로 인수하는 경우도 있다.

소유권이전청구권가등기, 담보가등기

3	소유권이전청구권가등기	2021년5월28일 제102842호	2021년5월19일 매매예약	가등기권자 박 931209-******* 서울특별시 강남구
				호(삼성동,)
	소유권이전	2021년7월20일 제143852호	2021년5월20일 매매	소유자 박 931209-******* 서울특별시 강남구 호(삼성동,) 거래가액 금2,690,000,000원

가등기의 "가"는 한자 假(거짓가, 임시가)를 쓴다. 말 그대로 임시로 등기를 해놓았다는 의미다. 가등기의 대표적인 효력은 "순위보전적 효력"이다. 아직 취득하기 전인데 누가 채갈까 봐 미리 찜해 놓는 것이다. 이는 가등기 이후에 들어오는 것들, 즉 다른 사람들이 찜해 놓는 등기사항들을 모조리 없애버릴 수 있는 힘이 있다. 예를 들어 A는 B 소유의 주택을 구매하고자 한다. 그런데 B의 주택이 고가라서 계약금도 꽤 많이 지급해야 하고, 잔금 지급 때까지의 사이에 집값이 엄청 오를 것이라는 예측을 하고 있다. 게다가 B의 신용도 그다지 좋지 않아 계약 이후에 이 주택을 온전히 유지할 수 있을 것 같지

도 않다. 바로 이러한 상황에 안전장치로 할 수 있는 것이 소유권이전청구권 가등기다.

매매예약을 원인으로 하여 가등기를 일단 해두면 그 뒤에 압류, 가압류 등 다른 권리들이 들어오더라도 가등기의 순위가 더 앞서므로 잔금 지급 시에 가등기에 기하여 본등기인 매매등기를 하게 될 경우 그 사이에 후순위로 이루어진 등기들은 말소된다.

같은 가등기이지만 담보가등기라는 것도 있다. 담보가등기는 순위보전적인 효력이 있다는 점에서 동일하며, 저당권과 유사하다. A가 B에게 돈을 빌려주면서 '담보가등기를 하고 돈을 안 갚으면 주택에 본등기를 하여 내가 가져가겠다'라고 하는 경우에 주로 이루어진다. 하지만 주택의 평가가액이 빌려준 돈의 액수보다 더 큰 경우가 대부분이므로 반드시 공정하게 주택가액을 평가하고 빌려준 돈과의 차액 부분을 보전해 주는 청산절차를 거쳐야 한다. 이러한 경우에는 감정평가사의 평가서가 필수로 필요하게 된다. 그런데 이러한 가등기의 의미와 내용을 모르는 C가 A가 권리자로 되어 있는 가등기를 보고도 B로부터 주택을 매매하여 등기까지 했을 경우, 나중에 A가 가등기에 기한 본등기를 하게 된다면 C는 그야말로 눈 뜨고 코 베이는 격으로 그 자리에서 소유권을 잃게 되어 집을 빼앗기게 된다. 따라서 가등기가 되어 있는 부동산은 절대로 사면 안 된다.

처분금지가처분

가처분등기가 되어 있다는 건 "이 부동산에 대하여 서로 내 것이라고 다투는 상황이다."라고 서류상으로 적시되어 있는 것이다. 등기부상 A에서 B로 소유권이 이전된 주택을 예로 들어 보자. A는 B와의 매매계약은 무효이므로 B에게 다시 집을 내놓으라고 주장하고 있는 상황인데, 소송은 시간이 오래 걸린다. 긴 소송이 진행 중인 상태에서 B가 난데없이 다른 사람에게 주택을 처분하면 A가 승소하더라도 보호받을 길이 막히게 된다. 따라서 A는 계약이 원인무효인 사실을 어느 정도 소명하고, B가 제3자에게 주택을 처분하지 못하게끔 법원에 처분금지가처분신청을 하여 등기를 해놓는다. A가 가처분등기를 마친 이후 B와의 소송에서 승소하게 된다면 그 사이에 들어온 등기들은 보호받지 못하고 모두 말소가 된다. 따라서 가처분등기가 되어 있는 부동산은 그 내용을 파악하여 전문가의 상담을 받고 계약을 진행해야 한다.

환매등기

환매란 환매권을 행사함으로써 매매 목적물을 되찾는 것을 말한다. 환매권은 매도인이 매수인에게 부동산을 넘겨줄 때 소유권이전등기를 하면서 동시에 환매특약을 걸 수 있는데, 그 특약조건을 성취하고 다시 매수인으로부터 부동산을 되찾을 수 있는 권리를 말한다.

예를 들어 소유권이전등기와 동시에 환매특약등기를 할 경우 그 기재사항에 "매수인이 지급한 대금 2억 원, 매매비용 3백만 원.", "환매기간 2022년 12월 1일까지."라고 되어 있다면, 그리고 매도인이 2022년 12월 1일 이내에 매수인에게 매매대금과 매매비용을 지급했다면 환매권을 행사하고 이전했던 부동산을 다시 되찾아올 수 있다. 그 사이에 근저당권이나 전세권 등 소유권 외의 권리에 관한 등기가 이루어진 경우에는 그 등기는 전부 말소 대상이 된다. 단, 환매특약등기에는 부동산처분금지의 효력은 인정되지 않기 때문에 환매등기가 된 물건이라도 처분이 가능하고, 매도인·매수인이 아닌 제3자가 소유권을 취득할 수 있다. 그러나 취득하더라도 추후 매도인과 매수인의 분쟁 사이에 휘말릴 것이 자명하고, 매도인이 환매권을 행사하게 되면 속수무책으로 당할 수밖에 없으므로 이러한 등기가 되어 있다면 가급적 말소를 하고 진행해야 한다.

압류, 가압류

가압류는 채무자를 상대로 본격적인 소송절차를 진행하기 위한 사전조치로 행해진다. 채무자가 소송 진행 중에 가지고 있는 재산을 다른 곳에 처분한다면 채권자가 소송에서 이기더라도 현실적으로 강제집행을 할 재산이 사라져버려서 변제받기가 힘들어지게 된다. 이런 어려움을 미연에 방지하기 위해서 소송을 하기 전에 미리 채무자의 재산을 묶어두는 절차다.

그리고 압류는 부동산경매개시결정이 되어 있거나, 국가기관의 체납처분압류가 되어 있는 경우를 의미한다. 조만간에 부동산을 입찰에 부쳐 매각하여 그 대금을 부동산 소유자의 채권자들이 나눠가질 준비 중이라는 의미다. 따라서 여러분들이 취득하고자 하는 부동산에 이러한 압류, 가압류의 등기가 되어 있다는 건 거래 상대방의 신용이 상당히 안 좋을 수 있다는 것을 의미한다.

법정지상권

법정지상권은 토지와 건물의 등기가 별개로 있는데, 처음에는 토지와 건물의 소유자가 동일했으나, 나중에 매매, 경매 등으로 인하여 토지와 건물의 소유자가 다르게 되었을 경우 건물의 소유자에게 인정되는 권리다.

동일한 소유자의 토지, 건물이었는데, 다른 사람이 토지만을 취득하는 경우라면 그 사람은 이미 지상건물이 있다는 것을 용인하고 취득한 것이 된다. 이런 경우 단지 토지 소유자라는 이유만으로 이미 지어진 멀쩡한 건물을 철거할 권리를 준다면 사회경제적으로 큰 손실일 것이다. 이러한 이유로 건물 소유자에게 토지를 사용할 수 있는 권리인 법정지상권을 인정해 주는 것이다. 그런데 이 법정지상권이라는 것은 등기가 되는 경우가 드문데, 말 그대로 법률적으로 당연히 인정해 주는 권리이기 때문에 별도로 등기하지 않아도 유효하다. 그래서 토지와 건물의 소유자가 다른 경우에는 이 법정지상권이 인정되는 사항인지의 여부를 필히 검토해야 한다.

신탁등기

신탁이란 다양한 의미가 있을 수 있겠으나, 등기와 관련된 부분은 신탁법 및 부동산등기법의 규율을 받고 있다. 신탁법상 신탁이라 함은 신탁을 설정하는 자(위탁자)와 신탁을 인수하는 자(수탁자)간의 신임관계에 기하여 위탁자가 수탁자에게 특정의 재산을 이전하거나 담보권의 설정 또는 그 밖의 처분을 하고 수탁자로 하여금 일정한 자(수익자)의 이익 또는 특정의 목적을 위하여 그 재산의 관리, 처분, 운용, 개발, 그리고 그 밖에 신탁목적의 달성을 위해 필요한 행위를 할 수 있도록 해주는 법률관계를 말한다.

주변에서 흔히 볼 수 있는 예로는 아파트나 상가를 신축하여 분양할 때 원소유자인 시행사가 부동산을 신탁사에 넘겨서 신탁해두고 있다가 수분양자에게 넘길 때 신탁을 해지하고 소유권이전등기를 하는 경우가 많다. 이런 경우는 대체로 관리신탁에 해당한다. 그리고 부동산 소유자가 대출을 받고자 신탁을 하는 경우도 있다. 신탁사에 부동산을 넘긴 다음에 수익자를 은행 등 대출을 실행해 주는 금융기관으로 하는데, 이런 경우는 담보신탁에 해당한다. 이렇게 일반적으로 신탁등기는 담보목적 내지 관리처분을 위해 이루어진다. 하지만 그 세부적인 내용은 등기부상 기재되지 않으므로 이를 알고 싶다면 가까운 등기소에 방문하여 해당 등기사항증명서상에 기재된 신탁원부를 발급받아 확인할 수 있다.

법에 따르면 신탁자와 수탁자와의 관계에서 내부적으로 당사자 간에 소유권자는 신탁자라고 할 수 있으나, 대외적인 관계에서는 수탁자가 소유권자이므로 거래를 하고자 하는 부동산에 신탁등기가 되어 있다면 반드시 이 부분에 대한 법률관계를 명확히 확인하고 난 후 계약을 진행해야 한다.

금지사항의 부기등기

금지사항의 부기등기는 주로 분양단계에서나 볼 수 있는 등기인데, 통상적인 거래관계에서는 보기 드물 것이다. 그러나 취득하고자 하는 부동산에 이러한 등기가 되어 있다면 거래 시 조심해야 한다.

주택법의 규정에 따라 처분할 수 없는 경우가 많고, 우리가 흔히 아는 전매제한이 걸린 경우도 많다. 특히 최근에는 임대사업자의 민간임대주택 부기등기가 많이 이루어졌는데, 이는 금지사항의 부기등기에 해당한다. 민간임대주택 부기등기가 존재하는 경우 소유자가 임대의무기간 중에 임대사업자가 아닌 사람에게 주택을 처분할 경우 3천만 원 이하의 과태료가 부과될 수 있기 때문에 반드시 말소하고 양도해야 한다.

CHAPTER

부동산 취득 단계

취득계약서 작성 전 필독 사항

내가 취득하려는 부동산의 외관이 등기부, 대장상 표기와 일치하는지 확인하자

일단 내가 부동산을 취득하려고 한다면 그 물건의 생김새나 조건을 명확히 보려고 한다. 물건의 생김새를 명확히 보기 위해서는 등기사항증명서상의 표제부와 건축물대장 및 토지대장의 표시사항을 체크해야 한다. 앞에서 언급한 것처럼 표시사항은 대장에 기재된 내용을 등기사항증명서의 표제부가 따라가게 되어 있다. 그래서 등기사항증명서에 기재된 부분이 대장과 불일치하면 등기사항에 관하여 표시변경등기를 선행한 후 소유권이전등기가 이루어져야 한다. 또한 건물이 상가인 줄 알고 계약을 체결했는데, 대장상에는 주택 부분이 있다고 기재되어 있는 경우 자칫하면 취득세 폭탄을 맞을 수도 있으니 면밀하게 살피고 대처해야 한다.

실제 사례를 보면 매수인이 법인인데, 토지와 건물 전체를 상가로 알고 계약을 체결하여 잔금일을 얼마 남기지 않은 시점에서 소유권이전등기 의뢰가 들어온 경우가 있었다. 이 경우 대장과 등기사항증명서를 검토하다가 이상한 부분이 발견되었다. 분명 근린생활시설(상가)을 취득한다고 들었는데, 5층 건물 중 2층 부분 용도란에 주택이라고 기재된 부분이 있는 것이다. 이 경우 해당 부분은 취득세 4.6%가 아닌 법인의 주택취득세 13.4%가 부과된다. 취득세가 약 3배 정도가 뛰어오르니 당사자로서는 아주 미칠 노릇인 상황이다. 이런 경우 세금 부담이 커지기에 미리 검토하지 않으면 계약 내용의 수정 내지 최악의 경우에는 계약 파기로 인한 법적 분쟁으로까지 이어질 수 있다.

내가 취득하려는 부동산의 권리관계가 내가 알고 있는 것과 일치하는지 확인하자

● 진정한 소유자가 맞는가?

모든 부동산 거래는 내가 지금 정당한 소유자와 거래하고 있는 것이 맞는지 확인하는 데서부터 출발한다. 정당한 소유자와 거래한다고 함은 그 소유자와 직접 하든지, 소유자에게 정당하게 위임받은 대리인을 통하여 거래하는 것을 말한다. 소유자임을 확인하려면 부동산등기부상에 소유자의 주민번호를 입력하여 주민번호 전체 공개로 발급을 해보고 계약 시에 등기필정보(등기권리증)를 확인한다. 그 밖에 재산세납부내역서가 있다면 더욱 확실하다.

소유자와 직접 하는 경우라면 대체로 공인중개사를 통해 소유자의 신분을 확인하고, 대리인을 통해 하는 경우라면 직접 소유자와 통화를 해본 뒤에 정당하게 위임받은 위임장에 소유자 본인의 인감날인 및 서명이 되어 있고, 거기에 인감증명서 또는 본인서명사실확인서가 첨부되어 있는지, 그리고 날인된 인영 및 서명과 위임장상의 날인 및 서명이 일치하는지 확인해야 한다.

진정한 소유자임을 확인하는 것 이외에도 그 소유자에게 매도의사가 확실하게 있는지를 확인해야 한다. 보통 공인중개사를 통해 거래하게 되면 공인중개사가 직접 확인하기 때문에 이것까지 매수인인 내가 직접 확인해야 하나 싶기도 할 것이다. 하지만 공인중개사나 법무사가 처리하는 업무를 미리 알고 보는 것과 그렇지 않은 것은 천양지차일 것이다.

일반적으로 매매계약서 작성 시 매도인이 직접 와서 계약서에 서명 또는 날인을 했다면 매도의사는 확인되었다고 볼 수 있다. 다만 매도인이 미성년자 또는 피후견인 등 제한능력자인 경우, 재외국민 또는 외국인인 경우, 종중, 교회 같은 비법인사단인 경우 등에는 그 의사를 확인하는데 다소 제한이 생길 수 있다.

(1) 매도인이 미성년자인 경우

매도인이 미성년자인 경우에는 법적으로 완전한 법률행위를 할 수 없기 때문에 법정대리인의 의사를 확인하는 것이 필수다. 미성년자가 법정대리인의 동의 없이 한 처분행위는 취소할 수 있으며, 의사능력까지 없다면 무효에 해당할 수 있다. 미성년자인지의 여부는 주민등록상 생년월일(만 19세)로 알 수 있으므로 계약서 작성 이전에 미리 매도인으로 하여금 기본증명서(상세), 가족관계증명서(상세)를 준비하도록 하여 법정대리인이 누구인지 확인하고, 법정대리인의 의사를 확인해야 한다. 잔금 시에는 위 서류와 함께 그 법정대리인의 인감도장, 인감증명서 및 미성년자와 공동생활을 영위하고 있는지를 확인하기 위해 주민등록등본을 살펴보아야 한다.

친권자인 부모가 모두 사망하였다면 법원에 특별대리인을 선임신청을 하여 특별대리인선임결정문을, 미성년후견인이 선임되어 있다면 후견인선임결정문, 재산처분에 관한 심판문 등을 확인하고, 해당 특별대리인과 후견인의 인감도장, 인감증명서 등을 확인해야 한다.

(2) 미성년자인 자녀와 함께 매수인이 되려는 경우

위 사례와는 반대로 미성년자인 자녀와 함께 매수인이 되는 경우에는 특별한 제한이 없다. 동일하게 미성년자의 기본증명서, 가족관계증명서 등으로 법정대리인과의 관계를 증명하고, 법정대리인의 동의로 계약을 체결하면 된다.

그러나 담보대출을 껴서 대금을 치를 경우에는 미리 근저당권설정에 관하여 미성년자인 자녀의 특별대리인을 선임해 두어야 한다. 미성년자인 자녀와 공동소유자인데, 채무자를 부모로 하여 대출을 진행할 경우 자녀의 부동산 지분으로 부모의 채무를 보증해주는 형태가 된다. 하지만 이는 민법상 이해상반행위에 해당되므로 특별대리인을 선임하고 선임결정문을 은행에 제공해야 대출이 가능하다.

이 과정은 한두 달 정도 소요되기 때문에 반드시 잔금 전에 미리 은행에 심사를 요청해놓고 대비를 해놓아야 한다. 특별대리인이 될 사람은 채무자가 아버지일 경우에는 자녀의 외가 친척 중에서, 채무자가 어머니일 경우에는 자녀의 친가 친척 중에서 선정해야 법원이 별도의 소명 요구 없이 결정을 해주는 것이 일반적이다. 이때 법원에 특별대리인이 될 사람의 선임동의서와 인감증명서, 법정대리인의 동의서 및 인감증명서, 미성년자 본인의 동의서, 근저당권설정계약서 등을 제출해야 한다.

(3) 매도인이 피성년후견인 또는 피한정후견인인 경우

매도인이 병환이 깊어 요양 중이거나 기타 법률행위를 하는 데 있어 보호를 받을 필요가 있는 경우에는 보통 법원에 성년후견인 또는 한정후견인 선임신청을 통해 후견인을 선임하게 된다. 간혹 매도인인 부모가 치매 등을 앓고 있음에도 법원에 후견사항을 보고하는 것이 번거롭다는 등의 이유로 후견인 선임 없이 자녀들이 부모로부터 위임받아 매도용인감증명서를 발급받고 부동산을 처분하려는 경우도 있는데, 이 경우에는 절대로 거래를 해서는 안 된다. 매도인과 직접 연락이나 대면이 어렵고, 자녀들이 가져온 매도용인감증명서가 본인발급본이 아닌 대리발급본이라면 위와 같은 상황을 한 번쯤은 의심해 보아야 할 것이다. 이 같은 경우는 매도인이 의사능력이 없으므로 그 위임행위도 무효일 뿐만 아니라 처분행위 자체도 무효이므로 언젠가는 반드시 분쟁에 휘말릴 가능성이 존재한다.

매도인이 보호를 받는 피성년후견인이거나 피한정후견인인 경우, 부동산등기사항증명서에는 그와 관련된 사항이 기재되어 있지 않기 때문에 매수인뿐만 아니라 중개사 입장에서도 외관상 제한능력자인지를 판별할 길이 없다. 그저 병환이 깊어서, 또는 요양병원에 요양 중이라서 거래 현장에 못 나온다거나, 거래 현장에 나왔더라도 의사 표현에 서투른 등의 행동을 보인다거나 하는 이유로 후견인의 보호를 받는 사람이 아닌지 의심할 수 있을 뿐이다. 물론 매도인 측에서 먼저 제한능력자임을 밝히는 것이 일반적이지만, 그렇지 않고 계약서 작성 및 계약금교부, 중도금교부를 하고 나중에 잔금 지급 시기에 이르러서야 그와 관련된 사항이 밝혀질 경우 일정에 중대한 차질이 생기게 된다. 따라서 계약서에 인감도장을 날인받고 이와 함께 매도인의 인감증명서를 가급적 확인하는 게 좋다.

피후견인의 인감증명서를 발급받게 되면 비고란에 피후견인인지의 여부와 후견인의 이름, 주민등록번호가 기재되어 있다. 계약서 작성 시에 이와 같은 사항을 확인할 수 있어야 계약을 할지 말지를 제대로 결정할 수 있을 것이고, 잔금 및 이전등기 시 필요한 것들을 미리 준비할 수 있게 된다.

이 밖에 일반적으로 피한정후견인이나 피성년후견인의 부동산을 처분하는 행위에는 미리 법원의 허가를 받아야 한다. 구체적인 허가사항인지 여부는 후견인 선임결정문을 통해 확인할 수 있다. 허가에는 통상 2~3개월가량 소요되는 것이 일반적이므로 계약이전부터 미리 허가를 받아놓아야 거래가 무사히 진행될 수 있다.

인감증명서 발급사실 확인용 번호 2580 - 5078 - 1

신청인: (생년월일:), 담당자: (전화

※이 용지는 위조식별표시가 되어 있음

인감증명서

주민등록 번호		본인	대리인
		○	

성명 (한자)	김 ( )	인감
국적		
주소	충청북도	

용도		
매도용	[√] 부동산 매수자 [ ] 자동차 매수자	
	성명(법인명)	주민등록번호 (법인등록번호)
	주소 (법인소재지)	
	위의 기재사항을 확인합니다. (발급신청자) (	
일반용		

비고	피성년후견인, 성년후견인 : 김

1. 인감증명서 발급사실통보서비스를 신청하면 발급 사실을 휴대폰 문자로 즉시 통보받을 수 있습니다.
2. 인감증명서 발급 신청인이 본인인 경우에는 본인란에, 대리인이 신청하는 경우에는 대리인란에 0표시됩니다.
3. 주민등록번호란에는 미주민등록 재외국민의 경우 여권번호, 국내거소신고자의 경우에는 국내거소신고번호, 외국인의 경우에는 외국인등록번호를 기재하며, 주민등록번호가 있는 경우 그 아래에 ( )를 하고 주민등록번호를 기재할 수 있습니다.
4. 민원인이 요청하는 경우 주소이동사항을 포함하여 발급합니다.
5. 부동산 또는 자동차(「자동차관리법」 제5조에 따라 등록된 자동차를 말합니다) 매도용으로 인감증명서를 발급받으려면 매수자의 성명, 주민등록번호, 주소를 확인하고 서명하여야 합니다. 다만, 부동산 또는 자동차 매도용 외의 경우에는 "빈칸"으로 표시됩니다.
6. 용도의 일반용란은 '은행제출용', '00은행의 대출용으로만 사용' 등 자유롭게 기재할 수 있습니다. 다만, 피한정후견인의 인감증명서를 발급하는 경우에는 담당 공무원이 신청인에게 구체적인 용도를 확인하여 직접 기재하여 발급하여야 합니다.

처분허가에 관한 심판문 이외에 후견등기사항증명서, 후견인선임결정문을 확인하여 후견인의 인적사항 및 처분의사를 확인해야 한다. 후견등기사항증명서는 각 지방법원(가사과) 또는 가정법원에서 발급이 가능하다.

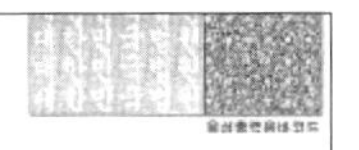

청 주 지 방 법 원

심 판

사 건 2020후기 피성년후견인 부동산에 대한 매도 허가

청 구 인 . ( )

(성년후견인) 주소

등록기준지

사 건 본 인 김 ( )

(피성년후견인) 주소

등록기준지

주 문

1. 청구인(성년후견인)이 사건본인(피성년후견인)을 대리하여 별지 목록 기재 각 부동산 중 사건본인(피성년후견인)의 공유지분을 매각하는 행위를 허가한다.
2. 청구인(성년후견인)은 제1항 기재 부동산의 매각대금에서 매각비용과 제세공과금을 공제한 나머지 금원을 사건본인(피성년후견인) 명의의 예금계좌에 입금하여 보관하여야 한다.
3. 청구인(성년후견인)은 제1, 2항의 이행결과와 매각대금 보관 내역을 소유권이전등기일로부터 1개월 이내에 이 법원[2020후감 성년후견감독사건(기본)] 에 보고하여

(4) 부부간의 일상가사대리권

민법 제827조에 의하면 “부부는 일상의 가사에 관하여 서로 대리권이 있다.”라고 규정하고 있다. 이에 의하면 일상가사에 속하는 범위 내에서는 일방이 타방을 대리하여 계약을 체결할 수 있는 권한이

있고, 이는 공동책임으로 귀결된다. 일상가사에 속하는 범위는 구체적으로 일용품의 구매, 교육비, 의료비 같은 것으로 해석된다. 그러나 가사의 범주를 넘어선 부동산의 처분행위는 그 권한을 벗어난 행위로서 무권대리에 해당한다. 따라서 매도인의 배우자가 별도의 위임장과 본인발급인감증명서 없이 계약을 체결하게 될 경우 사고로 이어질 가능성이 높으니 주의해야 한다.

이 밖에 매도인이 외국인인 경우, 교회 종중 등 비법인단체인 경우 등에도 진정한 소유자가 맞는지를 확인해야 할 서류들이 많다. 따라서 매도인이 이러한 지위에 있다면 반드시 전문가의 조력을 받도록 해야 한다.

● 등기부에 기재된 내용이 현황과 일치하는가?

등기부에는 소유현황뿐만 아니라 여러 가지 권리관계가 기재되어 있을 수 있다. 아무것도 없는 깨끗한 것이 제일 좋지만 근저당이나 압류, 가압류 등이 등기되어 있다면 이러한 내용이 현재의 사실관계와 맞는지 제대로 확인해야 한다.

가압류가 등기되어 있는데, 소유자에게 확인해 보니 '그 사건은 이미 끝났다'라고 말하는 경우가 종종 있다. 이런 경우 가압류가 등기된 때로부터 3년이 지나도록 본안소송을 제기하지 않았다면 법원에 가압류취소신청을 하여 등기된 가압류를 말소할 수 있다. 또 가압류는 등기되었지만, 채권자와 원만히 협의하여 말소하기로 한 경우라면 소유자의 채권자에게 가압류 취하 및 집행해제신청을 하도록 협조를 요청해야 한다.

이런 식으로 우선은 실제 현황과 등기부의 상태가 일치하도록 소유자에게 요청을 해야 하고, 그 다음에는 소유권을 취득하는 데 방해되는 것들, 일테면 가압류나 근저당 같은 것들을 잔금 시 어떻게 없앨 것인지를 계약서상에 확실하게 명문화해야 한다.

● 취득하는데 규제받는 사항은 없는가?

부동산은 그 위치 및 특성에 따라 취득 시 허가 또는 증명을 요하는 경우가 더러 있다. 따라서 마음에 드는 부동산이라도 이런 요건을 충족하지 못하면 부동산을 취득할 수 없으므로 미리 어떤 규제를 받는 부동산인지를 확인할 필요가 있다. 규제사항 및 그에 따라 받아야 할 조건은 다음과 같다.

- 토지거래허가제: 시·군·구청장의 허가
- 농지취득자격증명제: 시·군·읍·면장으로부터 발급
- 전통사찰의 부동산: 문화체육관광부 장관의 허가
- 향교재단의 부동산: 시·도지사의 허가
- 사립학교(유치원, 초등, 중등, 대학교)의 기본재산: 시·도교육감 및 교육부 장관의 허가
- 자유무역지역의 토지 또는 공장: 기획재정부 장관 및 관리기관의 허가
- 산업단지 내 산업시설구역의 산업용지 및 공장: 관리기관과 입주계약
- 사회복지법인의 기본재산: 시·도지사의 허가

- 외국인 등의 부동산취득신고: 시·군·구청장에게 60일 이내에 신고, 단 문화재보호구역, 생태경관보전지역, 야생생물특별보호구역, 군사시설보호구역은 사전에 시·군·구청장에게 허가

위 사항 중 가장 자주 접하게 되는 것은 토지거래허가와 농지취득자격증명이다.

(1) 토지거래허가

토지거래허가구역은 부동산 투기를 막기 위해 고안된 것이다. 따라서 일단 지정이 되면 가격이 안정적으로 유지될 수밖에 없는데, 이 구역에 있는 부동산이나 구역설정이 될 가능성이 있는 부동산을 투자수단으로 생각한다면 많은 부분을 고려해야 할 것이다.

토지거래허가구역에 해당하는 부동산을 취득하기 전, 특히 계약하기 전에는 반드시 미리 토지거래허가서를 받아야 한다. 거래에 관한 허가이므로 매매 등 유상계약의 경우에만 해당하며 증여, 상속 등 무상취득은 해당하지 않는다.

토지거래허가를 받기 위한 요건은 다음의 표와 같다.

① 토지거래허가대상 면적

토지거래허가대상 면적은 기준면적의 10% 이상 300% 이하의 범위에서 국토교통부 장관 또는 각 시·도지사에 의해 결정된다. 지역별 허가대상 면적은 각 시·군·구청의 고시를 참고하면 알 수 있다.

용도지역		기준면적	허가대상 면적(서울시)
도시지역	주거지역	60㎡ 초과	6㎡ 초과
	상업지역	150㎡ 초과	15㎡ 초과
	공업지역	150㎡ 초과	15㎡ 초과
	녹지지역	200㎡ 초과	20㎡ 초과
	용도미지정	60㎡ 초과	6㎡ 초과

② 용도별 의무이용기간

토지거래허가를 받은 경우에는 일정 기간 허가받은 목적대로 이용해야 할 의무가 발생한다. 특히 주거용 토지의 경우 2년간 실거주용으로만 이용 가능하며, 2년간 매매나 임대(갭투자)가 금지된다.

용도	의무이용기간
주거용지	자기거주용(2년)
주민복지, 편익시설	자기경영용(2년)
농업, 축산업, 임업, 어업	주민등록 현재 거주(2년)
공익사업, 지구지정 등	자기경영용(2년)
대체토지취득	자기경영용(2년)
현상보존용	개발금지(규제)토지(5년)

토지거래허가구역 내 토지이용을 허가받기 위해서는 원칙적으로 '자기거주', '자기경영'의 원칙이 있다. 일정한 의무이용기간 내에서 매수자가 직접 이용할 의무가 발생하는 것이 원칙이다. 그러나 1, 2종 근린생활시설의 경우에는 일정 공간을 직접 이용하면 일부 임대가 가능한 경우가 있고, 건물 취득 후 2년 내 철거 후 신축을 위해 착공하는 경우 등에는 의무이용기간의 예외가 인정된다. 이는 세부적

으로 관할 시·군·구청의 지침에 따라 종합적으로 검토해야 할 것으로서, 미리 해당 관할관청에 문의하여 요건을 확인할 필요가 있다.

③ 토지거래허가 신청 방법

토지거래허가구역 내 부동산을 거래하는 경우에는 계약을 체결하기 전에 서류를 구비하여 거래 당사자와 토지거래허가를 신청해야 한다.

처리기간	토지거래허가 신청일로부터 15일
구비서류	• 토지거래계약허가 신청서 • 토지이용계획서(또는 농업경영계획서, 산림경영계획서) • 토지취득자금조달계획서
처리절차	당사자 간 허가신청 협의 → 토지거래계약허가 신청서 제출→관할관청 신청서류 검토 및 관련 부서 협의 → 시·군·구청 검토 → 허가증 교부
유의사항	허가목적, 관할관청에 따라 구비서류가 다를 수 있으니 반드시 해당 부서에 미리 문의하고 준비할 것
신청방법	당사자(매도인, 매수인) 공동 신청 또는 대리인(위임장 및 신분증 사본 또는 인감증명서 첨부) 방문 신청
신청장소	부동산 관할 시·군·구청

④ 위반 시 제재

토지거래허가구역 내의 토지를 허가받지 않은 상태에서 계약체결 시 2년 이하의 징역 또는 당해 토지가격의 30% 이하의 벌금을, 허가받은 목적대로 이용하지 않을 경우 3개월 이내의 이행명령을 부과하고, 명령 불이행 시 토지 취득가액의 10% 범위 내에서 의무 이행 시까지 매년 이행강제금을 부과한다.

(2) 농지취득자격증명

① 최근 강화된 개정 농지법

농지란 지목이 전, 답, 과수원인 토지를 말한다. 농지를 취득하려는 사람은 반드시 농지취득자격증명을 발급받아야 하고, 이를 소유권이전등기 하고자 할 때 반드시 첨부해야 한다. 이는 농지매수인의 농지소유 자격과 소유상한 등을 확인·심사하여 적격자에게만 농지취득을 허용함으로써 비농업인의 투기적 농지소유를 방지하고, 헌법상의 경자유전耕者有田의 원칙을 실현하기 위함이다.

LH 임직원들의 부동산 투기 사건으로 인해 농지 투기에 대한 관심이 높아진 데다 농지법이 개정되어 농지취득자격증명 발급 요건이 한층 더 강화되었다. 기존에는 취득대상의 농지 면적과 노동력, 농업기계 등을 작성하면 문제가 없었지만, 현재는 직업과 영농경력, 영농거리, 공유지분을 취득한 경우 해당 지분면적을 어떻게 구분소유할 것인지의 위치표시 현황도 등을 기재해야 하고, 공유 가능한 사람의 수도 7인 이내로 제한하는 규정이 신설되었다.

1세대 기준 1,000㎡ 미만으로 취득하는 경우에는 주말체험영농 목적으로 신청하고, 그 이상인 경우에는 농업경영의 목적으로 신청한다. 종전에는 주말체험영농의 경우 농지취득자격증명신청서만 제출하면 농지취득자격증명발급이 쉽게 가능했으나, 개정 이후 신청서뿐만아니라 농업경영 목적의 경우와 같이 농업계획서 및 이를 증명하는 서류도 함께 제출해야 한다. 또한 농업진흥지역 내에서는 주말체험영농이 금지되었고 위반 시 이행강제금 및 처벌, 벌금이 강화되었다. 그리고 농지취득자격증명의 발급기간도 2~4일이었으나 농지전용은 4일, 농업경영 및 주말체험영농은 7일, 농지위원회 심의 대상은 14일로 변경되었다.

② 발급대상자 및 발급절차

발급대상자는 농업인 또는 농업인이 되고자 하는 자, 농업법인, 주말체험영농을 하고자 하는 농업인이 아닌 개인, 농지전용허가를 받거나 농지전용신고를 한 사람이다.

발급절차는 바로 신청하기보다는 미리 담당 시·읍·면사무소나 관할 시·군·구청에 미리 농지취득자격증명발급 가능 여부를 상담해 보고 진행하는 것이 절차 면에서 더 수월할 것이다.

정리하면 아래와 같다.

제출서류 확인 및 신청서 작성 → 서류 제출 및 접수(수수료 1,000원) → 담당 공무원 현장실사 → 농지취득자격증명서 발급

③ 위반 시 제재

농지취득자격증명 신청서 작성의 기재사항과 증명서류제출을 거짓, 또는 부정한 방법으로 한 경우에는 500만 원의 과태료에 처해지며, 이같이 부정한 방법으로 농지취득자격증명서를 발급받아 농지를 소유했을 시 이를 해당 시장, 군수, 구청장이 인정한 경우에는 6개월 이내 해당 농지의 처분을 명할 수 있다.

2

계약서 작성 잘하는 법

매매계약서는 부동산에 관심 있는 사람이라면 한 번쯤은 봤을 것이다. 대체로 공인중개사를 통해 거래하고 웬만하면 표준계약서로 작성하기 때문에 하자가 있는 계약을 하는 경우는 흔치 않다. 그러나 디테일한 부분에서 조금만 더 신경을 쓴다면 차후 발생할 수도 있을 분쟁을 사전에 예방할 수 있다.

특약사항을 잘 기재하자

물건의 상태를 일일이 모두 파악하여 세부적으로 특약에 하나하나 기재하는 것은 현실적으로 불가능하다. 다만 문제의 소지가 될 수 있을 만한 것을 잘 골라서 명확하게 기재해야 추후 분쟁을 예방할 수 있다. 권리분석을 정확하게 하여 해당 사항을 기재하고, 오래되어 하자가 있을 법한 물건에 관해서는 하자담보책임의 한계 범위를 잘 설정하여 이를 가격 절충에 반영한 후 그 결론의 내용을 정확하게 기재하는 것이 포인트다.

'셀프 등기, 이런 건 위험하다' 편에서 안내한 사례들이 몇 가지 있는데, 되도록 사례에서 언급한 매물은 피하는 것이 좋겠지만, 해당 물건이 너무 마음에 들어서 부득이하게 거래를 하고 싶다면 반드시 전문가의 조언을 듣고 여러 안전장치 방안을 강구해야 한다.

그렇다면 이런 경우 특약내용에 기재할 수 있는 조치들은 어떤 것들이 있을까? 예를 들어 "매도인은 잔금 지급일까지 압류 및 가압류 등 제한사항을 모두 말소한다. 그렇지 않을 경우 매수인은 계약을 해제하고 매도인은 위약금을 지급한다."라는 조항을 넣었다고 해보자. 이 경우처럼 부동산에 각종 제한사항이 등기가 되어 있다거나, 매도인의 채무가 많다는 등의 신용에 문제가 있다거나, 잔금 지급 전에 중도금이 있다면 매도인에게 직접 지급하지 말고 제3자와 별도의 에스크로 계약을 체결하는 것도 고려해 볼 만하다.

에스크로는 네이버 중고나라의 안전거래를 떠올리면 쉽게 이해가 될 것이다. 매수인이 중도금을 제3자 계좌에 입금하면 중도금납입처리가 되고, 잔금과 함께 등기가 이루어지면 제3자 계좌에 묶였던 중도금 및 잔금을 매도인에게 송금해주는 것이다. 이러한 업무를 대행해 주는 믿을 만한 제3자(은행, 신탁사, 법무법인 등)를 섭외하여 진행한다면 안전한 거래를 하는 데 도움이 될 것이다.

일반적으로 자주 쓰는 특약사항의 예는 다음과 같다.

- 등기사항전부증명서상 세무서 압류건은 중도금 지급과 동시에 매도인이 납부하여 말소하기로 한다.
- 은행 근저당권은 잔금 납부와 동시에 매도인이 상환, 말소하기로 한다.
- 은행 근저당권 채권최고액 OOOO원은 매수인이 승계받기로 하고 잔금일 기준으로 정산한다.
- 붙박이장, 가스레인지, 비데는 매매가격에 포함하며, 리스 물품인 정수기는 매도인이 정리하기로 한다.
- 본 물건의 건축물관리대장, 평면도와 상이한 부분은 수익성을 고려하여 주거시설을 설치한 것으로 차후에 행정관청의 위반건축물 제재나 과태료부과는 매수인이 책임지기로 하는바, 매도인의 희망매도가격은 금 OO원이었으나 이와 같은 사항을 참작하여 OO원에 매매하기로 하여 계약서에 서명·날인한다.
- 본 물건의 잔금 이후 하자는 매수인이 책임지기로 하고 매도인의 희망매도 가격이 OO원이었으나, 매수인이 하자 부분을 책임지기로 하는 조건으로 절충하기로 하는바 OO원에 매매계약을 체결한다.

가계약금 문제_가계약서를 작성하자

현실적으로 중개사를 통해 거래할 때 가계약금을 거는 경우가 많다. 물건을 보면서 가계약상태로 확보하는 경우도 많고, 본계약을 유도하기 위해 "정 그러시면 가계약이라도 해놓고 가세요."라면서 고객을 붙잡아 두는 경우도 있다.

통상적인 거래관계에서 계약금을 걸어놨다고 했을 때 매도인이 계약을 해약하면 배액을 상환하고, 매수인이 계약을 해약하면 계약금을 몰취하는 게 일반적인 거래 관행이다. 그러나 이러한 것들은 본계약이 제대로 체결이 되어 계약의 구속력이 확실해졌을 때의 얘기다. 이보다 구속력이 느슨한 가계약상태에서 본계약체결이 거부되었을 경우에는 어떻게 해야 하는지 아직도 의견이 분분한 상황이다.

여러 하급심 판결이 있는데, 구체적인 상황, 가계약을 체결할 당시의 당사자 간 의사, 본계약체결의 확실성 등에 따라 그 판결의 결과도 중구난방이었으나, 최근 대법원의 판결은 "당사자 사이에 가계약금을 해약금으로 하는 약정이 있었음이 명백히 인정되지 아니하는 한 원고가 스스로 계약체결을 포기하더라도 가계약금이 피고에게 몰취되는 것으로 볼 수는 없다고 할 것이다."라고 하였다.

그렇기 때문에 간단한 가계약이라 하더라도 서면으로, 서면으로 하기 번거로우면 문자로라도 명문화하여 명확하게 가계약서를 작성해두어야 한다.

"가계약 파기 시 가계약금을 지급한 매수인(임차인)은 이를 포기하고, 지급받은 매도인(임대인)은 (배액)상환한다."라거나, 가계약금 지급 영수증에 "이후 OO일까지 와서 본계약을 체결하지 아니할 시 가계약금은 매도인(임대인)에게 귀속한다"라는 식의 형태로 확실히 명문화를 해놓는 것이 필요하다.

3

취득세? 주택채권? 이것들은 다 무엇인가요?

부동산을 취득하게 되면 여러 가지 비용들이 발생한다. 그중에서 가장 많은 부분을 차지하는 것이 취득세와 국민주택채권매입액이다. 취득세는 세금이다 보니 세무사들이 전문적으로 알고 있지만, 실무상으로는 법무사들이 등기업무를 하는 과정에서 취득세를 신고, 대납하며 진행하는 경우가 많기 때문에 과세관청 현장에서는 법무사들이 주로 업무를 처리한다.

취득세율표(기준일 2020. 8. 12.)

부동산의 종류				구분	취득 세율	농어촌 특별 세율	지방 교육 세율	합계
매매	일반			토지/건물	4.0	0.2	0.4	4.6%
	주택	일반과세	6억 이하	85㎡ 이하	1.0	-	0.1	1.1%
				85㎡ 초과	1.0	0.2	0.1	1.3%
			6억 초과 9억 이하	85㎡ 이하	1~3	-	0.1~0.3	1.1~3.3%
				85㎡ 초과	1~3	0.2	0.1~0.3	1.3~3.5%
			9억 초과	85㎡ 이하	3.0	-	0.3	3.3%
				85㎡ 초과	3.0	0.2	0.3	3.5%
		중과세	조정대상지역 내 1세대 2주택 비조정대상지역 1세대 3주택 (일시적 2주택 제외(일반과세))		8.0	- (85㎡ 초과 0.6%)	0.4	8.4% (85㎡ 초과 9.0%)
			조정대상지역 내 1세대 3주택~ 비조정대상지역 1세대 4주택~		12.0	- (85㎡ 초과 1.0%)	0.4	12.4% (85㎡ 초과 13.4%)
			일시적 2주택으로 종전주택을 3년(비조정대상지역), 또는 1년(조정대상지역) 이내 미처분시		8.0	- (85㎡ 초과 1.0%)	0.4	8.4% (85㎡ 초과 9.0%)
			법인, 사단, 재단, 단체 등 (시가표준액 1억 이하 등 중과제외)		12.0	- (85㎡ 초과 1.0%)	0.4	12.4% (85㎡ 초과 13.4%)
	농지			신규	3.0	0.2	0.2	3.4%
				2년 이상 자경	1.5	-	0.1	1.6%
상속	1가구 1주택			전 세대원 무주택	0.8	-	0.16	0.96%
	농지			일반	2.3	0.2	0.06	2.56%
				2년 이상 자경	0.15	-	0.03	0.18%
	일반건물, 농지 외, 다주택			85㎡ 초과	2.8	0.2	0.16	3.16%
	다주택			85㎡ 이하	2.8	-	0.16	2.96%

<table>
<tr><td rowspan="7">증여</td><td rowspan="3">일반</td><td rowspan="2">조정대상
지역 주택
(공시가격 3억 미만)</td><td>85㎡ 이하</td><td>3.5</td><td>-</td><td>0.3</td><td>3.8%</td></tr>
<tr><td>85㎡ 초과</td><td>3.5</td><td>0.2</td><td>0.3</td><td>4.0%</td></tr>
<tr><td colspan="2">그 외(토지, 건물)</td><td>3.5</td><td>0.2</td><td>0.3</td><td>4.0%</td></tr>
<tr><td rowspan="2">주택
중과</td><td rowspan="2">조정대상
지역 주택
(공시가격 3억 이상)</td><td>85㎡ 이하</td><td>12</td><td>-</td><td>0.4</td><td>12.4%</td></tr>
<tr><td>85㎡ 초과</td><td>12</td><td>1.0</td><td>0.4</td><td>13.4%</td></tr>
<tr><td colspan="2" rowspan="2">1세대 1주택자가
소유주택을 배우자,
직계존비속에게 증여 시</td><td>조정대상지역
85㎡ 이하</td><td>3.5</td><td>-</td><td>0.3</td><td>3.8%</td></tr>
<tr><td>조정대상지역
85㎡ 초과</td><td>3.5</td><td>0.2</td><td>0.3</td><td>4.0%</td></tr>
<tr><td colspan="2">원시취득</td><td colspan="2">신축, 재건축, 재개발(건물만)</td><td>2.8</td><td>0.2</td><td>0.16</td><td>3.16%</td></tr>
<tr><td colspan="2" rowspan="2">사치성재산
(고급주택, 별장 등)</td><td colspan="2">승계</td><td>12</td><td>1.0</td><td>0.4</td><td>13.4%</td></tr>
<tr><td colspan="2">원시</td><td>10.8</td><td>1.0</td><td>0.16</td><td>11.96%</td></tr>
<tr><td colspan="2" rowspan="2">과밀억제권역
(본점용신증축)
지법13조1항</td><td rowspan="2">원시</td><td>토지</td><td>8</td><td>0.6</td><td>0.4</td><td>9%</td></tr>
<tr><td>건물</td><td>6.8</td><td>0.6</td><td>0.16</td><td>7.56%</td></tr>
<tr><td colspan="2" rowspan="3">과밀억제권역
(본지점용설립설치전입
후 5년 내 취득)
지법13조2항</td><td rowspan="2">원시</td><td>토지</td><td>8</td><td>0.2</td><td>1.2</td><td>9.4%</td></tr>
<tr><td>건물</td><td>4.4</td><td>0.2</td><td>0.48</td><td>5.08%</td></tr>
<tr><td colspan="2">승계</td><td>8</td><td>0.2</td><td>1.2</td><td>9.4%</td></tr>
<tr><td colspan="2" rowspan="2">비도시형
공장신증설
(지법13조1항2항)</td><td rowspan="2">원시</td><td>토지</td><td>12</td><td>0.6</td><td>0.12</td><td>12.72%</td></tr>
<tr><td>건물</td><td>8.4</td><td>0.6</td><td>0.48</td><td>9.48%</td></tr>
</table>

※1세대: 주민등록법에 따른 세대별 주민등록표에 기재 가족(배우자 및 30세 미만이면서 일정 소득 미만 자녀 포함)

※주택수: 공동소유 주택, 상속주택(상속 5년 경과분), 분양권, 입주권(20. 8. 12. 이후 취득분), 주거용 오피스텔(20. 8. 12. 이후 취득분) 포함

2022. 12. 21. 정부 발표에 따르면 2023년부터 아래와 같이 다주택자에 대한 취득세율을 완화하기로 하였다. 그러나 이는 지방세법 개정사항으로 국회를 통과해야 하는데, 개정안이 통과되면 2022. 12. 21.부터 소급적용할 것이라고 한다. 여야 합의가 되지 않아 통과되지 않으면 반영되지 않을 수도 있으니 참고만 해두자.

현행 다주택자에 대한 취득세 중과세율

구분	1주택	2주택	3주택	4주택 이상·법인
조정대상지역	1~3%	8%	12%	12%
非조정대상지역	1~3%	1~3%	8%	12%

취득세 중과완화 방안

지역	1주택	2주택	3주택	법인·4주택 ↑
조정대상지역	1~3%	8% → 1~3%	12% → 6%	12% → 6%
非조정대상지역		1~3%	8% → 4%	12% → 6%

주택에 대한 취득세

우리나라의 세금은 크게 국세와 지방세로 나눈다. 국세는 중앙정부(국세청)에서 다루는 세금이고, 지방세는 지방정부(시·군·구청)에서 다루는 세금이다. 관할 부처는 국세는 기획재정부에서, 지방세는 행정안전부에서 다룬다. 우리 입장에서는 똑같이 내 주머니에서 나가는 세금이지만 집행이 이원화되어 있기 때문에 같은 조건이라도 징수 기준이 다른 경우가 많다. 이러한 차이를 알고 있어야 정확하게 대응할 수 있을 것이다.

주택취득과 관련하여 국세에서는 상속세, 증여세, 양도세를, 지방세에서는 취득세(지방교육세, 농어촌특별세 포함)를 과세하게 된다. 이러한 세금들에 관련된 문제들은 세무사들이 전문적으로 다루지만, 그 중에서도 취득세 신고·납부 업무는 법무사가 주로 다루는 업무 중 하나로서, 이번 챕터에서는 지방세인 취득세를 기준으로 이야기해 보고자 한다.

유상(매매 등)이든 무상이든, 주택을 취득하면 지방세로서 취득세를 납부해야 한다. 여기서 취득이란 일반적인 형태의 매매취득뿐만 아니라 교환, 상속, 증여 등 유무상의 모든 취득을 말하며, 등기·등록 등을 하지 않더라도 사실상 취득하는 경우 취득세가 과세된다.

여기서 말하는 주택의 개념을 잘 이해해야 한다. 먼저 어느 범위까지를 주택이라고 해야 할까? 국세와는 달리 지방세인 취득세는 단순히 건축물대장상의 기재를 기준으로만 판단한다. 그렇다면 부동산등기부상에는 주택이지만 대장상에는 근린생활시설이라고 되어 있는 경우는 어떻게 할까? 앞서 이야기했듯이 등기부상 부동산의 표시는 대장을 따라가야 하기 때문에 이런 경우에는 무조건 대장상의 표시대로 근린생활시설로 보고 일반세율을 적용하게 된다. 그리고 주택의 공유지분을 취득하거나 주택의 부속토지를 일부라도 취득하는 경우도 주택을 소유하거나 취득한 것으로 보기 때문에 기존에 이런 부동산을 가지고 있다면 미리 정리하는 것이 필요하다. 미등기된 주택이라도 준공검사 및 사용승인된 주택뿐만 아니라 받지 못한 경우라도 소유권보존등기가 되었다면, 여기서 말하는 주택에 포함된다.

TIP **주거용 오피스텔은 주택에 해당하나요?**

오피스텔은 건축물대장에 주택이라고 기재되어 있지 않고 대체로 업무시설 또는 근린생활시설이라고 표기되어 있으므로 비주택으로 취급된다. 따라서 주거용 오피스텔을 취득한 경우에는 주택세율이 적용되지 않고 일반세율 4%가 적용된다. 다만 다른 주택을 취득할 때 기존에 보유한 주택수 산정에 있어서(1세대 3주택일 경우 등) 보유 주택수에는 포함이 되므로 이 차이를 잘 인식해야 한다. 주거용 오피스텔을 새로 취득할 때는 주택으로 보지 않으나, 다른 주택을 취득하려는데 1세대 몇 주택인지를 판단할 때는 주택수에 넣어야 한다.

취득세는 취득가액이 얼마인지, 주택이 조정대상지역인지, 1세대가 몇 개째의 주택을 취득하는 것인지, 주택의 면적이 85㎡를 초과하는지, 취득자가 법인인지 개인인지 등에 따라서 달라진다. 이제 각 세부적인 기준이 어떻게 되는지 살펴보고, 그에 따른 전략을 어떻게 세워야 유리할지를 생각해보도록 하자.

● 취득세의 과세표준과 세율

(1) 과세표준(지방세법 제10조 이하)

종전에는 취득세의 과세표준은 취득자가 신고한 당시의 가액으로 하고, 다만 신고를 하지 않거나, 신고가액을 기재하지 않는 경우 또는 신고가액이 시가표준액보다 적을 때는 시가표준액으로 하였으나, 2023년 1월 1일부터는 취득시기 이전에 해당 물건을 취득하기 위하여 거래 상대방이나 제3자에게 지급하였거나, 지급해야 할 일체의 비용으로서 "사실상의 취득가격"으로 개정하였다. 이에 따라 개인이 시가표준액에 미달하는 금액으로 건물을 취득했더라도 사실상 취득한 금액으로 과세표준을 적용할 수 있게 되었다.

다만 특수관계인간의 거래로 취득세 부담을 부당하게 감소시키는 경우(시가인정액과 사실상 취득가액의 차액이 3억 원 이상이거나 시가인정액의 5% 상당 금액 이상인 경우)에는 아래에서 설명할 시가인정액을 취득 당시 가액으로 결정할 수 있다.

주택의 시가표준액은 매년 4월 29일 공시되는 개별주택가격 또는 공동주택가격이며, 가격이 공시되지 않은 주택은 관할 시·군·구청에 직접 확인해 봐야 한다. 상가주택(주상복합건축물)을 유상거래로 취득한 경우 주택 시가표준액과 주택 외에 해당하는 건물 및 토지의 시가표준액이 별도로 나뉘어져 있기 때문에 각각의 과세표준을 별도로 구분하여 적용해야 한다.

법인이 취득할 경우 개인과는 달리 과세표준에 건설자금에 충당한 차입금의 이자 등 금융비용, 할부 또는 연부계약에 따른 이자 상당액 및 연체료, 공인중개사 수수료(부가세 제외)를 반드시 포함시켜야 한다.

잔금일자에 자금을 차입하여 지급했다면(담보대출을 일으킨 경우) 1일분 이자는 과세표준에 포함된다(세제과-7654, 2016. 05. 31.). 취득(잔금완납) "이후" 소유권이전등기를 위한 과정에서 발생하는 담보대출을 위한 근저당권의 등록면허세(서울세제-7877, 2015. 05. 29.), 국민주택채권 매각차손(조심2011지0116, 2012. 10. 10.), 법무사수수료(지방세운영과-23, 2018. 01. 04.)는 취득세 과세표준에 포함하지 않는다.

참고해야 할 것은 이러한 과세표준 산정 및 세액결정은 신고자가 책임져야 한다는 것이다. 보통 취득세를 신고하러 가면 담당 공무원이 과세표준을 산정해서 알려주지만, 신고서에 금액기재는 신고자 본인 또는 대리인이 직접 적게 되어 있다.

만일 담당 공무원이 알려주어 기재하였다 하더라도 추후 잘못 신고한 것이 밝혀지면 추후 추징 등 그 책임은 온전히 본인에게 귀속되는 것이기 때문에 복잡한 건의 경우라면 반드시 전문가의 사전조언을 받고 진행해야 안전하다.

2023. 1. 1. 시행 무상취득의 경우 과세표준

2022년까지는 증여취득에 있어서 과세표준액은 취득 당시의 시가표준액으로 하여 취득세가 정해졌다. 그러나 2023. 1. 1.자로 개정되는 지방세법에 따르면 시가표준액이 아닌 시가인정액(매매, 감정평가액, 경매 등 가액)을 기준으로 과세표준이 정해지게 되므로 증여계획이 있다면 사전에 세무사와 같은 세무 전문가의 조언을 받아 미리 대응해야 할 것이다.
예를 들어 시세가 6억 원이고 시가표준액(공시가격)이 3억 원인 부동산을 증여한다고 할 경우, 2022년에는 시가표준액이 3억 원을 기준으로 취득세가 산정됐지만, 개정세법에 의한다면 시세인 6억 원을 기준으로 취득세가 산정된다. 이렇게 되면 현재 증여취득세율이 12%인 상황에서 개정세법까지 적용되면 그 부담이 2배로 커지게 되어 증여 자체가 힘들어질 가능성이 크다.

상속에 따른 무상취득은 시가인정액이 아니라 시가표준액으로 한다.
시가표준액 1억 이하의 부동산을 무상취득하는 경우 시가인정액과 시가표준액 중 납세자가 정할 수 있다. 그 외 무상취득의 경우 시가인정액으로 하고, 시가인정액을 산정하기 어려운 경우에는 시가표준액으로 한다.

시가인정액의 적용 순서는 다음과 같다.
제1순위: 동일·유사 부동산의 시가인정액을 당해 부동산의 시가인정액으로 간주
(유사사례 시가인정액) 기간 [6개월 ←취득일→신고일]

제2순위: ① 당해 부동산의 시가인정액: 기간 [6개월 ←취득일→3개월]
(당해 시가인정액) ② 시가인정액 산정이 어려운 경우 시가표준액 적용

납세자 또는 지방자치단체장의 신청에 따라 지방세심의위원회에서 시가인정액을 의결한 경우, 1순위, 2순위에도 불구하고 의결된 시가인정액이 우선 적용된다. 기간 [2년 전 ←취득일→9개월+말일]

따라서 개정된 법과 시행령에 따르면 최종적으로 취득 전 2년 전부터 취득일 이후 9개월 말일 사이에 동일·유사 재산에 대한 매매 등이 있는 경우 그 가액을 지방세심의위원회에서 시가인정액으로 결정할 수 있으므로 실무상 취득세 신고 시 시가인정액이 확정되지 않게 된다. 따라서 증여 등 무상취득에 따른 취득세 신고 시 그 세액이 추후 변동될 수 있다는 점을 명심해야 한다.

(2) 세율

세율에 관해서는 위에 취득세율표로 잘 정리해두었으니 궁금한 항목을 짚어보면 관련 세율을 확인할 수 있다.

① 상속으로 인한 1가구 1주택에 대한 취득세 특례_1가구 1주택이란?

무주택자가 주택을 상속받은 경우에는 취득세가 2.8%가 아닌 0.8%를 적용받게 된다. 피상속인의 사망일을 기준으로 무주택 여부를 판단하고, 주택을 상속받는 상속인과 세대별 주민등록표에 기재되어 있는 가족 모두가 무주택이어야 한다.

그런데 이러한 취득세 특례와 관련하여 실무에서는 여러 가지 사례가 나온다.

Q 망자인 피상속인이 3주택자인 상태에서 사망하였고, 상속인 3인이 각자 무주택자인 상태에서 1채씩 상속받은 경우

A 2016년 1월 1일 이전에는 피상속인도 1가구 1주택이어야만 취득세 특례 적용이 가능했지만, 이후 지방세법 시행령 개정으로 상속인을 기준으로만 판단하여 상속인이 1가구 1주택일 경우에는 취득세 특례 적용이 가능해졌다. 따라서 위 사례의 경우 피상속인이 3채를 남겼더라도 상속인이 각자 무주택자 요건을 갖추면 취득세 특례 적용이 가능하다.

Q 피상속인이 남긴 1주택을 상속인 2명이 공유로 받은 경우

A 이 경우 주택수 산정을 상속인 2명 중 누구를 소유자로 보아 산정해야 하는지가 문제된다. 먼저 지분이 가장 큰 상속인(이때의 지분은 법정상속지분이 아닌 협의분할에 의한 경우 등 최종적으로 취득하는 지분을 기준으로 판단한다)으로, 지분이 동일할 경우에는 상속받는 해당 주택에 거주하는 사람으로, 상속인 모두 지분이 동일하고 같이 해당 주택에 거주하고 있다면 그중 연장자를 기준으로 보아 주택수를 산정하게 된다.

(3) 취득세 계산방법

취득세는 다른 세금과 마찬가지로 과세표준에 세율을 곱하여 세액을 산출하게 된다.

● 취득세 신고기간 및 등기기간

취득세는 신고기간이 정해져 있다. 부동산을 취득한 경우 취득한 날(잔금일)로부터 60일 이내에 취득세를 신고 및 납부를 해야 한다. 다만 2023. 1. 1.부터는 증여로 취득하는 경우 증여일이 속하는 달의 말일로부터 3개월 이내에 신고해야 한다. 상속으로 인한 취득의 경우는 상속개시일(사망일)이 속하는 달의 말일부터 6개월 이내에 신고 및 납부를 해야 한다.

취득세는 신고 및 납부 기간이 남았더라도 반드시 등기신청서 접수 이전에는 납부가 돼야 하고, 등기기간은 매매의 경우 잔금일로부터 60일 이내, 증여는 증여계약한 때로부터 60일 이내에 이루어져야 한다. 취득세를 기간 내에 신고 및 납부를 하지 않으면 신고불성실가산세 및 납부불성실가산세가 부과되고, 등기를 기간 내에 하지 않으면 과태료가 부과된다.

● 유상 취득 중과세

1주택을 소유하고 있는 1세대가 조정대상지역에 있는 주택을 취득하여 2주택이 되는 경우에는 8%의 취득세율을 적용한다. 다만 이사 등을 목적으로 일시적으로 2주택이 되는 경우라면 종전주택을 일정 기간 내에 처분하는 조건으로 1주택 세율을 적용한다.

이 내용만으로도 여러분은 충분히 절세가 가능할 수 있다. 자금 여력이 되는 사람은 수도권의 똘똘한 한 채를 취득하면 되겠지만, 대다수의 사람들은 여의치 않을 것이다. 지방의 주택을 한두 채 모으다가 시세차익을 보고 환가하고, 더 상급지 주택을 취득하는 경우가 일반적이기 때문이다. 이는 수도권의 똘똘한 한 채를 취득하는 길이기도 하다. 이렇게 다주택취득계획을 가지고 있다면 처음 취득하는 주택은 조정대상지역에 있는 것으로 취득하고 다음 주택은 비조정대상지역에 있는 것으로 취득해야 최대한 취득세를 절세할 수 있다.

자세한 취득세율에 대한 내용은 취득세율표를 참고하면 되는데, 이때의 주택수는 취득하는 주택을 포함하여 산정하고, 조정대상지역, 비조정대상지역의 구분도 취득하는 주택을 기준으로 판단하여 표를 참고하면 된다.

이러한 취득세 중과세는 2020. 8. 12. 시행되었는데, 2020. 7. 12. 이전에 주택에 대한 매매계약(분양계약 포함)을 체결한 경우에는 그 계약을 체결한 당사자의 해당 주택 취득에 대하여 종전의 규정을 적용한다. 단, 그 계약 당시 계약금을 지급한 사실 등을 증빙할 수 있는 계좌내역 등의 명확한 서류로 입증이 되어야 한다.

(1) 중과제외 주택(지방세법 시행령 28조의 2)

시가표준액(주택공시가격) 1억 원 이하의 주택, 주택법에 따라 등록한 주택건설사업자 등이 주택건설을 위하여 멸실목적으로 취득하는 주택(단, 정당한 사유 없이 그 취득일로부터 3년이 경과할 때까지 해당 주택을 멸실하지 않은 경우는 제외) 등은 중과대상에서 제외되어 표준세율(1~3%)로 과세된다. 세부적인 내용은 다음과 같다. 이에 해당하는 것들 대부분은 다음에서 살펴볼 주택수 산정에 있어서도 제외되고 있다.

연번	구분	제외 이유
1	가정어린이집	육아시설 공급 장려
2	노인복지주택	복지시설 운영에 필요
3	재개발사업 부지확보를 위해 멸실목적으로 취득하는 주택	주택 공급사업에 필요
4	주택시공자가 공사대금으로 받은 미분양주택	주택 공급사업 과정에서 발생
5	저당권 실행으로 취득한 주택	정상적 금융업 활동으로 취득
6	국가등록문화재 주택	개발이 제한되어 투기대상으로 보기 어려움
7	농어촌주택	투기대상으로 보기 어려움
8	공시가격 1억 원 이하 주택 (재개발구역 등 제외)	투기대상으로 보기 어려움, 주택시장 침체지역 등 배려 필요
9	공공주택사업자(지방공사, LH 등)의 공공임대주택	공공임대주택 공급 지원
10	주택도시기금 리츠가 환매 조건부로 취득하는 주택(Sale&Lease Back)	정상적 금융업 활동으로 취득
11	사원용 주택	기업활동에 필요
12	주택건설사업자가 신축한 미분양된 주택	주택 공급사업 과정에서 발생 ※ 신축은 2.8% 적용(중과대상 아님)
13	상속주택(상속개시일로부터 5년 이내)	투기목적과 무관하게 보유 ※ 상속은 2.8% 적용(중과대상 아님)

(2) 1세대의 기준

취득세 세율이 얼마인지는 1세대가 주택을 얼마나 가지고 있는냐에 달렸다. 따라서 세대구성원이 주택을 가지고 있는 경우라면 그 구성원이 진정 같은 세대에 해당하는지, 세대분리는 가능한지 등에 따라 절세 가능성이 많이 달라진다.

1세대라고 함은 주택을 취득한 사람을 포함하여 주민등록법상

세대별 주민등록표에 구성된 세대를 말한다. 간단히 말해서 주민등록등본을 떼어봤는데 같이 나오는 사람(세대주, 세대원)은 웬만하면 같은 세대라고 볼 수 있겠지만, 여기서 세대원은 부모, 배우자, 자녀, 형제자매는 포함하고 동거인은 제외한다. 배우자는 법률상 혼인한 사람을 의미하고 사실혼은 제외된다. 다만, 법률상 이혼했어도 생계를 같이 영위하는 등으로 사실상 이혼한 것으로 보기 어렵다면 1세대로 인정하고 있다.

30세 미만의 미혼자녀 및 미성년자 자녀가 독립된 세대를 구성한 경우, 비록 주민등록상 다른 세대라 하더라도 부모의 세대원으로 포함된다. 다만, 그 자녀가 부모와 세대분리되어 각자의 생계를 유지하면서 일정한 소득이 있는 경우에는 독립된 세대로 본다. 여기서 일정한 소득이라 함은 국민기초생활보장법 제2조 제11호에 따른 기준중위소득이 100분의 40 이상의 소득으로서, 2023년 기준중위소득은 1인 가구 2,077,982원이므로 대략 월 84만 원 이상의 소득을 의미한다.

부모 중 어느 한 사람이 65세 이상인 경우로, 동거하며 봉양하기 위해 30세 이상 자녀(혼인, 비혼인 모두), 또는 30세 미만의 혼인한 자녀, 소득요건을 충족한 미성년자 자녀와 합가한 경우에는 부모와 그 자녀를 독립된 세대로 본다.

외국인의 경우 주민등록되어 있지 않다면 출입국관리법상 등록외국인 기록표 및 외국인 등록표에 함께 기재된 가족으로 판단한다. 국외로 출국한 사람의 경우 세대 전원이 90일 이상 출국하는 경우로서 해당 세대가 출국 후에 속할 거주지를 다른 가족의 주소로 신고한 경우라면 그 다른 가족과 동일한 세대원으로 보지 않는다.

취득 전 미리 세대분리에 관한 전략을 짜는 자세가 중요하다

위에 언급한 것처럼 1세대에 해당되느냐 마느냐에 따라 그 세율은 엄청난 차이를 보이고 있다. 게다가 그 엄청난 차이가 시기적·조건적인 한 끗 차이로 세대분리가 되느냐 마느냐로 갈리는 경우가 허다하다. 따라서 주택을 취득하기 전에 미리 여러 전문가들의 조언을 구하고 찾아서 중과요건을 피하기 위한 방안을 강구하는 것이 절세의 핵심이다.

예를 들어 다가구주택에서 부모와 자녀가 별도의 세대를 구성하고 각각 별도의 호수에서 거주하는 경우, 그냥 하나의 주소로 전입신고되어 있는 경우가 많다. 세대분리를 확실하게 소명하기 위해서는 주민등록에 호수를 반드시 특정하여 전입신고하는 것이 필요하다. 비슷한 사례로 단독주택에서 부모와 자녀가 별도의 세대를 구성하여 각각 별도의 층에 거주하는 경우에도 하나의 동일한 주소지로 전입신고하지 말고, 층수를 특정하여 전입신고해야 유리하다. 그리고 가장 흔한 문제는 30세 미만이나 미성년자인 자녀의 세대분리 문제인데, 1주택 보유 세대에서 자녀가 주택을 추가 취득할 계획이라면 사전에 세대분리요건을 면밀하게 검토하고 전략을 짜는 것이 매우 중요하다.

참고로 취득세 세액은 취득 당시의 조건을 기준으로만 확정되므로, 취득 이후에 각각 분리되었던 개별 세대가 하나의 세대로 합쳐진다거나 하는 등 취득 이후의 세대분가·합가는 단순한 후발적인 사유들이므로, 이러한 것들을 원인으로 하여 취득세가 추가로 추징된다거나 하는 문제 등은 발생하지 않는다. 따라서 전략을 수립한다면 그 계획 이후에 다시 원래대로의 회복의 문제들은 고민하지 않아도 된다.

(3) 일시적 2주택

기존 1세대 1주택(2020. 8. 12. 이후 취득한 조합원입주권, 주택분양권, 주거용 오피스텔 포함) 보유자가 추가로 새로운 주택을 취득하는 경우에는 기존 주택을 일정한 기간 안에 처분하는 것을 조건으로 중과세율을 적용하지 않는다. 일정한 기간이라 함은 신규주택을 취득한 후 종전 주택을 3년 내에 처분해야 함을 의미한다. 종전에는 조정대상지역 내에 있다면 2년 내에 처분해야 했으나, 2023. 1. 12. 이후 처분하는 경우 3년으로 변경되었다. 개정시행령은 2023년 2월경 공포, 시행될 예정이다.

조합원입주권 또는 주택분양권을 소유한 상태에서 새로 취득한 경우라면 입주권 또는 분양권을 기화로 완성된 주택을 취득한 날로부터 3년을 기산한다.

처분이라고 함은 일반적으로 매매, 증여, 멸실하는 경우인데, 1세대를 분가하는 세대분가의 경우에는 처분의 사유에 해당하지 않는다. 그러나 이혼으로 인한 증여 또는 재산분할은 처분에 해당한다.

재개발·재건축 사업구역 내에서 소유하고 있는 종전주택이 관리처분계획인가 후 멸실되지 않은 상태에서 사업지구 외 지역에 신규주택을 취득하는 경우에도 일시적 2주택 세율을 적용받기 위해서는 일정 기간 내에 종전주택을 처분해야 한다. 이 경우에는 기존 주택이 관리처분계획인가 당시 해당 사업구역 내에 거주하는 세대가 신규주택을 취득하여 이주한 경우에는 그 이주한 날에 종전주택을 처분한 것으로 본다. 이는 관리처분계획인가 이후 대체 주택을 취득하여 이사하였으나, 사업의 장기화로 기간 내에 멸실이 어려운 경우를 고려한 것이다. 다만 반대로, 사업구역 외 지역에 종전주택을 소유한 상태에서 재개발·재건축 사업구역의 멸실예정인 신규주택을 취득한 경우에는 종전주택을 일정 기간 내에 처분해야 일시적 2주택 세율 적용이 가능하다.

이러한 일시적 2주택으로 취득세 신고·납부한 이후에 3년의 기간 내에 처분하지 못했다면 2주택으로 인한 중과세율이 적용된다. 이때에는 발생하는 차액의 취득세를 자진신고 ·납부해야 하고, 이를 이행하지 않을 경우 가산세가 포함된 취득세가 추징된다.

(4) 주택수 산정

다주택자 중과세율 적용의 기준이 되는 1세대의 주택수는 주택 취득일 현재 취득한 주택을 포함하여 1세대가 국내에 소유하고 있는 주택, 조합원입주권, 주택분양권 및 주거용 오피스텔의 수를 말한다. 소유자가 취득한 주택을 임대사업자로 등록하면서 임대주택으로 신고한 것도 주택수 산입에 포함된다.

주택의 공유지분이나 그 부속토지만 소유 및 취득한 경우에도 주택수에 들어가고, 같은 세대원이 공유지분이나 부속토지만 보유하고 있다면 당연히 그것도 주택수 산정에 들어간다. 이러한 주택을 동시에 2개 이상 취득한 경우에는 납세의무자가 정하는 바에 따라 순차적으로 취득한 것으로 하여 본인에게 유리하게 정할 수 있다.

1세대 내에서 1개의 주택을 공동으로 소유한 경우에는 1세대 1주택으로 본다. 즉, 부부가 공동으로 1주택을 소유하고 있다면 2주택이 아닌 1주택으로 보는 것이다. 만약 동일 세대가 아니고, 각 1주택자인 A, B가 하나의 주택(조정대상지역 주택, 시세 12억 원, 주택공시가격 6억 원)을 A(1/2), B(1/2)가 공유하고 있다고 해보자. 이 경우 A가 B의 지분을 6억 원에 매매취득한다면 어떻게 될까? A는 온전한 1주택을 취득한 것이기 때문에 여전히 1주택자에 해당된다. 그런데 여기서 과세표준의 문제가 발생한다. 취득가액인 6억 원(12억 원의 1/2)을 기준으로 1%의 세율을 적용할지, 전체 물건가액인 12억 원을 기준으로 3%의 세율을 적용할지가 문제된다. 지방세법 11조 1항 8호는 주택 일부 지분 취득 시 그 세율을 정함에 있어서 아래 산식으로 산출한 전체 주택의 취득 당시 가액으로 한다고 규정하고 있다.

$$\text{전체 주택의 취득 당시 가액} = \text{취득 지분의 취득 당시 가액} \times \frac{\text{전체 주택의 시가표준액}}{\text{취득 지분의 시가표준액}}$$

따라서 이 사례의 경우 취득 지분의 취득 당시 가액은 6억 원, 전체 주택의 시가표준액은 6억 원, 취득 지분의 시가표준액은 3억 원이 되므로, 6억 원×6억 원/3억 원=12억 원 즉, 12억 원을 기준으로 세율을 산정하게 되고, 취득가액 6억 원에서 3%의 세율을 과세하게 된다.

주택수 산정에 있어서 가장 문제되는 것은 분양권, 입주권, 주거용 오피스텔의 경우다. 이들을 취득할 때는 당장에 취득세 과세대상은 아니지만, 종전주택으로 보유하고 있다면 그 세대의 소유 주택수 산정에 포함되어 신규주택 취득 시의 세율에 영향을 주게 된다. 주거용 오피스텔의 경우는 앞서 언급했으니 여기서는 분양권, 입주권에 대해서만 이야기해 보고자 한다.

조합원입주권은 재개발·재건축사업의 조합원으로서 취득한 것으로 보통 재개발·재건축의 대상이 되는 종전주택이나 토지의 지분으로 표상된다. 이 경우 기존 조합원의 조합원입주권 취득시점은 관리처분계획인가 후 주택이 멸실된 시점이고, 승계조합원의 조합원입주권 취득시점은 기존 조합원 소유의 조합원입주권(기존 주택 멸실 이후 토지 등 취득)을 취득한 시점이다.

주택분양권도 분양권의 계약 또는 취득 시를 기준으로 종전 주택 수 산정에 포함된다. 다만 조합원입주권은 기존 부동산(토지 등)으로 표상되기 때문에 해당 부동산 취득 시 취득세가 과세되고, 건물이 완성될 때는 원시취득으로서 세율이 산정되기 때문에 취득세와 관련하여 복잡한 문제가 발생할 여지가 없지만, 주택분양권은 조합원입주권처럼 기존 부동산으로 표상되는 것도 아니고, 원시취득세율이 적용되는 것도 아니기 때문에 분양권이 추후 주택으로 완공될 경우 취득세율의 산정 기준이 문제가 될 수 있다.

분양권 계약 및 취득 당시에는 취득세를 내지 않지만, 취득한 분양권이 주택으로 완공되면 이때는 주택으로서 취득세를 납부해야 한다. 그런데 이때의 주택수 산정은 주택 완공 당시가 아닌 분양권의 계약, 취득시점을 기준으로 세대별 주택수를 산정한다는 점에 유의해야 한다. 예를 들어 A가 2주택을 소유하고 있는 상황에서 2020. 8. 12. 이후 분양권을 취득한 경우라면 해당 분양권은 3주택에 해당하고, 그 분양권이 아파트로 완성되어 취득함으로써 적용되는 세율은 당초 분양권 취득 당시 산정된 주택수로 적용한다. 따라서 해당 분양권으로 아파트가 완공되어 취득한 주택은 1세대 3주택에 해당하고, 그 신규아파트 완공 취득 이전에 기존 소유 주택 1채를 매각하더라도 동일하게 적용된다. 즉, 분양권이 3주택에 해당되지 않으려면 분양권 취득일 이전에 기존 주택을 매각해야 한다. 따라서 분양권을 취득할 계획이 있다면 그 취득 이전에 반드시 전문가와의 상담을 통해 미리 절세 계획을 세워야 불측의 손해를 예방할 수 있다.

개정 지방세법이 2020. 8. 12.자로 시행되면서 그 전후로 취득한 주택들이 주택수 산정에 포함되는지의 여부도 검토되어야 한다.

① 2020. 7. 10. 이전 매매계약(분양계약)을 체결한 경우 그 계약사실이 증빙되는 경우(계약금 지급, 부동산거래신고 등)는 주택수 산정에서 제외된다.

② 주택분양권, 조합원입주권, 주거용 오피스텔은 시행일 이전에 계약했다면 제외되고, 시행일 전에 취득한 것도 제외된다.

③ 상속받은 주택, 조합원입주권, 주택분양권, 주거용 오피스텔은 시행일 이전에 상속받은 것이라면 시행일로부터 5년이 지나지 않은 것, 시행일 이후에 상속된 것은 상속개시로부터 5년이 지나지 않은 것은 제외된다.

주택수 산정할 때 놓치기 쉬운 것들

시골에 있는 주택, 농어촌주택, 숙박용 콘도주택 등으로 인하여 다주택에 해당됨에도 불구하고 이러한 점을 놓쳐서 취득세를 잘못 신고하는 경우가 있다.
대법원 인터넷등기소(http://www.iros.go.kr)에서는 인별 부동산소유현황을 제공하고 있다. 회원 가입 후 로그인을 하고 공인인증서나 휴대폰 인증으로 발급받을 수 있고, 대리인은 위임받아 인근 등기소에 방문하여 본인의 위임장에 인감도장 날인 및 인감증명서를 첨부하여 발급받을 수 있다.

● 법인의 주택취득 중과세

법인이 유상거래를 원인으로 주택을 취득한 경우에는 12%의 세율을 적용한다. 법인은 개인과 달리 소유한 기존 주택수를 고려하지 않을 뿐만 아니라, 취득한 주택이 조정대상지역에 소재하는지의 여부를 불문하고 12%를 적용한다. 여기서 법인이란 국세기본법에 따른 법인으로 보는 단체, 부동산등기법에 따른 법인이 아닌 사단·재단 등 개인이 아닌 자를 포함한다.

법인이 주택을 유상거래로 취득하더라도 앞에서 언급한 중과제외 주택을 취득한 경우에는 중과세에서 제외된다. 예를 들어 법인이 중과제외 주택인 공시가격 1억 원 이하의 주택을 취득한 경우에는 1%의 세율이 적용된다. 그러나 대도시에 설립·전입한 지 5년이 경과하지 않은 법인은 1억 원 이하라도 12%의 세율이 적용된다.

법인의 주택취득 미리 방지하자

법인의 주택취득세에 12%의 폭탄을 주는 것은 '법인으로 절대로 주택을 취득하지 말라'는 과세당국의 의지라고 볼 수 있다. 하지만 의도치 않게 법인이 주택을 취득하게 되어 불측의 손해를 입게 되는 상황이 발생하는 경우가 종종 있다.
A법인은 상가건물을 매입하기로 정하고 마음에 드는 물건을 찾아 계약을 체결하였는데, 잔금을 치루기 전에 알고 보니 1개 층이 구청 재산세과에 주택으로 등재되어 있었다. 건축물대장상에는 용도가 "주택 및 근린생활시설"이라고 되어 있어서 공부상 기재도 명확하지 않은 상태였다. 그저 매도인이 건물 전부가 상가라는 말만 믿고 계약을 체결한 것이다. 이렇게 될 경우 1개 층에 대해서는 12%의 취득세율이 적용된다.
다행히 이 사례에서는 해당 층이 전부 비워져 있었고, 실제로는 상가용 창고로 쓰고 있음을 과세관청에 소명하여 주택세율이 아닌 일반세율을 적용받을 수 있었다. 따라서 법인이 계약을 체결하기 전에는 취득할 물건에 대한 실사 및 과세관청에 등록된 정보를 최대한 파악하여 불측의 주택취득을 방지해야 하고, 만일 주택이 포함되어 있다면 계약조건에 용도변경 또는 멸실을 선행조건으로 특약을 걸어야 한다.

● 조정대상지역 내 주택 무상취득 중과세

조정대상지역에 있는 주택으로서 시가표준액(주택공시가격) 3억 원 이상의 주택을 무상취득(상속취득 제외)하는 경우에는 12%의 세율을 적용한다. 상속 이외의 무상취득이 대상이므로 주택 부속토지 증여, 주택 공유지분 포기·일부 증여 등으로 취득한 경우에도 주택으로 보기 때문에 그 대상이 되고, 이때의 시가표준액은 주택가액 전체를 기준으로 판단하게 된다.

주택매매와 주택증여에 있어서 꼭 체크해 봐야 할 부분이 있다. 주택매매는 취득자의 주택수에 따라서 적용세율을 달리하는 반면, 주택증여는 취득자의 주택수와는 무관하다는 것이다.

1세대 1주택인 증여자가 해당 주택을 배우자 또는 직계존비속에게 증여할 경우에는 중과세 적용이 안 되고 3.5%의 일반세율이 적용되는데, 이때는 증여자 세대의 주택수를 산정하는 것이 의미가 있다.

부담부증여의 경우에는 좀 더 복잡하게 생각해야 한다. 부담부증여라 함은 부동산을 증여할 때 해당 부동산에 세입자나 담보대출을 받은 경우가 있을 때, 그 전세보증금이나 담보대출에 해당하는 부채를 포함해서 증여하는 경우를 말한다.

지방세법에서는 배우자 또는 직계존비속의 부동산을 취득한 경우에는 원칙적으로 증여로 본다. 다만 대가를 주고받는 경우에는 여기에서 제외한다. 따라서 대가를 주고받는 경우를 소명하는 것으로서 소득금액증빙자료가 매우 중요하게 되는 것이다. 이러한 자료가 없다면 부담부증여라도 주택전체공시가격에 대하여 증여세율이 부과된다.

부담부증여의 부채 부분은 유상취득이 되고, 부채를 제외한 나머지 가액이 무상증여취득이 된다. 따라서 유상취득 부분에 관해서는 취득자(수증자) 세대의 주택수에 따라 유상취득세율이 산정되므로 유의해야 하고, 나머지 무상취득 부분에 관해서는 증여자 세대의 주택수 산정에 유의해야 한다. 예를 들어 시가표준액(공시가격) 5억 원인 주택을 증여한다고 했을 때, 전세보증금 3억 원인 세입자가 있을 경우, 3억 원에 대해서는 유상취득세율이, 나머지 2억 원에 대해서는 무상취득세율이 적용된다.

부담부증여에 관한 실무에 있어서 몇 가지 사례를 살펴보자.

Q 조정대상지역 내에 시세가 10억 원이고, 시가표준액(공시가격)은 5억 원, 전세보증금 6억 원인 주택을 자녀에게 증여할 경우에 과세표준은 어떻게 될까요(부담부분이 시가표준액을 초과하는 경우)?

A 무상취득에 관한 과세표준은 시가표준액(공시가격)을 기준으로 한다. 그러나 위와 같이 부동산 가격이 폭등하여 시세가 높게 형성됨에 따라 부담부분인 전세보증금이 공시가격을 추월한 경우가 꽤 많이 발생한다. 이럴 때는 전세보증금 6억 원을 과세표준으로 하여 6억 원에 대한 유상취득세율만 적용하게 된다. 원인행위는 증여이지만 그 실질은 유상취득과 같게 되는데, 부동산 등기부상에는 증여를 원인으로 하여 취득한 것으로 기입된다.

Q 미성년자 자녀에게 부담부증여가 가능할까요?

A 현실적으로 실무상 미성년자인 자녀에게 부담부증여는 어렵다.

왜냐하면 미성년자이기 때문에 소득금액을 증명할 길이 요원하고, 이미 상속 또는 증여받은 재산으로 부채를 해결할 능력이 있다고 하더라도 그 재산으로 부담부에 해당하는 부채를 해결한 사실을 입증해야 하는데, 이럴 경우 일반 매매를 원인으로 해결하는 것이 더 간편하기 때문이다. 구체적인 실익은 세무사 등 세무전문가와 컨설팅하여 판단할 일이지만, 현실적으로 소득금액증명이 힘든 미성년자에게 부담부증여를 하기는 쉽지 않고, 과세관청에서도 인정받기가 힘들다.

Q 미성년자인 조카에게 부담부증여가 가능할까요?

A 출산율이 낮아지고 1인 가정이 늘면서 점차 고소득자인 1인 단독가구도 늘었다. 그래서 종종 조카에게 부담부증여를 하는 사례도 발생하는데, 부담부증여 시 직계존비속관계인 자녀에게는 부담부에 관한 대가를 지급한 사실을 입증해야 한다. 그러나 조카는 직계존비속관계가 아니기 때문에 부담부증여를 하더라도 부담부분에 관하여 유상취득이 인정되고, 그 대가를 지급한 사실에 관한 입증 의무도 없다. 따라서 이런 경우에는 별도로 소득금액 증명 등을 요하지 않는다.

TIP 소득금액의 증명

취득세 신고 시 소득을 증명하는 서류를 첨부해야 하는 경우가 있다. 30세 미만 미혼자녀의 세대분리를 입증해야 하는 경우가 있고, 부담부증여의 경우 배우자 또는 직계비속의 부동산을 취득할 때 유상거래(부담부분) 시 증여로 의제하는데,

이러한 부담부분에 관한 증여의제를 피하기 위하여 부담부분 채무변제능력을 판단하기 위한 입증자료로 제출한다. 이러한 자료를 제출하지 않을 경우에는 부담부증여계약이라 하더라도 취득세는 단순증여로 신고된다.
법문상은(지방세법시행규칙 제9조 제1항 제5호) 근로소득원천징수영수증, 소득금액증명원만을 의미하지만 실무상 더 넓은 범위로 인정해주기도 한다. 자세한 사항은 과세관청이 판단할 사항이라 관할 시·군·구청마다 판단이 다를 수는 있다. 실무례로는 프리랜서의 원천징수영수증, 개업한 지 1년이 되지 않은(소득금액증명원은 개업한 다음연도 5월이 지나야 발급이 가능하다) 개인사업자의 월별 사업소득내역 및 부가세신고자료 등도 입증자료로 인정해주는 사례가 있다.

● 입주권과 분양권 증여취득세 문제

실무에서는 입주권과 분양권을 가지고 있던 중에 이를 부부간에 증여했을 때 증여취득세와 증여 이후 완공된 경우 각 지분권자가 내는 취득세에 관한 질문이 상당히 많이 들어온다. 이에 관해서는 입주권과 분양권이 가지는 차이를 이해하면 간단하게 알 수 있다.

구분	분양권	조합원입주권
생성방법	주택법에 의한 청약제도	조합원 자격취득으로 발생
신축주택 취득시기	잔금청산일	완공일
취득세 부과기준	분양가액×1~3% 원칙	공사원가×2.8%

분양권 및 조합원입주권 자체는 주택에 대한 취득세 과세대상이 아니며, 추후 분양권 및 조합원입주권을 통해 실제 주택을 취득할 때 취득세가 부과된다. 다만, 분양권 및 조합원입주권은 향후 주택을 취득할 것이 예정되어 있으므로 2020년 8월 12일 이후 신규취득

분에 대해서는 또 다른 주택을 매매하게 되어 취득세 산정 시 기존 보유주택 수에 포함된다는 것을 주의해야 한다. 즉, 2020년 9월에 분양권 또는 입주권을 취득하여 가지고 있는데, 2020년 10월에 잔금을 치러야 하는 또 다른 주택매매 건이 있다면 해당 주택에 대해서는 2주택자에 해당하는 세율로 취득세를 산정하게 되는 것이다.

분양권과 입주권 상태에서 부부간에 증여가 이루어질 경우, 증여 이후에 주택이 완공되면 분양권은 분양가액의 1~3% 취득세가, 입주권은 공사원가의 2.8% 취득세가 각각 부과되며, 부과금액에서 부부의 각 지분비율대로 귀속된다. 그렇다면 분양권과 입주권 상태에서 증여 시에는 이 두 가지 모두 증여취득세를 부담해야 할까? 분양권에 대한 지분증여는 아직 부동산이 형성된 상태가 아니기 때문에 증여취득세를 부담하지 않는다. 하지만 입주권 증여의 경우에는 조합원의 권리가 토지로 남아 있으므로 토지 지분증여에 해당한다. 따라서 증여하는 토지지분가액의 3.5% 취득세를 부담하게 된다.

결국 분양권 상태에서 부부간에 증여가 있을 경우에는 분양권 취득에 대한 취득세는 없지만 주택분양잔금 시 분양가액에 대한 취득세를 납부해야 하고, 입주권 상태에서 부부간 증여가 있을 경우에는 입주권 증여 시 토지지분에 대한 무상취득세를 납부하고 이후 주택 완공 시에 원시취득에 대한 취득세를 납부하게 되는 것이다.

국민주택채권매입

부동산등기 시에는 취득세뿐만 아니라 국민주택채권도 매입해야 한다. 이는 주택도시기금법 제8에 규정된 의무로서, 공시가격, 특별시·광역시 인지여부, 취득원인, 주택인지의 여부에 따라서 그 요율이 달라진다. 요율은 13/1,000 내지 50/1,000 사이에서 결정된다.

서울 시내 주택공시가격 10억 원인 주택을 매매한다고 했을 때, 매입해야 할 국민주택채권은 10억 원×31/1,000=3,100만 원이 된다. 그렇다면 3,100만 원을 들여서 채권을 매입해야 하는 것일까? 그렇다면 부담이 너무 클 것이다. 그래서 채권을 매입하여 국민주택채권 발행번호를 발급받은 이후에 이를 다시 금융기관에 매도하는 절차를 밟게 된다. 그 과정에서 매각차손이 발생하는데, 이를 통상 채권할인율이라고 표현한다. 이는 매일 변동되기 때문에 법무사는 여유 있게 고객에게 청구하고 등기접수 이후에 정산하곤 한다.

오늘의 채권 할인 요율이 7%라고 한다면, 위 사례에서 매입할 국민주택채권이 3,100만 원이므로 3,100만 원×7%=217만 원을 부담하게 된다.

인지세

인지세는 일종의 문서세라고도 하는데, 재산에 관한 권리 등의 창설, 이전 또는 변경에 관한 계약서나 이를 증명하는 문서 등을 작성할 때 인지세를 납부할 의무가 있다. 보통 매매계약서를 작성할 때 매매대금에 따라 아래의 표와 같은 구간으로 인지세를 납부하며, 등기신청 시에 반드시 첨부해야 한다. 문서 1개당 1개의 인지를 납부한다.

기재금액(VAT 포함)	세액
1천만 원 초과~3천만 원 이하	금 20,000원
3천만 원 초과~5천만 원 이하	금 40,000원
5천만 원 초과~1억 원 이하	금 70,000원
1억 원 초과~10억 원 이하	금 150,000원
10억 원 초과	금 350,000원
주택 이전 시 매매대금이 1억 원 이하일 경우는 인지면제	

4

채권, 채무 관계 살펴보기

부동산을 매매하는 상황에서 물건만 괜찮으면 상관없다는 생각을 하기 마련이다. 등기부도, 대장도 깨끗하고 실제로 보러 갔을 때도 마음에 들고 깨끗하다면 더할 나위 없을 것이다. 그런데 이 외에도 매도인과 매수인의 신용 상태를 확인할 수 있다면 미연의 사고를 방지할 수 있다

부동산등기부에는 소유권이나 담보권 등 각종 권리가 등재된다. 그러나 등기부에 드러나지 않는 사항들도 있다. 국세, 지방세 등 당해세가 체납된 경우나 부동산 소유자가 채무초과 상태인 경우 등은 그 권리관계가 바로 드러나지 않게 된다. 이러한 위험 요소들은 잠복해 있다가 갑자기 어느 순간 등기부상에 드러날지 알 수 없는 것들이다.

세금이 체납된 경우에는 갑자기 압류등기로 나타날 수 있고, 부

동산 소유자가 채무초과 상태에서 부동산을 처분했을 경우, 해당 부동산이 매도인이 소유한 유일한 부동산이라면 매수인에게 사해행위취소 소송 및 이에 부대한 처분금지가처분등기가 들어올 수 있다. 이는 매도인의 채권자가 매도인이 한 처분행위를 취소하고, 매매한 부동산을 다시 원위치 시키기 위하여 매수인으로 하여금 부동산을 임의로 처분하지 말 것을 법원에 청구하는 것이다. 부동산을 사려는 매수인 입장에서는 미리 이런 위험 요소가 있는지의 여부를 파악할 필요가 있다. 따라서 매수인은 매도인에게 재산세, 국세 등에 관한 완납사실증명서 등을 요구하여 최소한의 신용 확인을 해야 한다.

매도인의 입장에서는 매수인으로 계약한 당사자가 과연 매매대금을 납부할 능력이 있는지를 확인해야 안전하다고 생각할 것이다. 일반적으로 매수인이 변심한 경우에는 계약금을 몰취하고 해제권을 행사한다. 그러나 특수한 상황에서 반드시 지금 계약한 매수인이 잔금을 치러야 하는 상황이라면, 매수인의 대금 납부 능력을 증명할 객관적인 자료를 요구해야 한다. 예를 들면 매수인의 잔고증명서라든지, 재산세, 국세 등에 관한 완납사실증명 등을 요구한다.

CHAPTER

3

부동산
보유 단계

1

임대차계약서 잘 쓰는 법

지금까지 법무사 업무를 하면서 주택취득 단계에 이르기까지 꼭 필요한 것들과 주의해야 할 것들을 살펴보았다. 그렇다면 이제 법무사 입장에서 주택을 취득한 이후에 어떤 것들이 문제가 되고, 어떤 것들이 중요한지를 살펴보도록 하자.

여러분들이 주택을 취득하는 이유는 각자 사정이 다르겠지만 궁극적인 방향은 동일할 것이다. 주택을 취득하는 순간부터 단순히 1주택자로 남지는 않을 것이고, 상가를 취득하더라도 하나만 운용할 생각으로 취득하지는 않을 것이다. 대개 여러 채를 모아 상급지의 똘똘한 한 채를 갖기 위해 노력하는 것이 일반적이다. 실거주가 아닌 이상 결국에는 취득한 부동산을 잘 보유하기 위해서는 임대를 놓을 수밖에 없다. 그래서 이번 챕터에서는 여러분들이 주택을 취득한 후 보유 단계에서 임대를 놓았을 때 발생할 수 있는 법적 이슈들을 법무사의 관점에서 살펴보고자 한다.

꼼꼼하고 정확하게 작성하라

임대차계약서를 어떻게 쓰느냐에 따라 주택소유자인 여러분들의 불측의 손해와 스트레스 지수 상승을 예방할 수 있다. 임대차계약서는 추후 임차인과의 분쟁을 대비하여 최대한 꼼꼼하고 정확하게 작성해야 한다. 추상적이거나 애매한 문구로 분쟁이 발생할 수 있고, 당사자 간에 합의가 안 될 경우에는 이러한 문구로 인하여 명도소송에서 치열한 입증 다툼이 발생할 수 있다. 그 밖에 일반적인 내용 외에 중요한 것은 특약사항이다. 이는 당사자 간의 특별한 사정을 기재한 것으로 분쟁이 발생할 것을 방지하기 위해서 작성하기 마련이다.

가장 많은 다툼이 발생하는 원인으로는 첫째, 원상회복의 범위에 관한 내용이다. 원상회복에 관한 특이사항, 인테리어, 수리비용 등에 대한 것들을 구체적으로 자세하게 기재해두고, 관련 사진을 미리 첨부해야 사전에 분쟁을 차단할 수 있다. 둘째, 손해배상의 예정에 관한 내용이다. 임차인이 차임연체를 하거나 일방의 귀책사유로 계약이 해지될 경우, 혹은 계약 해지 후 임차인이 명도의무를 이행하지 않을 경우 등에 대한 손해배상을 구체적으로 얼마로 할 것인지 미리 정하여 명도소송 중 손해발생에 대한 입증책임을 덜 수 있다. 이외에도 당사자들 간에 추후 분쟁이 예상되는 특별한 문제들은 특약사항으로 구체적이고 자세하게 정해두는 것이 좋다. 그 특약의 내용을 어떻게 표현할지 막막하다면 계약서를 작성해주는 공인중개사뿐만 아니라 법무사나 변호사 등 전문가들의 조언들 참고하는 것도 좋다.

특약사항의 내용은 대체로 임대인과 임차인의 의무를 확실히 하는 것에 의의가 있다. 임대인은 임차인이 부동산을 제대로 사용·수익할 수 있게 해주어야 하고, 임차인은 부동산을 선량한 관리자의 의무를 가지고 관리해야 한다.

주택임대차 표준계약서를 사용하자

우리가 대체로 임대차계약을 체결할 때는 공인중개사를 통하는 것이 일반적이다. 그리고 계약서 양식은 주로 주택임대차 표준계약서를 사용한다. 표준계약서는 아주 세부적으로 만들어져서 분쟁발생을 미연에 방지하기 좋게 만들어졌다. 따라서 최대한 이 양식을 사용하는 것이 좋다.

표준계약서상 나타나는 특징으로는 ① 등기부상 드러나지 않는 미납국세 등을 확인하는 난을 만들어 공시되지 않은 선순위 권리로 인하여 세입자가 피해를 입을 일을 방지하였고, ② 입주 전후 수리비 부담에 대해 명시적으로 기재하여 수리비를 둘러싼 사후 분쟁을 방지하였다. ③ 개정된 주택임대차보호법상 계약갱신요구권에 대한 사항을 명확히 하여 증액되는 보증금에 대한 보호를 강화하였고,

④ 계약갱신요구 거절에 따른 임대인의 손해배상 규정도 반영하였다. ⑤ 그 밖에 특약사항 예시를 기재해두어 임차인이 대항력과 우선변제권을 안정적으로 확보할 수 있게끔 하였다.

2 제소전화해조서

제소전화해 제도를 이용해 큰 피해를 방지하자

이처럼 계약서를 잘 써야 하는 이유는 분쟁의 소지를 줄이기 위함이다. 그럼에도 어쩔 수 없이 발생하는 분쟁에 임대인은 결국 명도소송까지 가게 된다. 명도소송까지 가게 되면 비용도 비용이지만 시간이 많이 소요된다. 돈으로 해결될 수 있는 일이라면 오히려 괜찮을 텐데, 소송은 돈으로도 시간 단축이 안 될뿐더러 소송 당사자는 시간 낭비에 스트레스까지 더해져서 물적, 시간적, 인적으로 임대인의 입장에서는 큰 피해가 발생할 수밖에 없다.

매월 임차료를 받는 임대차계약이라면 이러한 명도소송을 하지 않고도 명도집행을 할 수 있는 방법이 있다. 임차인이 차임을 연체할 경우 가능한데, 바로 제소전화해 제도를 이용할 수 있다. 제소전화해란 명도소송 이전에 당사자 간에 합의한 사항을 여러 개의 조항으로 적어서 법원의 판사에게 확인을 받는 절차다. 제소전화해가 확정되면 확정판결과 동일한 효력이 생긴다. 따라서 이러한 확정된 화해조서를 받아둔 경우라면 이후 계약 해지 사유가 발생하고 임차인이 건물인도를 미룰 경우 별도의 명도소송을 거치지 않고 바로 명도집행이 가능해진다. 명도집행은 화해조서가 성립된 이후에 계약 해지 사유가 발생하였음을 임차인에게 내용증명으로써 해지의사 표시를 분명히 밝힌 이후에 법원으로부터 집행문을 부여받아 집행이 가능하다.

제소전화해는 임대인과 임차인 모두의 합의 하에서만 진행이 가능하다.

3

명도소송에 관한 법적 절차들

임대인과 임차인 사이에 서로 합의 하에 제소전화해조서를 받아놓은 것이 아닌 이상 서로 간에 분쟁이 발생하여 계약이 해지되고, 해지 이후에 임차인이 건물을 인도하지 않는 경우 임대인으로서는 명도소송 절차를 밟을 수밖에 없다. 법적인 절차라 어렵게 느껴질 수도 있지만, 대략적인 개념만이라도 머릿속에 기억해 놓는다면 앞으로 발생할 수 있을 분쟁에 좀 더 의연하게 대처할 수 있을 것이다.

개요도

계약해지 사유 발생 → 임차인에게 내용증명 발송 → 계약해지 → 점유이전금지가처분신청 → 가처분결정 → 점유이전가처분결정의 강제집행 → 명도소송 제기 → 승소 → 명도를 위한 강제집행

내용증명

당사자 간에 어떤 분쟁이 생겼을 때의 조치로서 가장 먼저 떠올리는 것이 내용증명이다. 상대방에게 심리적인 압박을 줄 수 있기 때문에 많이 이용된다. 내용증명은 본격적인 소송을 하기 전에 본인의 의사표시를 분명하게 전달하기 위한 작업이다. 주로 우체국을 통해 내용증명을 보내는데, 상대방에게 어떤 의사표시의 내용이 언제 도달되었는지를 명확하게 공적으로 증명해주는 데 그 의미가 있다.

명도소송에서 가장 중요한 것은 계약이 해지가 되었음을 입증하는 것이다. 계약해지 사유가 발생했다고 해서 바로 계약이 해지되는 것이 아니고, 당사자가 해지통보를 상대방에게 명확하게 해야 계약이 해지되는데, 바로 해지통보의 존재 여부를 내용증명이 입증해준다.

내용증명은 특별하게 정해진 서식은 없으나 정확한 내용이 들어가야 한다.

① 제목: "내용증명"이라고 하거나 "계약해지통보서" 등을 사용한다.
② 수신인 이름 및 주소: 내용증명을 받을 상대방의 이름과 내용증명을 받을 주소를 기재한다.
③ 발신인 이름 및 주소: 내용증명을 보내는 사람의 이름과 주소지를 기재한다. 상대방이 내용증명을 받고 그에 대하여 회신하는 내용증명을 보낼 수도 있기 때문이다.

②와 ③에 대하여 대리인이 있다면, 그 대리인이 이름 및 주소지를 적는다.

④ 제목 기재: 예를 들면 "차임 연체로 인한 계약해지통보의 건" 같은 식으로 기재한다.

⑤ 부동산 표시: 반드시 분쟁의 대상이 되는 부동산의 표시를 해준다.

⑥ 내용 기재: 내용은 핵심이 간단명료하게 들어가는 것이 좋다. 계약이 해지되었음을 통보할 경우라면 "위 부동산에 관한 임대차계약이 2022년 1월 20일 자로 해지되었음을 통보합니다."와 같이 명확하게 해야 한다.

단순하게 연체된 차임을 독촉하는 의사표시만 한다면 이는 계약해지의 의사표시로 인정받을 수 없다.

내용증명서 상의 기재 내용은 법정에서도 핵심적인 증거로 사용될 수 있으므로 사실만을 기재하되 가급적 본인에게 불리한 사항은 적지 않는 것이 좋다. 나의 주장에 중요하고 유리한 내용을 기재하되 불리할 수도 있는 내용이라면 전문가와 상담하여 그 기재 여부를 결정하는 것이 바람직하다.

⑦ 작성 연월일: 내용증명을 작성한 때를 기재한다.

⑧ 발신인의 표시 및 서명날인: 내용증명을 작성한 발신인의 이름과 서명 또는 도장을 날인한다. 대리인이 보내는 경우라면 대리인 표시를 하고 대리인의 이름 기재 및 서명날인을 한다.

내용증명을 보냈는데 상대방이 받지 않아요. 어떻게 해야 할까요?

내용증명을 발송했는데 상대방이 이사를 갔다거나 임대차계약서에 오타가 있는 등의 사유로, 또 당사자 정보가 불일치한 경우 등으로 인하여 내용증명이 도달하지 않는 경우가 더러 있다. 우리나라는 의사표시의 효력에 관하여 도달주의를 택하고 있기 때문에 아무리 해지의 의사표시를 보내더라도 상대방이 받지 않는다면 법적 효력이 없다.

이럴 경우에는 법원에 "의사표시의 공시송달" 절차를 통하여 송달의 효력을 인정받을 수 있다. 사건 접수 이후 법원의 보정명령을 받아 상대방의 최신 주소를 파악할 수 있고, 법원을 통한 1~2회의 통보서 발송을 진행했는데도 상대방에게 도달하지 않는다면 법원의 결정으로 송달의 효력을 인정받게 된다.

단, 결정을 받기까지 1개월 이상의 시일이 소요되기 때문에 계약해지통보를 할 일이 있다면 기간만료일 등의 사정을 고려하여 그 일정을 여유 있게 잡고 진행하는 것이 좋다.

점유이전금지가처분

점유이전금지가처분이란 임차인이 점유하고 있는 부동산에 관하여 그 점유를 타인에게 이전하지 못하도록 하는 효력을 법원에 구하는 절차다. 통상 당사자가 법원에 출석하지 않고 서면심리로 진행된다.

흔히 명도소송에서 승소만 한다면 임차인과의 분쟁은 거의 해결된 것이라고 생각하기 쉽다. 그러나 명도소송에서 승소하더라도 그 명도집행 단계에 들어갔는데 그 사이 임차인이 타인에게 불법전대하는 등으로 인하여 집행 당시의 점유자가 임차인이 아닌 다른 사람이라면 집행을 하지 못하게 되는 상황이 발생하게 된다. 이렇게 된다면 임대인으로서는 피고를 불법점유자로 하여 다시 소송을 제기해서 승소해야 하는 아주 길고 복잡한 싸움을 하게 되는 것이다. 이런 상황을 미연에 방지하기 위하여 명도소송 전에 필수로 점유이전금지가처분을 해야 한다. 가처분결정을 받아두었다면 점유자가 소송 중에 변경되더라도 임차인을 상대로 한 승소판결문으로 변경된 점유자에게 집행을 할 수 있게 된다.

명도소송

명도소송은 점유이전금지가처분과 동시에, 또는 가처분결정 이후에 진행하게 된다. 소송이라는 것이 어렵지만 대략적인 기초 지식만 가지고 있어도 전문가와 원활한 상담을 할 수 있으며 신속한 대응도 가능해진다.

● 변론주의 및 처분권주의

민사소송은 변론주의 및 처분권주의가 적용된다. 당사자끼리 서로 주장하고 반박하며 그 주장과 반박에 증거자료로 증명력을 뒷받침하게 된다. 법원은 이렇게 제기된 주장과 증거자료로만 판단할 뿐 자체적으로 뭘 알아서 해주진 않는다. "응, 나는 너희가 말한 것만 보고 판단할게."라고 하는 모양새다. 이를 변론주의라고 한다.

처분권주의란 법원은 당사자가 청구한 범위 내에서만 판결한다는 원칙이다. 예를 들어 원고가 피고에게 받을 돈이 실제로는 1억 원인데 소장의 청구취지에 1천만 원만 청구하는 내용으로 기재했다고 해보자. 이 경우, 변론에서 아무리 1억 원을 주장하고 증거가 완벽하더라도 원고는 1천만 원만 판결해달라고 했으므로 법원은 1천만 원 한도에서만 인정하는 승소판결을 하게 된다. 따라서 소장을 제출할 때는 청구취지와 그 청구이유를 명확하게 기재하고 이를 뒷받침하는 증거자료도 일목요연하게 정리해서 제출해야 소송 과정에서 오류로 인한 손해를 입지 않게 된다. 아무리 해도 잘 모를 경우에는 반드시 전문가의 도움을 받아야 불측의 손해를 예방할 수 있다.

● 알고 있으면 좋은 소송 관련 용어

(1) 원고: 소장을 접수하여 소를 제기한 당사자를 말한다. 차임연체로 계약을 해지하고 명도소송을 제기했을 경우 임대인이 원고가 된다.

(2) 피고: 소장을 받는 상대방이다. 위 사례에서 임차인이 피고가 된다.

(3) 반소: 위 사례에서 원고가 제기한 소송절차 내에서 피고는 관련이 깊은 사안을 이유로 반대되는 소송을 제기할 수 있다. 원고가 명도소송을 제기했을 때 피고는 반소로서 임대차보증금 반환청구의 반소를 제기할 수 있다. 이때 피고는 "피고(반소원고)"라고 표시되고, 원고는 "원고(반소피고)"라고 표시된다.

(4) 채권자(신청인): 소송이 아닌 가처분, 가압류 등 민사신청 절차에서 원고에 해당되는 용어로 채권자 또는 신청인이라는 용어

를 사용한다.

(5) 채무자(피신청인): 채권자 또는 신청인에 반대되는 상대방으로 채무자 또는 피신청인이라는 용어를 사용한다.

(6) 소장: 소를 제기하면서 원고가 최초로 법원에 제출하는 서면이 소장이다.

(7) 답변서: 원고가 제출한 소장부본은 법원 재판부에 의하여 피고에게 보내진다. 피고는 소장을 받은 날로부터 30일 이내에 원고의 주장에 대한 피고의 입장을 정리한 답변서를 제출하게 된다. 원고의 주장에 대한 반박 주장을 하고 그에 맞는 증거를 첨부한다. 피고가 답변서를 소장을 받은 날로부터 30일이 지나도록 제출하지 않고 있으면 법원은 피고가 원고의 주장을 그대로 인정한 것이라고 생각하고 변론 없이 원고 승소판결을 하기 위하여 무변론판결선고기일을 정한다. 판결선고 이전에 답변서가 제출되면 판결선고를 하지 않고 변론기일을 진행하게 된다.

(8) 준비서면: 피고가 답변서를 제출하면 법원은 양 당사자가 각자 주장, 반박을 할 준비가 되어 있다고 보고 변론기일을 정한다. 이때 원고와 피고는 각자 제출된 소장과 답변서를 보고 재주장, 재반박할 사항을 일목요연하게 정리하고 그에 맞는 추가증거들을 제출한다. 이렇게 제출하는 서류를 준비서면이라고 한다.

(9) 변론기일: 민사소송은 변론주의라서 변론기일을 꼭 정하게 된다. 이때 양 당사자 또는 그 대리인이 참석하여 변론기일 이전

에 제출된 소장, 답변서, 준비서면 등을 진술하고 법원은 양 당사자의 주장을 종합하여 이야기를 듣고 판결에 필요한 사실관계 등을 정리한다.

(10) 조정절차: 양 당사자 간의 주장 및 반박을 법원에서 보았을 때 합의할 가능성이 있다고 판단되면 판사는 사건을 조정절차에 회부할 수 있다. 이를 조정전치주의라고 하는데, 장기간 소요되는 소송보다 양 당사자가 한 발짝씩 양보하여 신속하게 합의에 이르는 것이 소송경제 측면에서 봤을 때 더 이롭기 때문이다.

사건이 조정에 회부되면 새로운 사건번호가 부여되고 조정기일이 정해진다. 조정기일에는 당사자 또는 대리인과 조정위원이 참석하여 당사자들 간의 합의를 유도한다. 조정이 성립되면 조정조서가 작성되고 이는 확정판결과 동일한 효력을 갖게 된다. 조정이 불성립된다면 다시 원래의 사건으로 돌아가서 변론을 진행하게 된다.

(11) 변론종결: 변론기일을 여러 차례 진행하면서 원고와 피고 간의 주장, 반박, 증거 등이 거의 정리가 되고 더 이상 주장하거나 제출할 자료가 없을 경우에 판사는 변론을 종결하고 판결선고기일을 정하게 된다.

변론종결된 이후에 다른 추가증거가 있다면 변론재개신청을 할 수 있고, 그 사유를 검토하여 판사는 변론을 재개하여 새로운 변론기일을 잡거나 새로운 사유가 없다면 판결선고기일을 유지한다.

(12) 판결선고: 판결선고일에는 판결을 선고하게 된다. 당사자들의 출석 의무는 없다. 이 날은 한 개 사건이 아닌 여러 개의 사건에 대한 판결을 선고하기 때문에 본인의 사건에 해당하는 순서를 잘 기억했다가 판결을 청취해야 한다. 판결선고일에는 주문이라고 하여 결론만 들을 수 있고 판결의 이유는 선고기일 이후 법원에서 송달해 주는 판결문을 봐야 확인할 수 있다.

(13) 항소: 1심판결 선고 이후 패소한 당사자는 판결에 불복할 수 있다. 1심판결에 불복하는 것을 항소라고 한다. 1심판결을 선고한 법원에 항소장을 제출하면 소송기록이 2심 관할 법원으로 넘어가고 해당 법원에서 항소심절차를 진행한다.

(14) 상고: 2심판결 선고 이후 패소한 당사자는 판결에 불복할 수 있다. 2심판결에 불복하는 것을 상고라고 한다. 2심판결을 선고한 법원에 상고장을 제출하면 소송기록은 대법원으로 넘어가고 상고심 절차가 진행된다. 상고심은 법률적인 판단만 하게 된다. 따라서 1심과 2심에서 최대한 사실관계를 원하는 대로 바로 잡아야 한다. 2심까지 확정된 사실관계는 상고심에서는 정정할 수 없기 때문이다.

강제집행

명도소송 확정 이후에는 강제집행 절차로서 명도집행을 진행하게 된다. 강제집행 절차란 판결문의 내용에 따라 국가의 강제력을 사용하여 청구권을 행사하는 것을 말한다. 현대 문명사회에서 사적인 자력구제는 허용되지 않기 때문에 국가를 통해야만 구제를 받을 수 있다.

강제집행 진행을 위해서는 판결문 정본에 집행문을 부여받아야 한다. 여기에 판결이 확정된 경우에는 확정증명원을 받아야 하고, 집행상대방에게 판결문이 송달되었다는 송달증명원도 받아놔야 한다. 위 서류들이 구비되면 집행관 사무실에 강제집행신청서를 작성하여 함께 제출한다. 이후 담당 집행관은 현장에 나가서 채무자(임차인)에게 본 집행을 조만간 할 계획이라는 것을 통지하는 '계고'를 하게 된다. 이후 채무자에 대하여 집행관은 명도집행을 하게 되고, 집행이 종료된 후 점유권이 채권자에게 있음을 선언한다.

4

주택임대차보호법에 대해 알려주세요

주택을 보유하고 있는 임대인의 입장에서 가장 신경 써야 할 법은 주택임대차보호법이다. 또한 부동산과 관련하여 각종 언론매체에서 중점적으로 다루는 법이다. 2020년 7월 31일 시행된 개정주택임대차보호법은 그 파급효과가 상상을 초월했다. 언론에서 많이 들어봤듯이 주택임대차3법이라고도 한다. 이는 전월세신고제, 전월세상한제(차임증감청구권, 5% 이내에서 협의), 계약갱신청구권(2년+2년)을 의미한다. 이번 편에서는 주택임대차보호법의 의미는 무엇인지, 또 어떤 점을 중점적으로 살펴봐야 하는지 등을 짚어보고자 한다.

주택임대차보호법의 의미

주택의 임대차는 임대인이 임차인에게 주택을 사용·수익하게 하고 임차인이 이에 대한 대가로서 차익을 지급한다는 점에 대한 합의가 있으면 성립한다. 우리나라 민법에는 임대차에 관한 규정이 있으나, 그것만으로는 경제적 약자인 임차인의 권리를 보호하기 어려운 면이 있었기에 이에 대한 보완책으로 특별법인 주택임대차보호법이 제정되었다. 따라서 법에 따르면 당사자 간의 합의에도 불구하고 그 계약이 임차인에게 불리하다면 효력이 없다. 그에 반해 임차인에게 유리하다면 유효하다.

주택임대차보호법의 보호대상

주택임대차보호법은 자연인인 국민의 주거생활 안정을 보장하기 위한 목적으로 만들어진 법이기 때문에 그 보호대상은 원칙적으로 대한민국 국적을 가진 사람이다. 따라서 외국인은 원칙적으로 보호대상이 될 수 없으나, 전입신고에 준하는 체류지 변경신고를 했다면 예외적으로 보호대상이 된다. 그러나 법인은 사람이 아니기 때문에 보호받지 못한다. 다만 예외적으로 중소기업기본법상 중소기업에 해당하는 법인이 사택으로 사용할 용도로 임차하여 직원이 주민등록을 마쳤다면 보호받을 수 있다.

주택임대차보호법의 적용범위

단순히 주택에 해당하는 경우에만 이 법의 보호를 받게 될까? 취득세 부분에 해당되는 주택의 개념과는 다르게 좀 더 넓게 보호되는 측면이 있다.

주택임대차보호법은 주거용 건물의 전부 또는 일부에 대해 임대차하는 경우에 적용되는데, 그 임차주택의 일부를 주거 외의 목적으로 사용하는 경우에도 적용된다. 주거용 건물인지의 여부는 임대차계약을 체결할 때를 기준으로 판단하고, 미등기건물이라 하더라도 보호대상이 된다.

주택인지 아닌지의 판단기준은 단순히 공부상의 표시만을 기준으로 할 것이 아니라 그 실지용도에 따라서 정해야 한다. 또 건물의 일부가 임대차의 목적이 되어 주거용과 비주거용을 겸용하는 경우 임차인이 일상생활을 영위하는지, 임대차의 목적이 무엇인지, 목적물의 구조 및 형태, 이용관계 등을 종합하여 결정한다.

나의 전세보증금을 지키는 법

주택임대차보호법의 최종 목적지는 결국엔 나의 전세보증금을 잘 지키기 위함일 것이다. 근래 전세 사기가 기승을 부리고 있다. 그리고 최근 집값이 하락세로 전환하기 시작했다. 인플레이션과 금리인상 등의 영향으로 인해서 많은 전문가들은 집값 하락세가 장기화될 것이라는 전망을 내놓고 있다.

불과 몇 년 전까지만 하더라도 집값이 폭등하여 이로 인한 갭투자도 많이 이루어졌다. 그런데 현재에 이르러 지금의 집값과 몇 년 전 갭투자 당시의 전세보증금과의 갭이 무너지기 시작하면서 전세보증금이 집값을 초과하는 상황이 발생하게 되었다. 소위 말하는 깡통전세가 늘고 있는 것이다. 실제로 주택도시보증공사에 따르면 2022년 1~5월 사이 세입자가 집주인에게서 전세금을 돌려받지 못한 사고금액은 2,724억 원에 이르는데, 이는 2021년 같은 기간(2,021억 원)보다 35%나 증가한 수치다. 세입자가 보증금을 떼인 사고 건수는 2018년 372건에서 2021년 2,799건으로 증가해 3년 새 6배 이상으로 늘었다.

● 대항력이란?

대항력은 나의 임차권을 매수인뿐만 아니라 누구에게나 주장할 수 있는 힘이라고 보면 된다. 즉, 내가 임차하여 살고 있는 집의 주인이 바뀔지라도 나의 임차권이 살아있기 때문에 내 권리를 주장할 수 있는 것이다. 집이 집주인의 잘못으로 경매에 넘어가더라도 선순위 저당권이나 압류, 가압류 없이 최선순위 임차권이라면 임대기간까지 거주할 수 있을 뿐 아니라 보증금을 전액 반환받기까지 집을 비워주지 않아도 되는 것이다. 다 아시다시피 이러한 대항력을 인정받기 위해서는 임대차계약 이후에 주택의 인도와 전입신고가 이루어져야 한다.

● **확정일자를 받으면 100% 안전한 건가요?**

그렇지 않다. 주택임대차보호법의 아쉬운 점이 임차인을 100% 보호해주지 않는다는 것이다. 확정일자를 받는 이유는 우선변제권을 인정받기 위해서다. 우리나라 민법상 임대차는 본래 채권에 해당한다. 경매질차에 있어서 일반채권은 채권자평등주의에 따라서 채권금액비율로 안분배당을 받게 되는 것이 원칙이다. 하지만 임차인을 보호하기 위해서 특별히 대항력을 갖추고 확정일자를 받을 경우에는 저당권과 같은 담보물권에 준하는 효력을 인정해주는 것이다. 대항력을 갖추고 확정일자를 받는다면 더 강화된 보호를 받는 것일 뿐 선순위 근저당권이 있다거나 한다면 100% 안전을 장담할 수 없게 된다.

● **확정일자는 어디 가서 받나요?**

확정일자는 주민센터, 법원, 등기소에서 받을 수 있다. 또한 인터넷등기소에서도 가능하다. 통상은 이사하는 날에 잔금을 치르고 전입신고와 동시에 확정일자를 받는 것이 일반적이다. 전세대출을 받는 경우라면 미리 받기도 한다.

● **이사 당일 확정일자를 받아도 다음 날부터 효력이 발생해서 이사 당일 다른 데서 근저당을 설정하면 전셋돈을 날린다는데, 진짜 그런가요?**

그렇다. 위 사례와 같은 전세사기도 많이 발생하는데, 이는 주택임대차보호법 제3조 제1항에 기인한다.

제3조(대항력 등) ① 임대차는 그 등기登記가 없는 경우에도 임차인賃借人이 주택의 인도引渡와 주민등록을 마친 때에는 **그 다음 날부터** 제삼자에 대하여 효력이 생긴다. 이 경우 전입신고를 한 때에 주민등록이 된 것으로 본다.

이처럼 대항력이 전입신고를 한 그 다음 날부터 효력이 발생하다 보니 하루의 공백이 생겨서 그 사이에 근저당이 들어올 경우 경매 시 순위에서 밀리게 되고 심할 경우에는 전세보증금을 날리게 되는 경우도 발생하게 된다. 근저당 같은 등기의 효력은 접수 시 바로 발생하기 때문이다. 이와 같은 부작용을 방지하고자 2022년 초 "그 다음 날부터"를 "즉시"로 바꾸고자 하는 개정안이 발의되는 등의 움직임이 있었다. 예전에도 수차례 발의가 되었으나 폐기되었고, 아직까지 개정이 안 되고 있다. 필자 개인적인 생각으로는 이 조항으로 인해서 수많은 사회적 약자들에게 지속적으로 피해가 발생하고 있는데, 국회 차원에서 신속히 개정을 추진해야 한다고 생각한다. 담보물권에 준하는 효력을 주는 거라면 그 효력의 발생시기도 밸런스를 맞춰줘야 하지 않을까?

● 이사 전날 전입신고를 해놓으면 전셋돈을 떼일 일이 없지 않을까요?

그런 생각이 들 수도 있겠지만, 대항력은 주택의 인도와 전입신고가 이루어져야 한다. 전입신고를 미리 해놓더라도 인도를 받지 않았다면 대항력이 없는 것이다. 집주인으로부터 이사 전에 미리 현관문 비밀번호나 열쇠를 받았다면 인도를 받은 것이니 안심할 수 있을 텐데 현실은 잔금을 다 치러야 집주인이 키를 넘겨주는 것이 거래 관행이고 당연한 것이다. 기존 세입자가 살고 있는 경우에는 더더욱 그럴 것이다.

그럼 앞서 말한 하루 차이로 날치기처럼 들어오는 근저당으로 인해서 내 전세보증금이 날아가는 걸 최대한 방지하는 방법을 한번 고민해 보고자 한다. 솔직히 마음먹고 사기를 치려고 하는 사람을 당해낼 재간은 없다. 그래도 필자가 생각해 본 방법은 다음과 같다. 그런데 현실적으로 이런 것들을 요구하면 '깐깐한 임차인이네, 너무 과하네'라고 하면서 현장 분위기가 안 좋아 질 수도 있지만, 내 재산은 내가 지킬 수밖에 없다. 특히나 뭔가 느낌이 싸하다 싶으면 적극적으로 요구해야 할 것이다.

(1) 특약사항 기재

계약서상에 특약사항을 잘 기재하자. '전입신고한 다음날 이전에 근저당이나 압류, 가압류 등이 들어올 경우 보증금에 상당하는 위약금 또는 손해배상의무를 진다'는 문구를 특약으로 넣는다면 어느 정도 심리적인 압박은 될 수 있을 것으로 생각된다. 중간에 전세사기를 위해서 법인이나 노숙자에게 매각하는 등으로 소유자가 바뀐다 하더라도 최초 임대인에게 이를 근거로 손해배상청구를 할 수 있을 것이다.

2022. 9. 1. 정부가 발표한 전세사기 피해방지대책의 일환으로 같은 달 28일 기획재정부에서는 전세사기 방지방안 국세 분야 후속 조치를 발표했다. 본 발표로 인한 새 규정은 2023년 1월 1일자로 시행되었으나, 시행령 미비로 인하여 실제 시행은 시행령 개정예정인

2023년 4월경으로 예상된다. 이에 따르면 보증금이 최우선변제금(서울의 경우 5천만 원)을 초과할 경우 집주인의 미납국세에 대한 열람권한이 강화되어 주택임대차 계약일부터 임차개시일까지 임차인은 임대인의 동의 없이 임대인의 미납조세열람이 가능해진다. 따라서 이를 토대로 "계약 후 임대인의 체납세금을 확인하여 체납세금이 있을 시 잔금일 전까지 이를 완납하지 않을 경우 임대인은 손해배상으로 계약금의 배액을 상환하고 임차인은 계약을 해지할 수 있다."라는 특약을 기재한다면 임차인은 손해를 예방할 수 있을 것이다.

(2) 에스크로 활용

앞서 말한 에스크로를 활용하는 방법이다. 기존 세입자가 같은 날에 다른 이사할 집의 잔금을 치러야 하는 경우라면 활용되기가 어렵겠지만, 집주인과 기존 세입자가 합의를 해준다면 안전하게 전세금을 보호할 수 있는 방법이 될 수 있다. 신축빌라 같은 경우 적극적으로 활용해 볼 여지도 있을 것이다. 다만, 아직은 제도 정착에 대해서 추가논의가 필요한 단계다. 또 중립적인 기관인 일부 신탁사나 은행, 법무법인 등을 통해 이용이 가능하지만, 그 비용이 만만치 않은 것이 현실이다.

(3) 인터넷등기소 등기신청사건처리현황 조회

어쩔 수 없이 임차인은 하루 동안은 근저당이 들어올까 봐 마음을 졸일 수밖에 없을 것이다. 나중에 임대차계약 기간이 다 돼서야 근저당이 날치기로 들어왔음을 확인한다면 정말 청천벽력 같을 것이다. 이러한 상황을 미연에 방지하고, 혹시 모를 일을 선제적으로 대응하기 위해서는 전입신고한 당일만큼은 등기신청사건처리현황을 조회해 보자. 실시간으로 내가 이사 온 곳에 최근 2개월간의 등기사건접수내역을 확인할 수 있다. 밤 12시까지 체크해 보면 안심할 수 있을 것이다.

인터넷등기소(www.iros.go.kr)에 가입해서 사용자 등록을 하고 등기열람/발급 탭에 등기신청사건처리현황을 클릭한다. 소재지번 탭을 눌러서 전셋집을 조회하여 조회된 칸 맨 오른쪽에 선택을 누르면 등기신청인/소유자를 입력하는 팝업이 뜨는데, 여기에 임대인인 소유자 이름을 입력하고 확인을 누르면 조회하는 현재까지 최근 2개월간 접수된 등기현황을 볼 수 있다.

● 세금은 세입자의 대항력보다 우선한다는데 맞나요?

세금이 대항력보다 우선하는 경우가 많다. 임대차계약 시에 근저당이 없는 것도 확인했고, 대항력도 갖추고, 확정일자까지 받았는데도 전세금 사기를 당하는 경우가 자주 일어난다. 그렇다면 무엇이 문제가 될까? 경매가 진행될 경우의 배당순서를 파악해 보면 이와 같은 문제가 빠르게 이해가 가능할 것이다.

배당순서	관련 내용
1	경매 집행비용(경매신청 인지대, 집행수수료, 송달비용 등)
2	필요비, 유익비 채권(저당부동산의 제3취득자가 경매목적물에 투입한 비용)
3	• 최우선변제금(소액임차인보증금) • 근로기준법에 의한 특수임금채권(최종 3개월분 임금, 최종 3년분 퇴직금) • 재해보상금 채권

4	당해세 • 국세(상속세, 증여세, 종부세) • 지방세(재산세) • 가산금
5	대항력 있는 임차보증금(전입신고+확정일자) 물권(저당권, 전세권 등) 국세와 지방세 ※ 물권의 등기일보다 법정기일이 빠른 세금들 건강보험료, 국민연금보험료 등
6	일반 임금채권(임금 기타 근로관계 채권) ※ 최우선변제 임금채권을 제외한 임금과 퇴직금
7	국세와 지방세 ※ 물권의 등기일보다 법정기일이 늦은 세금들 건강보험료, 국민연금보험료 등
8	일반채권자의 채권, 과태료, 환경개선 부담금 등

본래 임차권은 채권이니까 표의 8순위에 있어야 하는데 현재 5순위에 있다. 3계단이나 올려줬으니 임대차보호법에서는 꽤 보호를 해줬다고 볼 수 있을 것이다. 이외에 5순위보다 높은 것 중에 임차인이 신경 써야 할 것은 무엇이 있을까? 바로 최종 3개월분의 임금채권과 해당 부동산에 부과되는 당해세다.

임금채권은 임대인이 법인일 경우에 문제가 된다. 법인에 직원이 있다면 분명 경매로 넘어갔을 시 보증금보다 우선하는 임금채권이 발생할 여지가 크다. 따라서 임대인이 법인이라면 재직 중인 직원의 수를 확인할 수 있는 서류를 미리 요청해야 한다. 직원이 적으면 적을수록 우선하는 채권의 액수도 적어질 것이다.

당해세는 해당 부동산에만 부과된 세금을 말한다. 등기부상에 드러나지 않는 사항이기 때문에 이런 경우에는 소유자인 임대인의 국세, 지방세 완납증명서를 요청하여 계약 전에 미리 확인할 필요가 있다. 그런데 이는 임대인이 반드시 제출해야 할 의무가 없는 서류라서 제대로 확인하지 않고 계약을 진행하는 경우가 많다. 전세계약 시 임대인의 제출의무를 제도화해야 할 필요성이 대두되었다. 이런 염려를 의식해 2022. 9. 1. 정부가 발표한 전세사기 피해방지대책의 일환으로 같은 달 28일 기획재정부에서는 전세사기 방지방안 국세 분야 후속조치를 발표했다. 본 발표로 인한 새 규정은 2023년 1월 1일자로 시행되었으나, 시행령 미비로 인하여 실제 시행은 시행령 개정예정인 2023년 4월경으로 예상된다.

정부는 전세금에 대해선 경매·공매 단계에서 적용하는 세금 우선 변제 원칙에 예외를 두기로 했다. 현행 규정은 종부세와 상속증여세 등 해당 주택에 부과된 세금의 법정기일(신고·납부 세목은 신고일, 부과·납부 세목은 고지서 발송일)이 임차권의 확정일자보다 늦더라도 경매·공매 때 임차보증금보다 우선 변제하는 원칙을 두고 있다.

해당 물건 자체에서 발생하는 세금이므로 법정기일과 무관하게 우선 변제 권한을 주는 것이다. 현재 사는 집이 경매·공매로 넘어가면 국세를 먼저 빼고 남는 돈으로 전세금을 돌려준다. 이 때문에 전

당해세 우선 예외 적용 방식

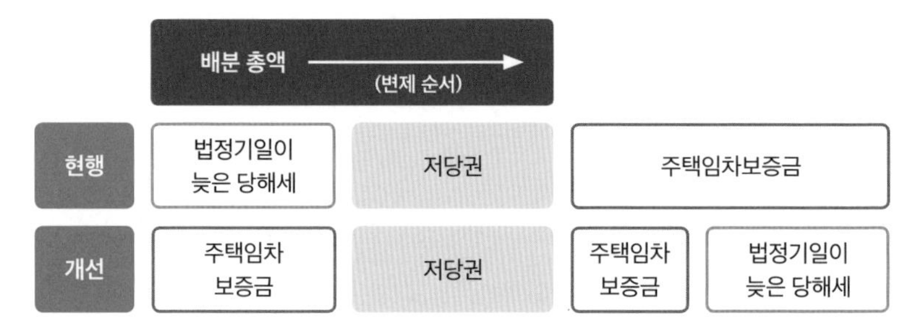

세금을 모두 돌려받지 못하는 상황이 발생할 수 있는 것이다.

새로운 방식은 경매·공매 시 임차권의 확정일자 이후 법정기일이 성립한 당해세 배분 예정액을 세입자의 주택임차보증금에 우선 배분하도록 했다. 법적인 우선순위는 여전히 국세가 보유하지만 배분 우선순위는 전세금에 먼저 둔다. 즉, 전세금을 먼저 돌려주고 국세를 받는다는 것이다. 당해세 우선 원칙에 예외를 두지만 표에서 보듯이 저당권 등 다른 권리에는 영향을 미치지 않는다.

임대인 변경 시 국세 우선 원칙 적용 방식

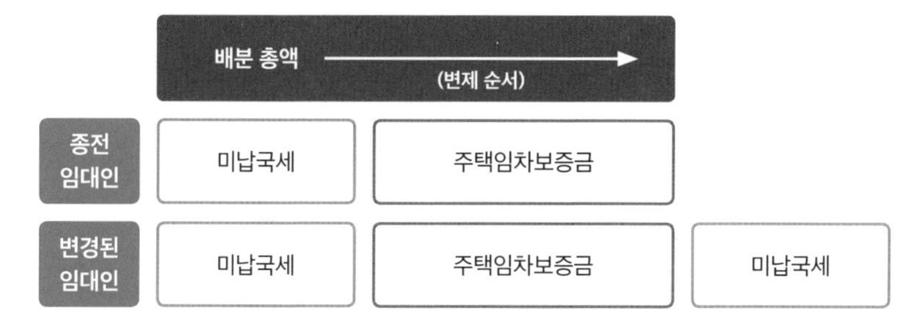

임대인이 바뀔 경우 국세 우선 원칙도 명확하게 규정하기로 했는데, 현재 살고 있는 전셋집이 새로운 집주인에게 매각될 때 집주인에게 미납국세가 있다면 이전 집주인의 국세체납액 한도에서만 국세 우선 원칙을 적용하기로 했다. 새로운 집주인의 세금 체납으로 세입자가 피해를 보지 않게 하는 조치다.

이는 정부의 임차인을 보호하기 위한 좋은 제도라고 보여지며, 개정규정이 시행되기 전에는 위 두 가지 정도만 미리 체크한다면 안전한 계약을 하는 데 도움이 될 것이다.

5

전세권 설정, 어떻게 해야 하나요?

결론부터 말하면 꼭 해야 할 필요성까지는 없다. 하지만 경우에 따라서 하면 좋은 상황이 있다. 주택임대차보호법상 대항력과 확정일자를 갖추면 담보물권에 준하는 효력을 인정해준다. 따라서 대항력과 확정일자로 우선변제권을 취득한 임차인은 물권인 전세권자와 별반 차이가 없는 지위를 가지게 된다. 하지만 약간의 차이는 있는데, 아래 표를 보면서 따져보면 각자 상황에 맞게 전세권을 어떻게 설정하는 게 좋은지를 판별할 수 있을 것이다.

확정일자와 전세권 설정의 차이점

구분	확정일자	전세권
처리절차	세입자 단독처리	집주인 동의, 인감증명서 필요
구비서류	임대차계약서	집주인의 인감증명서, 주민등록초본, 등기필정보(등기권리증)

대상	일반적인 임대차계약	일반적인 임대차계약 외 집주인이 전입신고를 꺼리는 오피스텔 세입자가 전입신고를 할 수 없는 경우
전입신고	실거주 및 전입신고 필요	실거주 및 전입신고 필요 없음
소요비용	600원	등록세: 전세금의 0.2% 교육세: 등록세의 20%
임대인이 보증금반환을 지체할 경우	별도로 보증금반환청구소송을 제기하여 판결을 받아 강제집 행(경매, 압류추심 등)을 해야 함	소제기 없이 경매신청 가능
경매 시 배당요구	배당요구 해야 함	배당요구 없이 순위에 의한 배당을 받음
기타 효력	전입신고 다음날 효력발생	등기접수 시 효력발생

전세권 설정을 위한 구비서류를 보면 집주인이 전세권을 해달라고 했을 때 왜 탐탁지 않아 하는지가 보일 것이다. 법적으로 손해 볼 것은 없지만 본인 정보와 권리에 관한 문서를 모두 내놓아야 하는데, 이것이 어떻게 유용될지 모를 일이니까 내심 불안할 것이다. 그래서 꺼릴 수밖에 없다. 게다가 전세권은 등기부에 기재되기 때문에 집주인 입장에서는 본인 재산의 등기부가 지저분해지는 게 싫을 수도 있다.

전세권 설정 시 필요서류는 임차인은 도장(막도장도 가능), 주민등록등초본, 임대차계약서, 임대인은 인감도장, 인감증명서, 주민등록초본(주소이력 전부 포함 발급), 등기필정보(등기권리증)가 필요하다. 별도의 전세권설정계약서도 작성해서 양 당사자가 날인해야 하는데, 이는 위임받는 법무사가 작성해준다.

확정일자는 전입신고와 실거주가 반드시 이루어져야 하지만, 전세권은 등기만 해놓으면 전입신고나 실거주를 하지 않아도 보호받을 수 있으므로 집주인이 전입신고를 꺼리는 오피스텔이나 세입자가 법인인 경우 등 전입신고를 할 수 없는 상황이라면 전세권 등기를 해놓는 것이 필수다. 비용도 전세권은 만만치 않다. 전세금이 1억 원이라면 등록세, 교육세 등 세금으로만 24만 원이 지출된다.

임대인이 보증금반환을 미룰 경우에는 전세권등기를 해놓는 게 많이 유리하다. 확정일자만 받은 경우에는 별도로 소송을 제기하고 판결받고 하느라 시간이 많이 걸리는데, 전세권등기를 해놓았다면 곧바로 지체 없이 경매신청이 가능하기 때문이다.

집이 경매로 넘어갔을 때 배당요구에서도 차이가 있다. 배당요구라 함은 경매절차에 있어서 말 그대로 '내가 돈 받을 것이 있으니 집을 매각하고 나서 나한테 매각대금을 배당해달라'라는 신청을 경매법원에 하는 것이다. 경매사건에는 배당요구종기일이라는 것이 지정되는데, 그 기일 내에 배당요구를 해야만 배당을 해준다. 깜빡 잊고 이것을 놓치게 된다면 배당을 받을 수가 없게 된다. 확정일자의 경우에는 이렇게 별도로 배당요구를 해야 하지만, 전세권은 그럴 필요 없이 등기부상에 기재되어 있기 때문에 자동으로 배당을 받게 된다. 그리고 전입신고 및 확정일자를 동시에 받았을 경우 그 효력은 전입신고를 한 다음 날 발생하지만, 전세권등기는 등기접수 시 바로 발생한다. 이러한 차이점을 보고 내가 세입자로 들어갔을 때 이득이 되는 방향을 고려해서 전세권등기를 할 것인지 말 것인지를 결정해야 한다.

결론적으로 무언가 확실한 이중장치를 해야 마음이 편안하겠다 싶다거나, 하루 차이로 들어올 수도 있는 다른 근저당이 걱정된다거나, 부득이 전입신고를 할 수 없는 경우에는 전세권 설정을 하는 것이 좋고, 이 같은 우려가 없다고 판단된다면 굳이 하지 않아도 문제 없을 것이다.

6

임대인이 보증금반환을 하지 않을 경우 필요한 조치

임차권등기명령

전세계약 기간이 만료되었음에도 임대인이 보증금을 반환하지 않을 경우 세입자로서는 정말 피가 말릴 수밖에 없을 것이다. 필자도 세입자로서 그런 고충이 한두 번이 아니었는데, 이사 갈 곳을 미리 다 알아보고 일정까지 맞추어 놨음에도 집주인이 다음 세입자한테 보증금을 받아야만 반환할 수 있다면서 버티면 정말 답이 없다. 필자의 경우는 스트레스로 극심한 탈모까지 왔었다. 그래서 이런 상황을 방지하고자 많은 이들이 주택도시보증공사(HUG)에서 시행하는 보증금반환보증제도를 이용하고 있다. 여기에 가입해서 일정 보증료를 내면 전세계약 만료가 지난 후에 집주인이 보증금을 반환하지 않을 시 세입자에게 대납해준다.

기존에 살던 집에서 대항력을 유지한 채 이사를 해야 하는 경우, 그리고 주택도시보증공사의 보증금반환보증제도에 의해 보증금을 받고자 하는 경우 모두 임차권등기명령이 필요하다. 보증금에 대한 우선변제권을 인정받기 위해서는 실제 거주해야 하고, 해당 주소지로 전입이 유지되어 있어야 하는 것이 원칙이다. 하지만 계약만료 이후에 관할 법원에 임차권등기명령을 신청하여 법원의 결정에 따라 등기부에 임차권등기가 기재되면 등기 이후에 이사 가는 등 실거주를 하지 않거나 주민등록을 옮겨도 이미 취득한 대항력이나 우선변제권이 그대로 유지되어 보증금을 우선하여 변제받을 수 있다.

임차권등기명령 사건의 진행 과정은 다음과 같다.

① 임차권등기신청서 접수

신청서에는 임대차계약서, 주민등록등본 등을 첨부하고 임대차계약 일자, 임차보증금액 및 월차임, 주민등록 일자, 임차범위, 점유개시일자, 확정일자 등을 기재한다. 그리고 계약이 온전히 해지되었다는 소명도 필요하다.

② 임차권등기결정

등기요건 심사 후 법원에서는 임차권등기결정을 내린다.

③ 임차권등기결정정본 송달

임차권등기결정문을 임대인과 임차인에게 발송한다.

④ 임차권등기 촉탁

임대인에게 결정문이 송달된 경우에 한하여 법원에서는 등기소로 임차권등기를 할 것을 촉탁한다.

⑤ 등기부상 임차권설정

그 이후 등기부상에 임차권이 설정된다.

반드시 위 임차권등기가 완료되었음을 확인한 후에 이사를 가든지 전입주소를 옮기든지 해야 안전하다는 것을 유념하기 바란다.

해지를 잘해야 한다

'해지를 잘해야 한다'라니 이게 무슨 말인가. 임대인이 보증금을 안 내줬으니 당연히 세입자 입장에서는 임대차기간이 만료되었으면 자연스레 해지되는 것이지 않나 싶을 수도 있을 것이다.

임대차기간 만료로 해지를 하기 위해서는 만료 전 6개월에서 2개월간에 해지통보를 하고 그 통보가 상대방에게 도달해야 한다. 2개월 전에 해지통보를 하지 못했다면 묵시적 갱신으로서 원래의 계약과 동일한 조건으로 계약이 갱신되고, 이 경우 세입자는 언제든지 해지통보를 할 수 있으나 해지의 효력은 임대인에게 해지통보가 도달한 날로부터 3개월 이후에 발생한다.

그럼 법대로 잘 진행하면 되지 않나 싶은데, 문제는 도달이다. 해지의 의사표시를 하더라도 상대방이 통지를 받아야 가능하다는 것이다. 임차권등기명령의 경우에도 해지통보가 선행되어 잘 이루어졌을 때나 가능한 것이다. 해지통보의 형태는 상대방과 통화 녹취가 될 수도 있고, 문자의 경우에는 해지통보를 하고 그에 대한 상대방의 답장이 있어야 확실하다. 위 두 경우가 안 된다면 내용증명을 작성하여 보내는 방법도 있다.

문제는 임대인이 잠적하는 바람에 도통 연락이 되지도 않고 내용증명을 보내도 반송되는 등 어떤 수단과 방법을 써도 해지통보가 도달하지 않는 경우이다. 이는 요즘 기승하는 전세사기 유형 중에서 임대차계약을 한 이후에 집값이 떨어져서 임차보증금이 집값을 초과하는 경우에 더러 발생한다. 임차보증금을 떼어먹을 심산으로 기존 임대인이 노숙자를 섭외하여 노숙자에게 임차주택을 매도해버리는 경우도 있다. 이렇게 되면 노숙자가 임대인 지위를 승계하게 되어 아무리 해도 통지가 갈 수가 없다. 노숙자 명의의 주소지로 아무리 내용증명을 보내봐도 그 주소지는 고시원 등 임시거처일 뿐이라서 당연히 도달하지 않게 된다.

그 밖에 임대차계약 이후 임대인이 사망하여 상속이 발생한 경우에도 난감하다. 이 경우 원칙적으로 임차인이 대위하여 상속등기를 선행한 뒤에야 임차권등기가 가능했었으나, 최근 법원 선례를 통하여 상속등기 없이도 법원으로 하여금 임차권등기촉탁이 가능함을 확인하였다.

이런 경우에는 법원에 의사표시의 공시송달 신청을 통해서 해지통보를 해야 한다. 이 신청을 통해서 도달 완료까지 길게는 2~3개월가량의 시간이 소요될 수 있으므로, 계약만료 6개월 전에 미리 해두어야 기간만료 시점에 맞춰서 임차권등기명령신청도 할 수 있고, 주택도시보증공사에 보증금 신청도 할 수 있다. 타이밍을 못 맞출 경우에는 묵시적 갱신이 되어버려서 3개월을 더 지체하게 되는 경우도 발생한다.

공시송달 신청을 하기 위해서는 반송된 내용증명 우편물이 필요하고, 이를 첨부하여 법원에 신청하면 자체 송달을 거쳐서 보통 한 달 정도 후에 "신청인의 피신청인에 대한 의사표시를 기재한 별지 임대차계약해지통보서를 공시송달할 것을 명한다."라는 결정문을 받게 된다. 공시송달 결정 이후 2주 뒤에 해지통보 송달이 완료된다.

조심 또 조심, 신경 쓸 게 너무 많다

내 전세보증금은 대부분 내 전 재산과 같다. 그렇기 때문에 전세사기를 피하려면 처음부터 깡통전세를 들어가지 말아야 한다. 매매가 대비 60% 선이 안전하고, 80%가 넘으면 보증금을 다 못 받을 확률이 크다. 그래서 반드시 전세보증금반환보증에 가입해야 한다. 만일 깡통주택이라면 반환보증가입이 거절될 확률이 크다. 그래서 계약 시에 반환보증가입이 안 될 때 계약금 전액을 반환한다는 취지로 특약을 걸어둔다면 어느 정도 깡통주택을 거를 수 있을 것이다. 그리고 반환보증약관 상에는 이사 당일 전입신고와 확정일자를 받은 경우에만 보증효력이 발생하기 때문에 이사하느라 시간이 늦어졌다고 해서 전입신고와 확정일자 받는 것을 절대로 미루면 안 된다. 그리고 앞서 언급했던 대항력과 확정일자, 전세권설정, 경매 시 배당순서들에 대해서 생각해 본다면 내 전세금을 지키는 데 도움이 될 것이다.

7

임차인이 다 고쳐 달라고 해요, 어디까지 해줘야 하죠?

집주인과 세입자 간의 갈등이 생기는 이유 중 가장 큰 부분을 차지하는 것이 바로 집에 대한 수리비용 문제다. 작게는 형광등 하나에서부터 크게는 보일러나 누수까지 누가 그 비용을 부담해야 할까? 민법은 임대인의 의무를 규정하고 있다. 임차인의 사용, 수익에 필요한 상태를 유지하게 할 의무가 있으므로 적어도 사람이 살 만한 상태를 만들어야 한다는 것이다. 따라서 보일러가 고장 나거나 누수가 있으면 사람이 살 만한 상태가 아니므로 임대인은 이를 수리해줘야 할 의무가 있다. 그렇다면 형광등이 나가거나 기타 부대된 경미한 소모품이 망가진 경우에도 임대인이 고쳐줘야 할까? 그렇지 않다. 이러한 일상적인 소모품 고장은 중대한 결함이 아니므로 임대인이 수리해줘야 할 의무는 없다. 수도꼭지, 화장실 변기, 욕실 호스 같은 경우에도 임차인이 알아서 고쳐야 한다. 대법원 판례를 보면 어느 정도 기준이 있음을 알 수 있다.

"그것이 임차인이 별 비용을 들이지 아니하고도 손쉽게 고칠 수 있을 정도의 사소한 것이어서 임차인의 사용·수익을 방해할 정도의 것이 아니라면 임대인은 수선의무를 부담하지 않지만, 그것을 수선하지 아니하면 임차인이 계약에 의하여 정해진 목적에 따라 사용·수익할 수 없는 상태로 될 정도의 것이라면 임대인이 수선의무를 부담한다."(대법원 2010다89876, 89883 판결)

즉, 큰 결함으로 인하여 집에서 거주하기가 힘들 정도라면 임대인의 부담으로 해야 할 것이고, 작은 결함으로 약간의 비용을 들여서 수리할 수 있을 정도라면 임차인이 부담해야 할 것이다. 그리고 이와 관련하여 임차인에게는 통지의무가 있다. 임차인이 거주하는 중에 중대한 결함을 발견했다면 지체 없이 임대인에게 통지해야 한다.

예를 들어 보일러가 고장 났다고 했을 시, 임차인이 임대인에게 별도 통지 없이 본인이 먼저 알아서 비용을 지불하고 임대인에게 청구하는 경우가 있는데, 이러면 임대인의 입장에서는 제대로 된 견적인지 의문을 가질 수 있고 심할 경우 수리비 부담을 거절하는 상황도 발생하게 된다. 따라서 중대한 결함이 발생하면 임차인은 그 즉시 임대인에게 통지를 해야 한다. 임대인과 비용부담에 관해 논의를 하고 대략적인 예상 견적 등을 알려주어 임대인이 본인이 아는 업체를 이용할지, 아니면 세입자가 알아본 견적을 이용할지 등을 선택하게끔 한다면 분쟁을 예방할 수 있을 것이다.

8

계약갱신요구권 관련 분쟁

주택 임차인은 임대차기간이 끝나기 6개월 전부터 2개월 전까지의 기간에 계약의 갱신을 요구할 수 있다. 다만, 2020. 12. 10. 이전에 체결된 임대차계약의 경우 계약기간이 끝나기 6개월 전부터 1개월 전까지의 기간에 계약갱신을 요구할 수 있다.

임대인은 아래의 사유가 있는 경우에 한하여 임차인의 계약갱신 요구를 거절할 수 있는데, 특히 임대인이 실제 거주하려고 하는 것을 이유로 계약갱신 요구를 거절하는 경우에 많은 분쟁이 발생한다.

- 임차인의 차임 미납액이 월세 2개월분에 해당하는 경우
- 거짓이나 부정한 임차
- 합의하에 임대인이 상당한 보상을 제공한 경우
- 임차인이 임대인의 동의 없이 타에 전대한 경우(임차인이 다시

재임차)

- 임차인의 고의, 중과실로 주택이 파손된 경우
- 주택의 전부 또는 일부가 멸실된 경우
- 철거, 재건축이 필요한 경우
- 임대인(직계존비속 포함)이 실제 거주하려는 경우
- 그 밖에 임차인의 의무위반, 임대차를 계속하기 어려운 중대한 사유가 있는 경우

임대인이 실거주를 이유로 갱신을 거절한 이후 2년이 만료되기 전에 정당한 사유 없이 제3자에게 목적주택을 임대한 경우 임대인은 갱신 거절로 임차인이 입은 손해를 배상해야 한다. 여기서 정당한 사유라고 함은 갱신 거절 당시 예측할 수 없었던 사정으로 인해 제3자에게 임대를 할 수밖에 없는 불가피한 사유를 의미한다. 가령 실거주를 하던 직계존비속이 갑자기 사망한 경우, 실거주 중 해외주재원으로 파견되는 경우 등을 들 수 있을 것이다.

손해배상액은 거절 당시 당사자 간에 손해배상액의 예정에 관한 합의가 이루어지지 않는 한 다음 각 항목의 금액 중에 큰 금액으로 한다.

- 갱신 거절 당시 월차임(보증금이 있는 경우 환산월차임 포함, 환산월차임이란 보증금에서 10% or 기준금리에 2%를 더한 것 중 낮은 것을 곱한 것, 2022년 7. 13. 현재 기준 보증금 4.25%)의 3개월분
- 임대인이 제3자에게 임대하여 얻은 환산월차임과 갱신 거절

당시 환산월차임 간 차액의 2년분

- 임대인의 실제 거주로 인한 갱신 거절로 임차인이 입은 손해액

Q 임차인이 계약갱신요구권을 행사한 상황인데, 갱신거절기간(임대차 기간이 끝나기 6개월 전부터 2개월 전까지의 기간) 내에 임차주택을 양수하여 임대인의 지위를 승계한 사람이 실제 거주목적으로 임차인의 갱신요구를 거절할 수 있나요?

A 기존에는 위와 같은 경우 법무부 등 유관기관의 해석은 새로운 임대인이 실거주목적이라도 임차인이 이미 행사한 갱신요구권을 거절할 수 없다는 입장이었다. 그러나 최근 2022. 12. 1.자에 선고한 대법원 판례에 따르면 위와 같은 경우 갱신거절기간 내라면 새로운 임대인은 임차인이 이미 갱신요구권을 행사했더라도 갱신요구 거절이 가능하다고 판시하였다.

9

전월세 상한제 관련 분쟁

계약갱신요구권에 의해 갱신되는 임대차는 차임과 보증금을 각각 5% 범위 내에서 증액할 수 있다. 보통은 이럴 경우 임대인은 5%를 다 올리는 통보를 하기 마련이다. 이것이 과연 정당할까? 대다수의 임차인은 분쟁을 일으키기 싫어서 수용하는 경우도 많지만, 실제 분쟁에 들어가서 조정할 경우에는 계약서상 기존 임대료와 주변 임대계약 시세를 조사하여 비교한 후 합의를 도출하는 것이 일반적이다.

계약기간 내 혹은 계약갱신 시에 보증금을 월세로 전환할 경우에는 반드시 임차인의 동의가 필요하다. 이때 전환율은 앞서 언급한 환산월차임과 같이 한국은행이 정한 공시 기준금리에 대통령령이 정하는 비율(2%)을 기준으로 계산한다. 예를 들어 현재 기준금리가 2.25%, 대통령령이 정하는 비율 2%일 경우 연 4.25%가 산정률이 되며, 보증금 1억 원을 전환할 경우 425만 원이고, 이를 12개월로 나누면 월 35.4만 원에 해당하는 금액으로 전환된다.

계약갱신요구권을 사용하였음에도 불구하고 차임과 보증금을 5% 범위를 초과하여 증액했다면 임차인은 그 초과분에 대해 임대인에게 반환을 요구할 수 있으며, 임대인은 이를 반환해야 한다. 또 5% 범위를 초과하여 갱신한 계약은 법 해석상 계약갱신요구권 사용에 따른 갱신계약으로 볼 수 없고, 단순히 당사자간 합의에 따른 갱신계약으로 하여 임차인은 계약만료 시점에서 계약갱신요구권을 사용할 수 있다. 즉, 임차인 입장에서는 '계약갱신요구권 사용했음'을 선택하여 5%를 초과한 부분에 대한 부당이득반환을 구하던지, 아니면 '사용하지 않았음'을 선택하여 계약만료 시점에서 계약갱신요구권을 사용할 수 있을 것이다.

10

임대차계약 기간 관련 분쟁

기간을 정하지 않았거나 2년 미만으로 정한 임대차는 그 기간을 2년으로 본다. 다만 임차인은 2년 미만으로 기간을 정했을 경우 그 기간이 유효함을 주장할 수 있다. 기간에 관한 주택임대차보호법 규정은 신규 및 갱신계약을 불문하고 적용된다. 그러나 달방 같은 일시 사용이 명백한 단기 임대차계약은 주택임대차보호법이 적용되지 않는다. 일시 사용의 명백성은 구체적 사정을 고려하여 판단하게 된다.

계약이 묵시적으로 갱신된 경우, 혹은 계약갱신요구권이 사용되어 갱신된 경우에는 임대차계약 기간을 2년으로 본다. 그렇다면 묵시적 갱신이란 무엇일까? 임대차계약이 끝나기 6개월 전부터 2개월 전까지의 기간에 갱신거절 통지가 없는 경우 전 임대차와 동일한 조건으로 2년간 갱신된 것으로 보는 제도다. 단, 2020. 12. 10. 이전에 체결된 임대차계약의 경우 계약기간이 끝나기 1개월 전까지 통지해야 한다. 묵시적 갱신, 계약갱신요구권 사용에 따른 갱신은 언제든 계약을 해지할 수 있고, 3개월이 지나면 효력이 발생한다.

임대차계약 기간 중 중도해지 가능 여부는 갱신방법에 따라서 판단하게 되는데, 계약 종료 2개월 전 임대인과 임차인이 전화 통화, 문자, 서면 등으로 임대차계약의 갱신에 관하여 논의한 내역이 있다면 합의갱신에 해당하게 된다. 이때는 합의한 계약기간을 준수해야 하며, 중도해지 시에는 합의가 필요하다

계약 종료 2개월 전 임대인과 임차인이 임대차계약의 갱신에 관해 아무런 논의 내역이 없고 임대인이 갱신거절의 의사를 밝히지 않았다면 이는 묵시적 갱신에 해당하므로 임차인은 언제든지 계약을 해지할 수 있으나 해지 통보한 이후 3개월이 지나서야 효력이 발생한다. 이러한 합의갱신, 묵시적 갱신은 갱신요구권 사용에 따른 갱신이 아니므로 계약 종료 후 1회의 계약갱신요구권을 사용할 수 있다.

CHAPTER

부동산 경매

1

부동산 경매 시 필요한 법무 지식은 무엇이 있을까요?

부동산 경매란 채권자의 신청에 의해 법원을 통해 채무자의 부동산을 강제로 매각하여 채권자의 돈을 돌려주는 절차다. 반면 공매는 법원이 아닌 자산관리공사(캠코)를 통해 진행하는 것으로 주로 세금이 체납될 경우에 이루어진다. 진행하는 주체가 다를 뿐 기본 절차는 동일하다. 이하는 경매를 기준으로 설명하고자 한다.

주택취득을 고려하는 사람 중 부동산 경매에 대해서 고민을 안 해본 사람은 없을 것이다. 요새는 금리 급상승에 따른 주택가격의 하락으로 인해 경매입찰도 관망세에 접어들어서 낙찰률이 그렇게 높지 않다고 하지만, 미리 경매 절차에 대해 알아둔다면 추후 경매를 도모할 때 도움이 될 수 있을 것이다. 오히려 요즘과 같은 상황을 기회라고 생각하는 사람도 있다. 물건에 대한 경쟁률이 낮아지니 마음에 드는 물건을 고를 수 있는 선택의 폭이 넓어져서 가치투자를 하기에 적기라고 보기 때문이다.

부동산 경매를 통한 취득은 시세보다 저렴하게 취득할 기회가 생긴다는 것, 국가기관에서 집행하기 때문에 사기매매를 당할 위험이 없다는 것, 토지거래허가 등에 관한 규제를 피할 수 있다는 점 등에서 장점이 있다. 그러나 이런 장점에 비해 대개 경매는 법적 절차뿐만 아니라 용어도 어렵고, 시간도 오래 걸리다 보니 지레 접근하기 힘들 것이라고 생각한다.

그렇다면 과연 부동산 경매에서는 어느 정도의 법무 지식이 필요할까? 경매는 물건을 팔고 사는 과정이므로 상식선에서 생각하면 그렇게 어렵지 않다. 다수의 이해 관계인들을 정리하는데 시간이 많이 걸릴 뿐이다. 지면 관계상 세부적으로 경매 절차, 용어, 권리분석 등을 모두 일일이 설명하기에는 한계가 있는 관계로 이 챕터에서는 주택을 경매로 취득하고자 할 때 최소한 알아두면 좋은 요소들만을 간추려 설명하고자 한다.

부동산 경매로 주택취득을 고려하고 있다면 최소한 경매 절차 정도는 대략적으로라도 알아야 할 것이고, 낙찰자 입장에서 그 경매물건에 얽힌 이해 관계인들 중 내가 인수해야 할 권리는 무엇인지, 낙찰로서 말소되는 권리는 무엇인지를 판단하는 것이 중요하다. 즉, 경매 절차에서 나타나는 이해 관계인들 중 돈을 받는 것이 중요한 사람(말소되는 권리)만 있다면 과정이 편안할 것이라 생각하면서 지나갈 수 있고, 물건 자체가 중요한 사람(인수해야 할 권리)이 존재한다면 쉽지 않을 것이라 생각하고 전문가들의 조언을 구하는 것이 좋다.

경매의 종류

우리가 통상 접하는 부동산 경매는 임의경매와 강제경매로 이루어진다. 강제경매는 채권자가 법원의 판결을 받아서 이를 근거로 채무자 소유의 아무 부동산을 집어서 경매신청을 하는 경우이고, 임의경매는 강제경매를 제외한 나머지 모든 경매로서, 부동산에 대하여 근저당권, 전세권 등을 설정해둔 채권자가 별도의 법원 판결 없이 바로 경매신청을 하는 경우를 의미한다.

경매 절차

● 경매신청 및 경매개시결정

채권자가 경매신청서를 제출하면 법원은 경매를 신청할 근거가 있는지, 부동산이 채무자의 소유가 맞는지 등을 검토하여 문제가 없으면 경매개시결정을 내린다. 법원이 경매개시결정을 하면 즉시 등기할 것을 등기관에게 촉탁한다. 이는 대외적으로 공시하여 경매가 진행 중임을 모르는 제3자가 발생하지 않도록 하기 위함이다.

● 배당요구의 종기 결정 및 공고

법원은 경매개시결정을 내린 후에 배당요구종기일, 즉 배당요구를 받을 시한을 정하고 경매신청인뿐만 아니라 다른 채권자들에게 배당을 요구하는데 필요한 서류들을 제출할 것을 통보한다. 배당요구종기일을 정하는 것은 "경매 부동산에 관하여 돈 받을 것이 있는 사람은 몇 월 며칠까지 배당요구를 하라."는 의미다. 이때까지 배당을 요구한 채권자들만 추려서 매각대금을 나눠준다. 배당을 요구하는 채권자들은 세입자나, 은행, 세금을 걷어야 하는 국가, 공과금을 못 받은 국가기관 등 다양하게 구성된다.

● 매각 준비

법원은 경매개시결정을 한 뒤에 바로 집행관으로 하여금 부동산의 상태가 어떤지, 세입자 현황은 어떤지, 임대차보증금은 얼마인지 등을 조사하여 현황조사서를 작성하게 한다. 그리고 감정평가사에게 부동산을 감정평가하게 하고, 그 평가액을 참작하여 최저매각가격을 정하게 된다. 최저매각가격은 말 그대로 입찰 가능한 최저 가격이므로 그보다 낮은 매수신고는 받아들이지 않는다.

● 입찰일 및 매각 방법 공고

매각 준비가 끝나면 법원은 입찰일인 매각기일과 매각결정기일을 정해 공고한다. 경매 접수 시부터 실제 입찰일까지는 보통 6개월가량 소요되는 것이 일반적이며, 그보다 더 늦어질 수도 있다. 입찰일이 확정된 후에 감정평가서와 현황조사서 등을 볼 수 있다. 대개 입찰일 2주 전에 경매공고를 하고, 이후부터 법원경매정보(https://www.courtauction.go.kr/)나 여러 경매 정보 사이트들에서 정보들을 구할 수 있다.

● 매각물건명세서 열람

보통 입찰 7일 전 법원이 작성한 매각물건명세서가 공개된다. 매각물건명세서에는 (1) 부동산의 표시, (2) 부동산의 점유자와 점유의 근거, 점유할 수 있는 기간, 차임 또는 보증금에 관한 관계인의 진술, (3) 등기된 부동산에 관한 권리 또는 가처분으로서 매각으로 효력을 잃지 않는 것(=낙찰인이 인수하는 것), (4) 매각에 의해 설정된 것으로 보게 되는 지상권의 개요(=법정지상권, '셀프 등기 이런 건 위험하다' 편에서 안내함) 등이 기재되어 있다. 그 밖에 집행관이 작성한 현황조사서와 감정평가사가 작성한 감정평가서도 함께 비치된다.

위 자료들은 경매의 권리분석에 가장 기본적이고, 가장 중요한 자료이므로 이를 제대로 분석해야 경매과정에서 나타나는 리스크를 최소화할 수 있다. 그래서 보통 이 시기에 매물에 대한 현장답사를 나가게 되며 위 자료들과 실제 현황이 일치하는지, 마음에 드는 물건인지를 판단하여 입찰에 참여할지의 여부를 결정하게 된다.

● 매각기일에 매각 실시(입찰일)

우리나라 법원은 거의 대부분 입찰방식으로 진행한다. 입찰방식은 물건을 사려는 여러 사람 중에 가장 높은 가격을 써낸 사람에게 물건을 파는 방식이다. 입찰할 때는 보증금액으로 보통 최저매각가격의 1/10에 해당하는 금액을 현금, 수표 또는 일정액의 보증료를 지급하고 발급받은 보증보험증권으로 제공한다.

입찰이 끝나면 당일 바로 현장에서 개찰하는데, 입찰함을 열어서 바로 매수신청가격을 비교하여 가장 높은 가격을 적어낸 사람과 그 다음 순위의 사람을 가려낸다. 전자를 최고가 매수인이라고 하고, 후자를 차순위매수신고인이라고 한다.

● 매각허가결정

최고가 매수인이 되었다고 해서 경매 절차가 완전히 끝난 것은 아니다. 낙찰을 받은 날로부터 7일 후에는 매각허가결정이 내려진다. 매각에 대하여 이의가 있는 이해관계인이 있을 수 있으므로 그 의견을 듣고 매각불허가사유가 있는지의 여부를 조사하여 결정을 내리는 것이다. 특별한 하자가 없다면 매각허가결정이 이루어진다. 매각허가결정 이후 7일이 지나도록 이해관계인의 항고가 없다면 매각허가가 확정된다.

● 잔금납부 및 소유권 이전

매각허가결정이 확정되면 이제 나머지 잔금을 납부해야 한다. 법원은 매각대금의 지급기한을 정하여 낙찰자에게 매각대금의 납부를 명하고, 그 기한 내에 낙찰자는 언제든지 매각대금을 납부할 수 있다. 보통 1개월 정도의 기간을 준다. 간혹 낙찰을 받은 최고가 매수인이 잔금을 납부하지 않고 매수를 포기하는 경우도 더러 있다. 최고가 매수인은 경매사건기록을 열람할 수 있는데, 생각지 못한 하자를 발견하고 부동산을 포기하는 경우다. 이런 경우는 입찰할 때 제공한 입찰보증금을 돌려받지 못한다.

잔금을 납부하면 낙찰자로서 매수인은 소유권을 취득하게 되고 이를 위하여 매수인은 법원에 소유권이전등기촉탁신청을 한다. 법원으로 하여금 등기소에 등기신청을 하게 하는 것이다. 소유권이전 등기를 하게 되면 비로소 취득절차는 끝나게 된다.

말소되는 권리? 인수되는 권리?_권리 분석하기

경매 절차에서 배당요구자 및 기타 여러 이해관계인들 중에 돈을 받는 것이 중요한 사람이 가지고 있는 권리는 대체로 말소되는 권리라고 보면 된다. 부동산을 매각한 돈으로 배당을 받으면 사라지는 권리이므로 낙찰자에게 전혀 해를 끼치지 않는다. 그러나 경매물건 자체가 중요한 사람의 권리는 대체로 낙찰자가 물건을 취득하더라도 말소되지 않고 떠안아야 하는 권리다. 따라서 입찰가액을 써낼 때 이 권리로 인하여 손해 볼 금액을 평가해보고 감가하여 알맞게 반영해야 하는 문제가 생긴다. 이를 가려내는 과정들을 보통 권리분석이라고 한다.

● 말소기준 권리

권리분석 중 제일 먼저 파악해야 하는 것은 말소기준 권리다. 즉, 권리분석의 기준이 되는 권리다. 등기부상에 말소기준 권리 중 후순위에 있으면 말소기준 권리를 포함하여 그 후순위 것들이 무조건 말소된다. 낙찰자가 깨끗한 등기부등본을 받게 되는 것이다. 말소기준 권리보다 선순위나 전입일이 빠른 대항력 있는 임차인이 없다면 경매로 매각되면서 모든 권리가 소멸된다.

말소기준 권리만 제대로 찾을 줄 알고 볼 수 있다면 웬만한 경매 물건들은 직접 보고 입찰할 수 있을 것이다.

● 말소기준 권리에 해당하는 것들

(1) 저당권(근저당권)

(2) 압류, 가압류

(3) 담보가등기

(4) 배당요구를 하거나 경매를 신청한 전세권

(5) 경매개시결정등기-등기부상에는 임의경매개시결정 또는 강제경매개시결정이라고 되어 있다.

말소기준 권리가 여러 개라면 가장 선순위 권리가 말소기준 권리가 된다.

● 권리분석 단계

권리분석은 보통 (1) 말소기준 권리를 찾고 (2) 등기부에 나타나 있는 권리들 중 낙찰자로서 인수할 권리와 그렇지 않은 권리를 가려내고 (3) 임차인(점유자)을 분석하고 (4) 매각물건명세서나 감정평가서 등에 나타난 조건들을 확인하는 순으로 이루어진다.

① 앞서 말한 말소기준 권리가 어떤 것인지 찾았다면

② 인수할 권리와 그렇지 않은 권리를 가려내야 한다. 말소기준 권리보다 선순위 가처분, 지상권, 지역권, 소유권이전청구권 가등기, 배당을 요구하지 않은 선순위 전세권은 낙찰자가 인

수한다. 말소기준 권리보다 후순위지만 말소되지 않고 인수되는 경우는 내 것이라고 싸우는 내용의 가처분, 근저당이 말소기준 권리일 경우 그 근저당의 말소를 구하는 가처분, 철거 및 인도청구에 관한 가처분에 해당한다. 즉, 매수하고자 하는 물건에 가처분이 있다면 일단 정지해놓고 전문가의 조언을 들어보는 것이 좋다.

③ 임차인 현황에 대한 분석은 보통 집행관의 현황조사서로 파악이 된다. 말소기준 권리보다 선순위 대항력이 있는 임차인이 배당요구종기일 전에 배당요구신청을 했는지, 확정일자를 갖췄는지, 소액임차인에 해당하는지 여부 등을 판단하고 임차인이 보증금 전액을 배당받을 수 있을지, 임차인의 임차보증금을 낙찰자로서 인수해야 하는지를 파악하는 것이 핵심이다. 인수해야 한다면 당연히 입찰금액에 반영하여 진행해야 할 것이다.

④ 보통 매각물건명세서 상에는 인수조건들이 기재되어 있다. 낙찰자가 인수해야 하는 권리나 하자, 농지취득자격증명서가 필요한지 여부 등이 명시되어 있으므로 이러한 부분을 반드시 체크하여 경매 절차에 임해야 한다.

2

부동산 경매로 취득한 주택에서 임차인이 퇴거를 안 해요

낙찰을 받아 소유권을 취득했는데, 임차인이 퇴거를 안 하는 경우가 있다. 물론 임차인과 잘 협의하여 어느 정도 이사비를 챙겨 주고 원만하게 퇴거를 시키는 것이 제일 경제적이다. 시간은 곧 돈이기에. 그러나 터무니없는 대가를 요구하며 퇴거를 하지 않겠다고 으름장을 놓는 임차인의 경우에는 어쩔 수 없이 법적인 절차를 거칠 수밖에 없다.

보통은 낙찰받은 매수인이 법원에 잔금을 납부하면서 동시에 인도명령 신청을 하게 된다. 인도명령이란 경매에서 부동산을 낙찰받은 매수인이 부동산을 점유하고 있는 대항력 없는 임차인 등 대항할 점유권원이 없는 자에 대하여 부동산을 인도하도록 명령하는 절차를 말한다. 경매로 낙찰받은 매수인은 인도명령신청을 통해 쉽고 빠르게 부동산을 인도받을 수 있는 것이다. 잔금 납부 후 6개월 이내에만 가능하므로 잔금을 납부하러 법원에 가는 김에 인도명령도 같이 신청하고, 인도명령결정 및 송달이 이루어지는 기간 동안에 추가로 퇴거하지 않는 임차인과 원만하게 협의하려고 노력하는 것이 일반적이다.

핵심! Check Point

안정적 투자를 통한 부의 관리

취득 초기 단계: 본인 스스로 체크하고 분석할 줄 알아야 한다

안정적인 주택투자를 위해서는 취득 초기 단계부터 취득시점까지 먼저 본인 스스로 각종 공부公簿를 분석할 줄 알아야 한다. 그중에서도 가장 중요한 것은 부동산등기부와 건축물대장이다. 우리나라는 등기부의 공신력을 인정하지 않기 때문에 등기에 기재된 사항이 100% 진정성이 있는 것이라고 믿으면 안 될 것이다.

따라서 이 단계에서 가장 중요한 자세는 늘 합리적으로 의심을 해보는 것이다. 취득자 본인 스스로 의심을 가지고 꼼꼼히 진정성에 대한 체크를 해봐야 한다. 등기부의 구성이 어떻게 되어 있는지, 표시와 권리관계 내용은 어떻게 이루어졌는지 읽어보고, 그 기재사항이 실체관계와 부합하는지에 대해 전문가들을 동원한 구체적인 조사가 필요하다. 부동산의 표시는 대장을 따라가게 되어 있으므로 대장상 표시와 부동산의 외관이 일치하는지, 위반건축물에 해당하지는 않는지에 대한 조사가 반드시 선행되어야 한다.

가령 부동산을 취득할 때 매도자가 기존에 담보대출을 받아 근저당권을 설정해놓았다가 이후 전부 상환하여 근저당권을 말소한 경우라도 이 내용을 100% 신뢰하면 안 될 것이다. 매도자로부터 근저당권자인 은행에 대출금이 없다는 부채증명서를 확인해 보고, 한편으로는 직접 은행에 문의하여 부동산에 남겨진 부채가 없는 것이 확실한지 확인해 보는 자세가 안전한 자산을 취득하는 데 필요하다.

취득하려는 부동산에 근저당권뿐만 아니라 구체적인 내용을 알기 어려운 가처분, 가압류 등기 같은 제한된 권리들이 등기된 경우에는 혼자 해결하지 말고 적극적으로 주변 전문가에게 자문을 구하고 답을 찾으려고 해야 한다.

사전에 위조 가능성이 있는 문서들을 체크해보자

위조 가능성 있는 문서들에 대한 체크도 본인 스스로 해볼 줄 알아야 한다. 가장 대표적인 위조 서류는 신분증, 인감증명서, 그리고 주민등록초본이다. 이러한 서류의 진위여부는 '정부24' 홈페이지에서 확인이 가능하다. 첫 페이지 서비스 항목에 사실/진위확인 부분을 클릭하면 각종 공문서에 대한 진위확인을 할 수 있다. 각 문서에 기재된 발급일자, 주민등록번호, 문서 상단에 기재된 확인용발급번호를 입력하면 진위확인, 발급사실확인 여부를 알 수 있으므로 미리 사진이라도 찍어둔 다음에 나중에라도 확인해 보는 것이 좋다.

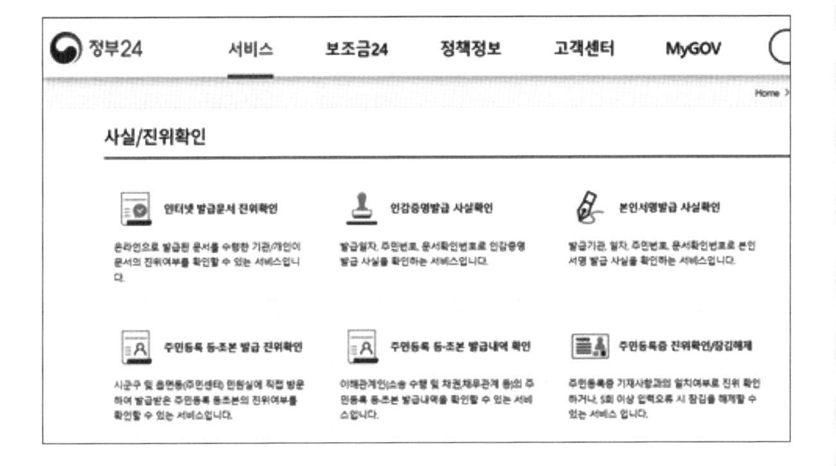

취득 단계: 절세전략을 잘 짜는 것이 중요하다

취득 단계에서는 계약서를 잘 작성해서 위험을 최소화하는 것이 중요하다. 계약당사자가 법률행위를 하는데 하자가 있는 사람이 아닌지, 그리고 하자가 있는 의사표시에 의한 처분행위는 아닌지, 처분권한이 있는 사람인지, 대리인이라면 위임은 제대로 받은 사람인지를 잘 파악해야 한다. 무엇보다 실무에서 가장 중요한 것은 특약사항을 잘 기재하는 것이다. 거래 상황과 나의 자금능력에 걸맞게 구체적으로 기재해야 한다.

이 단계에서 가장 중요한 자세는 혼자 해결하려 하지 말고 주변 전문가에게 최대한 도움을 받으려는 자세다. 공인중개사에게는 부동산의 컨디션과 특약사항 기재를 위한 당사자 간의 의견조율에 관한 도움을 받아야 하고, 법무사나 변호사에게는 계약서의 내용에 관한 하자 여부나 위험을 최소화할 특약사항 문구 기재 등에 관한 조언을 받아야 할 것이다. 세무사에게는 취득으로 인해 발생하는 재산세, 종부세 등에 관한 포트폴리오를 짜고 시뮬레이션을 돌리는 데 도움을 받아야 한다. 취득세에 대한 공부도 해놓는다면 내가 동원할 자금의 규모를 미리 파악하여 사전에 대비하는 데 도움이 된다. 또한 세대분리 요건이나 중과세에 해당할 요소들도 미리 파악해 놓아야 한다. 이는 절세전략을 짜는 데 제일 중요하다.

보유 단계: 전문가의 조언을 토대로 사전 정보와 지식을 습득하자

보유 단계에서는 임대차와 관련한 법들을 알아두는 것이 중요하다. 실거주 중인 부동산에 대해서는 신경 쓸 것이 없겠지만, 주택투자를 위해서 보유 중인 부동산이라면 반드시 임대를 놓기 마련일 것이다. 따라서 임차인과의 분쟁을 해결하는 데 임대차법을 익혀놓는다면 즉각적으로 대응하는 데 도움이 될 것이다.

이 단계에서 가장 중요한 자세는 본인 스스로 공부하려는 자세가 중요하다. 시시때때로 관련 법이 바뀔 수도 있으므로 체크해 보기도 하고, 전문가의 조언을 토대로 관련 지식을 내 것으로 만들어야 한다. 보유 단계에서는 내가 제일 먼저 통지, 합의 등 사실적인 법률행위를 하는 당사자이기 때문에 알고 행동하는 것과 그렇지 않고 행동하는 것은 나중에 분쟁에 있어서 큰 차이를 보일 수밖에 없다. 미리 어느 정도 알고 대처를 잘 해두었다면 나중에 분쟁이 생겼을 때 전문가들의 도움을 받으면서 본인의 이익으로 결과물을 도출할 수 있을 것이다.

임대에 있어서는 임대차계약서를 분쟁의 소지를 최소화할 수 있게끔 작성해야 한다. 분쟁이 생긴다면 필연적으로 명도소송 절차로 가게 될 것이다. 하지만 명도소송은 판결이 나기까지 장시간이 소요된다. 따라서 이에 관한 기본적인 용어, 절차들을 알아두어야 추후 전문가와 상담시 시간을 낭비하지 않고 신속하게 진행할 수 있다.

주택임대차보호법 중 갱신관련, 해지통보기간 관련, 기간 관련한 내용들은 미리 알고 있어야 보유 단계에서의 위험을 줄일 수 있다. 미리 알고 해지통보 시점 등에 관하여 적절한 행동을 취해야 불측의 손해를 예방할 수 있다.

그 밖에 기본적인 경매용어, 절차, 배당순서 등에 관한 내용도 숙지하자. 이는 돈과 바로 직결될 수 있는 지식이기 때문인데, 그 외에도 다른 법들을 이해하는 배경지식으로서도 큰 도움이 된다. 임대차의 대항력, 우선변제권과 관련하여 경매의 배당순서 정도는 기억해두어야 한다. 그래야 내 돈이 보호받을 수 있는 범위가 어느 정도인지, 내가 배당받을 수 있는 금액은 어느 정도인지 가늠이 가능하고 이에 대응할 수 있게 된다.

PART

3 세무사가 알려주는 부동산 절대원칙

'주택'이란 부동산에 접근할 때는 다음 3가지 단계에서의 세금을 살펴볼 수 있어야 한다.

1. 취득 단계의 취득세
2. 보유 단계의 재산세와 종합부동산세
3. 처분 단계의 양도소득세, 상속세 및 증여세

특히 위 3가지 단계에서 취득세, 종합부동산세, 양도소득세는 2017년 8·2 대책 이후 지속적으로 세법개정을 거쳐 조정대상지역 내 중과세율이 적용되었다. 그나마 다행인 것은 최근 3가지 세금에 대해서 중과세율이 완화되는 뉴스들이 하나씩 나오고 있다는 점이다.

주택관리를 한다면 세제 개편안과 조정대상지역 해제 등의 부동산 소식에 귀를 기울여야 한다. 2023년에 반영될 세제 개편안과 조정대상지역 해제가 나의 주택세금에 어떠한 영향을 미칠지에 대해 핵심을 짚어서 살펴본 후 이를 통해 미래 주택관리의 방향을 잡아보도록 하자.

이렇게 공부하는 이유는 단 하나다. 결국, 주택 자산관리는 세금을 고려해야 한다는 점이다. 이를 잊지 말고 각 단계에서 어떠한 절세전략을 펼쳐 내 자산을 소중히 지킬 수 있을지 끊임없이 공부하도록 하자.

CHAPTER

부동산 투자 초기 단계

1

주택 자산관리, 세금 공부는 필수

시쳇말로 '양포 세무사'라는 말이 있을 정도로 현행 주택 세법은 세무사도 양도소득세 해석을 포기할 만큼 복잡하다. 거기다 아직 정립되지 않은 상황 가정이 너무 많아 특정 케이스에 대해서는 확정된 의견을 내는 것 자체가 불가능한 경우도 많다.

이를 해결해보고자 세무사인 필자 역시 짧게는 몇 시간, 길게는 몇 달을 고민하면서 주택 자산관리에 어려움을 겪는 납세자들을 상담하고 있다. 그렇다면 믿음직한 세무사에게 모든 걸 맡기기만 하면 될까? 전혀 그렇지 않다. 이미 주택 등 부동산 전문 세무사의 상담 예약은 몇 달이나 기다려야 하는 것이 일상이 되었고, 세무사마다 의견이 다른 경우도 허다하다. 그렇다고 무수한 부동산 단톡방이나 카페 같은 곳에 본인의 고민을 올렸을 때 스쳐 지나가듯 내 고민을 보는 비전문가의 답변만 믿고 고가의 부동산을 관리하는 것은 절대로 해서는 안 되는 방법이다. 부동산 세법은 매년 개정을 거듭하고 있다. 새로운 세법을 적용해야 하는데 1년 전 세법을 이야기하면서 '이거 아닌가요?'라고 말한다면 이미 본인의 자산을 지키고자 하는 마음이 없다고 볼 수 있다. 그러므로 본인의 부동산 관리를 위해 필요한 세무사의 상담을 정확히 이해하고 적절한 질의응답을 하기 위해서는 부동산 세법을 공부해야 한다. 나아가 새로운 부동산 정책이 나오기 전후에 시장변화를 예측하여 다음 단계로 나아가기 위해서는 부동산 세법을 필수로 익혀야 한다. 이유는 간단하다. 내 자산은 세후수익으로 환원되고, 세법은 시행되는 날 하루 차이로 몇 억 원씩 차이 나는 경우가 허다하기 때문이다.

흔히 다주택자는 '투기꾼'이라는 시각이 있다. 그러나 대부분의 주택 자산관리는 '직업'이라 불릴 정도로 많은 시간과 돈을 투자하여 학습하고 연구하여 값진 성과를 얻어낸다. 그걸 불로소득이라고 단순히 치부할 수 있을까? 이는 시각의 차이일 수 있겠지만, 현재 주식과 부동산 투자는 일정 시간을 정말 온전히 투자에 대한 고민만 하는 하나의 '직업'이라고 보는 것이 맞다. 오히려 잘못된 투자 선택으로 인해 손실이 나는 경우도 많은데, 극단적으로 잘 된 일례들을 보면서 부정적인 시각만을 비추는 것은 사실상 본인의 삶을 사는 데 그 어떤 영향도 주지 않는다.

주택을 관리하는 입장에서 필요한 건 주택투자와 주택관리를 위한 세무 전문가의 시각을 가지고자 노력하는 것이다. 여러분의 눈을 한층 높이기 위한 주택관리 세법을 지금부터 살펴보도록 하자.

2

주택 취득-보유-처분, 각 단계의 세금

주택에 대해 부과되는 세금은 취득 단계에서 부과되는 취득세, 인지세, 농어촌특별세, 지방교육세가 있고, 보유 단계에서 부과되는 재산세, 종합부동산세, 지역자원시설세, 농어촌특별세, 지방교육세가 있으며, 이전 또는 처분 단계에서 부과되는 양도소득세, 지방소득세, 상속세, 증여세 등이 있다. 부동산의 운용에 따른 수익이 창출되면 개인사업자는 종합소득세, 법인사업자는 법인세 납세의무가 추가된다. 각 세목에 대해서 자세히 살펴보기 전에 개괄적으로 개념 정립을 해보자.

취득할 때 내는 세금, 취득세

취득세는 일정한 자산 취득 시 매겨지는 지방세다. 과거에는 취득할 때 내는 취득세와 이를 등기부에 등록하는 등록세가 따로 있었으나 현재는 모두 취득세로 통합되었다.

부동산 취득세는 매매뿐만 아니라 상속 또는 증여 등 취득원인에 따라 다른 세율이 적용된다. 특히 최근 몇 년간 세법개정으로 인해 주택 취득에 대한 매매 및 증여 취득세에도 중과세율이 적용되어 일반세율과 그 부담의 차이가 최대 12배 이상 벌어지는 경우도 있다. 그래서 그동안 크게 신경 쓰지 않았던 취득세에 대한 절세플랜도 많은 연구가 되고 있다.

2023년 취득세 개정사항은 두 가지다.

첫 번째로 특수관계인간 저가양수도와 증여취득에 대한 취득세 과세표준이 '시가표준액'에서 '시가인정액'으로 개정되어 세금이 더욱 늘어날 것으로 보인다. 두 번째로 2023년 2월 국회에서 취득세 중과완화 입법을 진행할 예정이다. 매매 및 증여취득 시 2주택까지는 중과세를 적용하지 않고, 3주택부터 4% 또는 6%로 중과세율을 낮추겠다는 것이다. 2월 이후 입법이 어떻게 확정될지 꼭 지켜보도록 하자.

또한 취득시점에는 대부분 취득세만 생각하는데, 부동산 취득시점부터 처분을 고려해야 한다. 즉, 취득시점부터 미래에 처분을 위해서 단독명의로 진행할 것인지 아니면 부부 공동명의로 할 것인지의 여부와 취득자금 소명은 되는지의 여부 등을 고려하여 미래의 절세를 위한 시작점을 잘 만들어야 한다. 그래서 자산가는 취득시점부터 세무사와 상담을 하고 매매계약서를 작성한다.

보유할 때 내는 세금, 재산세 및 종합부동산세

재산세는 일정한 재산의 보유에 따라 과세되는 지방세다. 부동산 보유에 대한 지방세가 재산세라면, 국세는 종합부동산세가 있다. 두 세목 모두 과세기준일인 매년 6월 1일 자에 과세대상을 보유하고 있는 사람이 납세의무자가 된다.

재산세 과세대상은 토지, 건축물, 주택의 부동산 이외에도 항공기 및 선박이 있으며, 취득세의 과세물건과 비교해 볼 때 그 범위가 작다. 재산세 과세대상으로서 부동산은 '토지, 건축물, 주택'으로 되어 있다.

종합부동산세는 고액의 부동산 보유자에 대하여 종합부동산세를 부과하여 부동산 보유에 대해 조세 부담의 형평성을 높이고, 부동산의 가격안정을 도모함으로써 지방재정의 균형발전과 국민경제의 건전한 발전에 이바지함을 목적으로 한다.

주택시장 안정화를 목적으로 납세의무자가 3주택 이상을 소유한 경우에는 일반적인 종합부동산세율이 아닌 중과세율을 적용하게 되는데, 그 세 부담이 상당하여 다주택자가 주택을 보유하는 것에 있어서 큰 부담으로 와 닿는 세금이다.

임대소득에 내는 세금, 종합소득세 또는 법인세

주택임대 소득이 발생하면 사업자의 형태에 따라 개인이면 종합소득세를, 법인이면 법인세를 신고 및 납부해야 한다.

개인은 임대소득, 즉 사업소득이 발생하므로 타 소득인 금융소득(이자, 배당), 근로소득, 기타소득, 타 사업소득 등과 합산하여 매년 종합소득세를 신고 및 납부하고, 법인은 법인의 전체 소득에 대해 법인세로 신고 및 납부해야 한다.

종합소득세는 세율 6~45% 구간의 누진세율, 법인은 세율 9~24% 구간의 누진세율을 적용받는다. 추가로 국세의 10%에 해당하는 지방소득세를 신고 및 납부해야 한다.

양도할 때 내는 세금, 양도소득세

주택 자산관리 시 가장 신경 써서 절세해야 할 세금이 바로 양도소득세다. 취득시점의 취득세는 일정한 감면요건 충족여부를 파악하는 것이 절세 포인트가 되지만, 사실상 세액이 고정된 경우가 많다. 재산세 및 종합부동산세 역시 절세가 거의 불가능하다. 종합소득세 및 법인세도 부동산 임대업의 경우 세법상 많은 제재가 존재하여 세액공제 및 세액감면을 적용받지 못하는 경우가 대부분이다.

양도소득세는 자산증가의 축적이 한 번에 실현되는 밀집효과가 발생하여 타 세금보다 상대적으로 세 부담이 크지만, 양도 전 절세플랜 및 자산관리의 방향에 따라 세액 차이가 눈에 띄게 다르므로 세후 수익률에 가장 큰 영향을 미친다고 볼 수 있다. 그러므로 반드시 양도 '전' 세금 상담을 통해 비과세 및 중과세 여부 판단뿐만 아니라 절세가 가능한 점이 있다면 절세플랜을 통해 거액의 세액을 줄여야 한다.

무상이전 할 때 내는 세금, 증여세와 상속세

증여란 그 행위 또는 거래의 명칭·형식·목적 등과 관계없이 직접 또는 간접적인 방법으로 타인에게 무상으로 유형·무형의 재산 또는 이익을 이전(현저히 낮은 대가를 받고 이전하는 경우를 포함)하거나 타인의 재산 가치를 증가시키는 것을 말한다. 증여세 계산 시에는 배우자 또는 직계존비속 등 그 관계에 따라 증여재산공제를 받을 수 있으며, 10년 이내 재차 증여 시 기존 증여재산가액과 합산하여 누진세율을 적용받는다.

상속세는 자연인의 사망을 계기로 무상으로 이전되는 재산을 과세물건으로 하여 그 취득자에게 과세하는 조세다. 대한민국은 유산과세형으로 피상속인이 남긴 유산총액의 이전을 과세물건으로 하여 피상속인을 기준으로 과세한다. 그래서 그 적용되는 세율이 상당한 고율이며, 높은 누진세율로 인해 OECD 국가 중에서도 세율이 최상위권에 속하고 있다.

무상의 이전방식인 증여세와 상속세에서 핵심은 미리 절세플랜을 계획하여 고율의 누진과세를 피하는 방식을 취해야 한다는 점이다. 특히 주택의 경우는 자산가치를 산정하는 시가 평가방식에 따라 상속세 및 증여세가 큰 폭으로 변동될 수 있다.

3

세금은 실질과세, 주거용으로 쓰는 건물은 전부 '주택'

"아니, 세무사님. 등기부등본에 떡하니 '상가'라고 적혀 있는데, 왜 주택 중과세가 나온다고 하시는 겁니까?" 상기된 목소리로 납세자가 따지듯이 묻는다. 하지만 해당 상가 1층 이외의 층에는 상가라고 볼 수 있는 간판이 전무할 뿐더러 해당 건물은 과거 주택에서 상가로 용도변경한 이력이 있었음에도 불구하고 개별주택가격이 계속 고시되고 있었다. 이에 의구심이 든 세무사는 해당 구청에 전화해서 알아보니 상가건물의 일부가 주택으로 파악돼 재산세를 부과하고 있다는 사실을 확인할 수 있었다.

미리 파악한 정보를 납세자에게 전달하니 납세자의 표정에 당황한 기색이 역력했다. "선생님, 말씀하신 건물에 주택으로 임대를 주고 계신 것 같습니다. 장기간 개별주택가격이 고시되고 있으며, 재산세도 주택분이 따로 나온 지가 5년이 넘었습니다. 게다가 주거목적으로 임차인이 있고, 그 임차인이 전입신고와 확정신고까지 했다면 공부를 근린생활시설로 바꿨더라도 실질에 따라 주택으로 쓰고 있는 부분은 주택으로 보게 됩니다. 세법은 실질에 따라 과세가 되므로 현재 선생님 세대구성원의 주택이 3채나 더 있으니 주택으로 보는 부분에 대해서 3주택자 중과세로 추징될 수 있습니다."

상담을 하다 보면 위와 같은 사례는 비일비재하다. 세법은 소득, 수익, 재산, 행위 또는 거래의 명칭이나 형식과 관계없이 그 실질 내용에 따라 적용하고 있다. 만일 실제 주택으로 임대하고 있는 건물을 상가라고 하여 일반과세를 주장하게 되면 어떻게 될까? 실제 법원 판결문의 판단 내용을 살펴보자.

> 서울고등법원2012누33227, 2013. 10. 16.
> [제목]
> 건물의 구조·기능이나 시설 등이 본래 주거용으로서 언제든지 본인이나 제3자가 주택으로 사용할 수 있는 건물의 경우에는 이를 주택으로 봄
> [요지]
> **건물이 주택에 해당하는지 여부는 건물공부상의 용도구분에 관계없이 실제 용도가 사실상 주거에 공하는 건물인가에 의하여 판단하여야 하고,** 건물의 구조·기능이나 시설 등이 본래 주거용으로서 주거용에 적합한 상태에 있고 주거기능이 그대로 유지·관리되고 있어 언제든지 본인이나 제3자가 주택으로 사용할 수 있는 건물의 경우에는 이를 주택으로 보아야 할 것임

위 판결문을 보면 그 실질파악을 위해서 ①항공사진 및 현황조사, ②공부상 주택여부 파악 및 재산세 부과내역 검토, ③매수자 및 이웃과의 인터뷰 등으로 충분히 양도일 시점에 일부가 주택이었다는 점을 과세관청에서는 파악할 수 있었다.

현재 주택현황을 파악하는 방식은 너무나도 다양하게 접근할 수 있다. 항상 세금은 실질에 따라 과세되고, 특히 다주택자의 경우는 취득세와 양도소득세 중과세 여부가 세액을 크게 증가시키는 주요 원인이 되므로 주의를 요하고 있다.

최근 참고 예규
기획재정부 재산세제과-1322, 2022. 10. 21
[제목]
매매특약에 따라 잔금청산 전 주택을 상가로 용도변경 시 양도물건의 판정기준일
[요지]
주택에 대한 매매계약을 체결하고, 그 매매특약에 따라 잔금청산 전에 주택을 상가로 용도변경한 경우 2022. 10. 21. 이후 매매계약 체결분부터 양도일(잔금청산일) 현재 현황에 따라 양도물건을 판정함

세금을 적게 내려면 조정대상지역 해제 뉴스에 귀를 기울이자

조정대상지역과 양도소득세 중과세율 해제의 역사

2023년 1월 5일 서울특별시 강남구, 서초구, 송파구, 용산구를 제외한 나머지 지역이 조정대상지역에서 해제되었다. 지난 6월, 그리고 9월과 11월에 이어 전국 대부분의 지역이 해제되었다고 볼 수 있다.

조정대상지역 해제는 사실 예정된 수순이었다고 볼 수 있다. 이는 사실 어느 정도 예측이 가능한 조치였다. 바로 과거의 부동산 정책에 대한 학습이 선행되어 있었다면 말이다.

2003년 10·29 주택시장안정 종합대책의 일환으로 노무현 정부에서는 종합부동산세 도입 및 다주택자의 양도소득세를 강화하여 2004년 1월 1일부터 3주택 이상자에게 단일세율 60%를 부과하였다. 그리고 2005년 8·31 대책을 통해 2007년 1월 1일부터 2주택자

양도소득세를 단일세율 50%로 부과하는 방안을 추가하고, 보유세와 취등록세를 강화하였다. 이후 2008년에 발생한 글로벌 경제위기 여파에 따른 건설경기 악화 및 미분양주택의 해소를 위해 다주택자에 대한 중과제도가 하나씩 해제되기 시작했다.

양도소득세 중과세율의 역사

<table>
<tr><th>기간</th><th>중과세율</th><th>장기보유 특별공제</th></tr>
<tr><td>~08. 12. 31.</td><td>지정지역 2주택 50%,
3주택 60% 양도소득세 중과</td><td rowspan="4">장기보유 특별공제 불가</td></tr>
<tr><td>09. 1. 1. ~ 09. 3. 15.</td><td>2년 이상 보유 시
2주택 누진세율, 3주택 45%</td></tr>
<tr><td>09. 3. 16. ~ 10. 12. 31.</td><td>한시적 중과 유예
투기지역 3주택자는
누진세율 + 10%p</td></tr>
<tr><td>11. 1. 1. ~ 11. 12. 31.</td><td rowspan="2">중과 유예 연장
투기지역 3주택자는
누진세율 + 10%p</td></tr>
<tr><td>12. 1. 1. ~ 13. 12. 31.</td><td rowspan="2">장기보유 특별공제 가능</td></tr>
<tr><td>14. 1. 1. ~ 18. 3. 31.</td><td>중과 폐지
투기지역 3주택자는
누진세율 + 10%p</td></tr>
<tr><td>18. 4. 1. ~ 21. 5. 31.</td><td>조정대상지역 2주택자는
기본세율 + 10%p
조정대상지역 3주택자는
기본세율 + 20%p</td><td rowspan="2">장기보유 특별공제 불가</td></tr>
<tr><td>21. 6. 1. ~ 22. 5. 9.</td><td>조정대상지역 2주택자는
기본세율 + 20%p
조정대상지역 3주택자는
기본세율 + 30%p</td></tr>
<tr><td>22. 5. 10. ~ 24. 5. 9.</td><td>다주택자 중과 한시적 유예</td><td>보유기간 2년 이상 주택</td></tr>
</table>

이에 궤를 맞춰 투기지역에 대해서도 해제가 되기 시작했다. 크게는 2007년 9월 28일 수도권 이외의 지역을 시작으로 2007년 12월

3일, 2008년 1월 30일, 2008년 11월 7일을 거쳐 가장 마지막으로 강남 3구가 2012년 5월 15일에 해제되었다. 점진적인 투기지역의 해제로 인해 투기지역 내 3주택자에 대한 중과세율 적용도 유명무실해졌다고 볼 수 있다. 즉, 양도소득세 중과세율과 투기지역에 대해서는 비슷한 궤로 해제가 되었다.

문재인 정부에서의 부동산 정책은 그 궤가 노무현 정부와 아주 유사하다. 그러므로 사실상 각종 규제정책의 방향과 강도에 대해서 예측하는 것은 엄청 어려운 일은 아니었다. 그러나 이러한 방향성을 경험한 바 없는 주택 소유자가 시장에서 느끼는 혼란은 생각 이상으로 컸을 것이다. 그리고 지금 2007년의 글로벌 경제위기와 맞먹는 2022년 팬데믹 경제위기는 그 궤가 아주 유사하며, 이에 발맞춰 윤석열 정부에서는 조정대상지역 해제가 예견된 수순일 수밖에 없었던 것이다.

앞으로 조정대상지역은 점진적으로 해제되면서 서울 4구도 해제될 것으로 예측된다.

5

조정대상지역이 해제되면 중과세율도 완화된다

주택과 관련된 '취득-보유-처분'을 하면서 조정대상지역의 설정과 해제에 귀를 기울이지 않는다면 그 사람은 주택관리에 무관심하다고 할 수 있다. 조정대상지역 내 주택과 관련된 '취득-보유-처분' 단계에서의 세금은 중과세율, 즉 일반세율보다 더 무거운 세금을 부과하고 있다. 나의 세후수익에 아주 큰 영향을 미치는 요소이므로 조정대상지역 내 주택에 대해서는 민감도가 높아질 수밖에 없다.

취득세

조정대상지역 해제로 인해 증여 및 매매 취득세 중과가 완화된다. 최근 몇 년간 발표된 수차례의 부동산 대책으로 인해 주택 취득세율에도 많은 변화가 있었다. 핵심은 조정대상지역 내 다주택자의 추가 취득에 대해서 중과세율을 적용하는 것이다. 세대 구성원의 주택수가 2주택 이상인 다주택자라면 취득 전에 중과되는 취득세에 대한 고민이 선행되어야 한다. 조정대상지역 내 2주택자는 중과세지만 비조정대상지역은 3주택자부터 중과세율을 적용받는다. 조금 더 여유를 가질 수 있는 셈이다.

● 주택 매매 취득세율

매매 취득 시 주택 취득세율			
개인	1주택	주택 가액에 따라 1~3%	
		조정대상지역	非조정대상지역
	2주택*	8%	1~3%
	3주택	12%	8%
	4주택 이상	12%	12%
법인		12%	

* 일시적 1세대 2주택으로 신규주택 취득 후 종전주택을 3년 이내 처분하는 경우에는 1주택과 같이 일반세율을 적용한다.

● 주택 증여 취득세율

구분		취득세	농특세	지방교육세	합계
증여 취득	85㎡ 이하	3.5%	-	0.3%	3.8%
	85㎡ 초과	3.5%	0.2%	0.3%	4.0%
조정대상지역 내 증여 취득	85㎡ 이하	12%	-	0.4%	12.4%
	85㎡ 초과	12%	1%	0.4%	13.4%

조정대상지역 내 시가표준액 3억 원 이상인 주택을 증여하면 증여취득세로 중과된다. 다만, 증여자가 1주택 세대이면서, 배우자나 직계존비속에게 증여하는 경우에는 중과되지 않는다.

취득세의 실질적 납부자는 자녀인데 자녀의 세부담이 줄어들 수 있기 때문에 조정대상지역 해제 또는 해제가 예정된다면 이를 염두에 두고 증여하여 취득세를 절세할 수 있다.

2023년 취득세 개정사항은 두 가지다.

첫 번째로 특수관계인간 저가양수도와 증여취득에 대한 취득세 과세표준이 '시가표준액'에서 '시가인정액'으로 개정되어 세금이 더욱 늘어날 것으로 보인다. 두 번째로 2023년 2월 국회에서 취득세 중과완화 입법을 진행할 예정이다. 매매 및 증여취득 시 2주택까지는 중과세를 적용하지 않고, 3주택부터 4% 또는 6%로 중과세율을 낮추겠다는 것이다. 2월 이후 입법이 어떻게 확정될지 꼭 지켜보도록 하자.

종합부동산세

종합부동산세의 중과세율 적용은 3주택 이상을 소유하거나 아니면 조정대상지역 내 2주택을 소유한 자가 중과세율을 적용받았었으나, 2023년부터는 3주택 이상자 중 합산 공시가가 12억 원을 초과하는 경우에만 중과세를 적용받을 것으로 보인다. 이로 인해 조정대상지역에 따른 중과세율 제재는 없어졌다고 볼 수 있다.

양도소득세

첫 번째로 조정대상지역의 1세대 1주택 양도소득세 비과세 판정 시 2년 거주요건이 있는데, 조정대상지역 해제 이후에 취득한 1세대 1주택 비과세 판정 시에는 2년 거주요건이 적용되지 않는다. 단, 조정대상지역이었던 시점에 취득한 이후 그 대상에서 해제되었다면 2년 거주요건이 제외되지 않는다는 점을 주의해야 한다.

두 번째로 비조정대상지역 내 주택 매매 시 양도소득세 중과세율을 적용받지 않는다. 물론 현재 조정대상지역 내 2년 이상 보유 주택은 2022년 5월 10일부터 2024년 5월 9일까지 한시적으로 중과배제를 받고 있기 때문에 무차별하다.

또한 '2023년 경제정책방향'에서 양도소득세 중과세 한시적 유예를 2024년 5월까지 연장하고, 2023년 7월에는 세제개편안을 통해 근본적 개편안을 마련하겠다고 밝혔다. 이에 따라 양도소득세에 대한 중과세 부담은 사실상 사라졌다고 볼 수 있다.

CHAPTER

2

부동산 취득 및 보유 단계

1

주택취득 자금소명서, 잘못 쓰면 바로 증여세 세무조사

주택취득 시 취득자금에 대한 명확한 출처를 확보하는 것은 필수가 되었다. 취득자금에 대해서 과세관청에서는 "주택 취득자금조달 및 입주계획서"를 통해 '자금출처조사'를 펼칠 수 있다. 자금출처조사는 증여세 세무조사와 직접적인 연관성이 있지만, 취득 시점에서 미리 대비를 해야 취득 이후 증여세 세무조사가 벌어지지 않는다.

"주택 취득자금은 어디서 마련했습니까?"라고 추후에 물어봤을 때 이를 증명할 소명논리가 없으면 바로 증여세를 추징당할 수 있기 때문에 취득 전부터 나의 취득자금은 적정한지의 여부를 자가진단하여 미리 준비하도록 하자.

주택취득 시 주택자금조달계획 신고는 의무!

2017년 8·2 대책 이후 쏟아진 부동산 대책 중 하나가 주택취득 시 의무 제출해야 하는 "주택 취득자금조달 및 입주계획서"다. 주택취득 시 계약 체결일로부터 30일 이내에 실거래 신고와 함께 주택자금조달계획을 신고해야 한다. 주택자금조달계획 신고는 지난 2015년에 폐지된 제도이지만, 부동산 시장 안정화 방안으로 2017년 8·2 대책에서 다시 부활하게 되었다. 2022년 2월 28일 이후 토지를 취득하는 경우에도 자금조달계획서를 제출해야 한다. 자금조달계획서를 작성하는 대상은 다음과 같다.

(1) 주택의 매수
- 법인 외의 자가 실제거래가격이 6억 원 이상인 주택을 매수하거나 투기과열지구 또는 조정대상지역에 소재하는 주택을 매수하는 경우
- 추가로 투기과열지구 내 주택 거래 신고 시 거래가액과 무관하게 자금조달계획을 증명하는 서류를 첨부하여 제출해야 함

(2) 토지의 일반 매수
- 실제거래가격이 다음에 해당하는 금액 이상의 토지를 매수하는 경우
① 수도권 등에 소재하는 토지: 1억 원
② 수도권 등 외의 지역에 소재하는 토지: 6억 원
- 1회의 토지거래계약으로 매수하는 토지가 둘 이상인 경우에는 매수한 각각의 토지 가격을 모두 합산
- 신고대상 토지거래계약 체결일부터 역산하여 1년 이내에 매수한 연접 토지가 있는 경우에는 그 토지 가격을 거래가격에 합산하여 자금조달계획을 작성

(3) 토지의 지분 매수
- 실제거래가격이 다음에 해당하는 금액 이상의 토지를 지분 매수하는 경우
① 수도권 등에 소재하는 모든 토지
② 수도권 등 외의 지역에 소재하는 토지: 6억 원

관할 시·군·구청에서는 증빙자료 확인을 통해 불법 증여, 대출규정 위반 등 의심거래는 집중 관리 대상으로 선정하고, 실거래 신고 즉시 조사에 착수한다. 그리고 불법 증여로 의심이 되는 거래에 대해서는 관할 세무서에 정보를 이관하여 바로 증여세 관련 해명자료 안내를 받게 된다. 해명자료에 대한 명확한 소명이 되지 않는다면 과세관청의 조사를 통해 고액의 증여세가 추징될 수 있다.

예를 들어, 직장생활 5년 차인 어떤 사람이 10억 원의 주택을 구입할 때 부친으로부터 전체 자금을 받아 본인의 예금 잔액증명서를 보여주면 된다는 생각을 할 수 있다. 그러나 이는 너무 일차원적인 접근이다. 직장생활 5년 차인데 본인의 소득금액증명원상 소득이 2억 원도 안 된다고 한다면, 이는 본인이 벌어들인 소득이 2억 원이 채 안 되는 상태에서 예금 잔액증명서가 10억 원이 되었다는 것인데, 그렇다면 나머지 8억 원에 대한 소명논리가 부족해진다.

이 8억 원을 부모로부터 증여받았다고 하여 증여세 무신고에 대해 본세와 이에 따르는 가산세 추징액을 계산해보면, 무려 2억 원 이상의 세액을 납부해야 한다. 해당 증여세를 바로 납부하지 못한다면 가산세는 1일당 계속 늘어나게 되며, 최악의 경우 본인 명의의 주택이 체납처분에 의한 압류가 될 수도 있다.

(1) 증여세: (8억 원-5천만 원[직계비속 증여재산공제])×30%-6천만 원
=1억 6,500만 원
(2) 가산세
① 신고불성실가산세(20% 가정): 3,300만 원
② 납부지연가산세(100일 가정, 1일 0.022%): 363만 원
(3) 합계: 2억 163만 원

소득-지출 분석(PCI 시스템)으로 소명은 확실한지 살펴보자

'주택취득이 아닌 전세는 괜찮지 않을까?' 하는 생각을 할 수 있다. 그러나 2021년 6월 1일부터 전월세 신고제가 시행됨에 따라 경기도 외 도道 관할 군 지역을 제외한 전역에 대해서 보증금 6,000만 원을 초과하거나 월세가 30만 원을 초과하면 임대차계약 내용을 신고해야 한다. 2023년 6월 1일부터는 임대차계약 관련 신고를 하지 않을 경우 100만 원 이하의 과태료도 부과된다. 그러므로 자금출처의 투명함이 보장되지 않은 상태의 전세 명의자가 되는 것도 아주 큰 위험이 될 수 있다.

국세청은 납세자에 의한 소득이나 이익의 의도적인 누락을 적발하여 세금을 추징하기 위해 그동안 확보한 납세자의 재산현황, 소비수준, 신고내역을 통합·분석하고 결과를 추출하는 PCI 시스템Property, Consumption and Income Analysis System(소득-지출 분석시스템)을 활용하고 있다. 이는 "재산증가액(P)+소비지출액(C)-신고소득(I)=탈루혐의액"이라는

명료한 전제를 활용하여 탈루세액을 쉽게 찾아낼 수 있는 대표적인 조사방법이다.

예를 들어, 과거 5년간 국세청 신고소득은 4억 원인데 반해 지난 5년간 재산증가액과 소비지출액이 각각 7억 원과 3억 원으로 그 합이 10억 원이라고 가정하면, 차액인 6억 원은 탈루소득 또는 증여로 의심되어 세무조사 대상자로 선정될 수 있다. 이처럼 일정 기간 동안 재산증가와 소비지출의 합계액이 최근 5년 동안 신고된 소득의 합계액보다 크면, 그 차액은 신고 누락된 소득 또는 증여로 추정하여 소명 요구를 받게 된다.

국세청은 동산·부동산의 등기 또는 명의이전을 요구하는 재산뿐만 아니라 납세자의 신용카드 및 현금영수증 사용빈도, 거래내역까지 파악이 가능하다. 이는 국세청이 개인의 금융거래내역도 조회할 수 있기 때문이다. 개인의 사생활이 보호되고 있지 않다고 생각할 수 있지만, 「금융실명법」 제4조에서 "조세에 관한 법률에 따라 제출의무가 있는 과세자료 등의 제공과 소관 관서의 장이 상속·증여 재산의 확인, 조세탈루의 혐의를 인정할 만한 명백한 자료의 확인, 체납자의 재산조회, 「국세징수법」 제9조 제1항 각호의 어느 하나에 해당하는 사유로 조세에 관한 법률에 따른 질문·조사를 위하여 필요로 하는 거래정보 등의 제공"은 그 사용 목적에 필요한 최소한의 범위에서 거래정보 등을 제공할 수 있다고 명시되어 있다.

실제 국세청 홈페이지에는 주기적으로 주택 전세 및 취득에 따른 증여탈세에 대한 세무조사를 실시한 후 보도자료를 게시하고 있다. 다양한 탈세 사례에 대해 세무조사를 펼치고 있으며, 추징사례를 통해 국세청의 촘촘한 조사방식에 대해 간접적으로 경험할 수 있다.

가족 간에 차용증은 어떻게 써야 할까?

부동산 취득 시 자금출처를 소명하는 것이 필수가 된 현재 취득자금의 일부를 부모로부터 차입했더라도 이를 증여로 보아 증여세 소명 대상이 되기 쉽다. 왜 그럴까? 부모로부터 유입된 부동산 취득자금이 증여 대상인지, 아니면 금전 대여인지를 가려내기 위해서다. 그렇다면 이 내역이 '금전 대여'라는 것을 어떻게 입증할까?

● 자녀의 경제적 능력은 필수

채무자인 자녀가 경제적인 능력이 없다면 대여금 및 대여금에 따르는 이자의 변제능력을 입증하는 것은 불가능에 가깝다. 그렇다면 사실상 변제의지가 없는 것으로 보아 대여금액이라 지칭한 총액을 증여라고 볼 수도 있다.

● 차용증은 기본 중의 기본! 차용증부터 작성하자

부모 자식 간에 돈을 빌려줄 때 아직도 일정한 차용증 또는 금전소비대차 계약서를 안 쓰는 경우가 있다. 실제 변제에 대한 각종 약정(당사자 인적사항, 대여금, 대여이율, 대여금 분할 변제 여부, 변제기한 등)을 기입한 금전소비대차 계약서도 없이 이를 자녀에게 대여해줬다고 주장한다면 법에서는 사실상 대여로 인정받기가 어렵다.

간간이 차용증이 없음에도 입증이 가능한 경우가 있지만, 이는 짧은 시간 내에 즉시 변제하였고, 자녀 역시 경제적 능력이 인정되는 상황이었던 점을 놓치면 안 된다.

● 차용증 외에도 증빙자료를 구비하자

차용증만 구비해 놓으면 금전 대여임을 입증할 수 있을까? 그렇지 않다. 과세관청은 기본적으로 특수관계인 간 금전 대여 거래를 판단할 때, 객관적이고 구체적인 입증 자료를 종합적으로 판단한다.

첫째로, 작성된 차용증이 사후적으로 작성되었는지 여부를 확인한다. 따라서 차용증 작성 시점에 공증법률사무소에 가서 공증 또는 확정일자를 받거나, 우체국 내용증명이나 이메일 발송 등의 방법을 통해 차용증 작성 일자를 확실히 하는 과정이 필요하다. 더 확실히 차용이라는 경제적 실질을 입증하기 위해서 자녀의 부동산에 근저당을 설정하는 방법도 있다.

둘째로, 작성된 차용증의 내용대로 원리금상환이 이루어졌는지를 확인한다. 즉, 차용증에 기입된 상환 일정에 맞추어 정해진 원리금이 상환되었다는 것을 입증할 수 있어야 한다. 그러므로 반드시 계좌이체를 통해 지급하면서, 적요 사항에 원리금상환임을 명확하게 기록하는 것이 중요하다.

셋째로, 채무자의 이자 비용은 곧 대여자의 이자소득이다. 일반적인 사채私債의 경우에는 비영업 대금의 이익이라 하여 지방소득세 포함 이자 지급액의 27.5%를 원천징수 후 차액을 이자로 지급해야 하고, 대여자는 수령한 이자소득에 대해 소득세를 신고해야 한다.

이처럼 금전 대여에 대한 입증 책임은 이를 주장하는 납세자에게 있으므로, 그것을 차용증과 같은 요식행위뿐만 아니라 그 내용을 기반으로 한 이자 지급 내역 등을 통해 상당한 정도로 금전 대여임이 입증돼야 한다.

금전 무상 대여 또는 저리 대여하면 증여세 과세대상이 된다

간혹 차용증을 작성하는데 이자는 전혀 없는 무상 차용증을 작성하는 경우가 있다. 이러한 경우에는 대부분 그 거래 자체를 차용한 것이라고 믿지 않는 경우가 많으며, 무상으로 금전을 차입하거나 법에서 정한 적정 이자율에 미달하는 이자율로 금전을 차입하는 경우에는 금전을 대출받은 날에 아래의 계산을 통해 그 금전을 대출받은 자의 증여재산가액을 산정한다. 다만, 해당 증여재산가액이 연 1,000만 원 이상인 경우에만 증여세가 과세된다.

① 무상으로 금전을 차입하는 경우 증여재산가액=대출금액×법에서 정한 적정이자율(연 4.6%) ② 적정이자율보다 낮은 이자율로 금전을 차입하는 경우 증여재산가액=대출금액×법에서 정한 적정이자율(연 4.6%)-실제 지급한 이자상당액

채무자가 '실제 지급한 이자상당액'이란 차입에 대한 반대급부로

서 금융거래내역 등으로 입증 가능한 금액만을 인정한다. 따라서 당사자 간 차용증이나 사인私人 간에 작성한 문서 등에 의해 지급하기로 예정되었다는 사유만으로는 실제 이자 지급이 이루어진 것으로 인정되지 않는다.

이러한 금전 무상 대출에 따른 증여세는 원칙적으로 직계존비속 등 특수관계 여부와 상관없이 적용되지만, 특수관계인이 아닌 자 간의 거래인 경우에는 거래 관행상 정당한 사유가 없을 때만 한정하여 적용된다.

2

주택을 가지고만 있어도 매년 내야 하는 재산세와 종합부동산세

최근 보유세인 재산세와 종합부동산세에 대한 관심이 뜨겁다. 주택보유자가 보유기간 동안 계속해서 납부해야 하는 세금이 눈덩이처럼 커지고 있기 때문이다. 보유세인 재산세와 종합부동산세는 과세기준일인 매년 6월 1일 당시 주택보유자에게 부과되는 세금으로 그 과세표준은 공동주택가격 또는 개별주택가격으로 한다.

2022년 전국 표준주택 공시가격 상승률은 7.36%로 2021년 6.80%에 비해 0.56%p 올랐다. 이는 2019년(9.13%) 이후 가장 높은 상승률이다. 이 표준주택은 개별주택 공시가격 산정의 기준이 되는 주택으로, 지자체는 표준주택 공시가격을 활용해 개별주택의 가격을 산정하고 있다. 이는 2020년 말 정부가 공동주택의 경우 2030년까지, 표준 단독주택은 2035년까지 공시가격을 시세 대비 90%로 맞추겠다는 로드맵의 영향이다. 국토교통부의 보도자료에 따르면 2021

년 공동주택 공시가격은 2020년도에 비해 19.08%나 올랐다는 점이 이를 뒷받침한다. 또한 공동주택 또는 개별주택 가격은 건강보험 지역가입자 부과 및 피부양자 기준에도 영향을 미치는 등 그 지표가 생활 여러 곳에 나타나고 있다. 그러므로 공동주택 또는 개별주택의 가격 상승은 주택을 보유하고 있는 모든 국민에게 부담을 미친다고 볼 수 있다. 그러므로 1주택만 가지고 있어도 재산세와 종합부동산세가 최근 몇 년 새 껑충 뛰었다는 걸 체감하는 분들이 관련 뉴스에 더 귀를 기울이고 있는 상황이다.

다행인 점은 2022년부터 시작된 부동산 가격 하락의 영향으로 2023년 부동산 공시가 현실화율을 2020년 수준으로 낮추어서 재산세 및 종합부동산세 등 부동산 세금 부담을 완화하겠다는 방침을 국토교통부가 밝힌 상황이다.

재산세

부동산을 소유한 납세자는 매년 받아보는 고지서로 재산세를 접한 적이 있을 것이다. 주택의 재산세는 1주택자이면서 공시가격 9억 원 이하인 경우에만 재산세 특례세율을 적용받을 수 있고, 그 이외의 상황에서는 표준세율을 적용받아 더 많은 세금을 납부하게 된다.

주택의 재산세 과세구조

<table>
<tr><th>구분</th><th>내용</th></tr>
<tr><td>공시가격</td><td>주택별 공시가격</td></tr>
<tr><td>×공정시장 가액비율</td><td>주택은 60%</td></tr>
<tr><td>=재산세 과세표준</td><td>주택분 재산세 과세표준</td></tr>
<tr><td>×세율(%)</td><td>
① 공시가격 9억 원 초과·다주택자·법인
<table>
<tr><th>과표</th><th>표준세율</th></tr>
<tr><td>0.6억 원 이하</td><td>0.1%</td></tr>
<tr><td>0.6~1.5억 원 이하</td><td>6만 원+0.6억 원 초과분의 0.15%</td></tr>
<tr><td>1.5~3억 원 이하</td><td>19.5만 원+1.5억 원 초과분의 0.25%</td></tr>
<tr><td>3~3.6억 원 이하</td><td rowspan="2">57만 원+3.0억 원 초과분의 0.4%</td></tr>
<tr><td>3.6억 원 초과</td></tr>
</table>
② 공시가격 9억 원 이하 1주택자 세율표
<table>
<tr><th>과표</th><th>특례세율 (공시 6억 이하)</th></tr>
<tr><td>0.6억 원 이하</td><td>0.05%</td></tr>
<tr><td>0.6~1.5억 원 이하</td><td>3만 원+0.6억 원 초과분의 0.1%</td></tr>
<tr><td>1.5~3억 원 이하</td><td>12만 원+1.5억 원 초과분의 0.2%</td></tr>
<tr><td>3~3.6억 원 이하</td><td>42만 원+3.0억 원 초과분의 0.35%</td></tr>
<tr><td>3.6억 원 초과</td><td>-</td></tr>
</table>
</td></tr>
<tr><td>=산출세액</td><td>주택분 산출세액</td></tr>
<tr><td>-세 부담 상한 적용</td><td>올해 산출세액이 주택별로 직전연도 산출세액에서 세 부담 상한율을 초과하면 상한율로 징수
① 공시가격 3억 원 이하: 5%
② 공시가격 3억 원 초과~6억 원 이하: 10%
③ 공시가격 6억 원 초과: 30%</td></tr>
<tr><td>=납부할 세액</td><td></td></tr>
</table>

종합부동산세

부동산 보유에 대한 지방세가 재산세라면, 국세에는 종합부동산세가 있다. 현재 토지, 건물의 보유에 대해서는 재산세가 부과되고, 일정 금액 이상의 토지, 주택(비주거용 건물은 제외)의 보유에 대해서는 종합부동산세도 부과된다. 매년 6월 1일 현재 보유한 전국 합산 주택의 공시가격 합계액이 9억 원(1세대 1주택자 12억 원)을 초과하는 자는 종합부동산세를 납부해야 한다.

2022년 7월 21일 세제 개편안에 대해서 12월에 극적으로 여야 합의가 이루어져 2023년부터는 세부담이 대폭 줄 것으로 예측된다. 일반적인 기본공제를 6억 원에서 9억 원으로 상향했으며, 1세대 1주택자는 기본공제를 11억 원에서 12억 원으로 상향했기 때문이다.

주택의 종합부동산세 계산 구조

<table>
<tr><th>구분</th><th>내용</th></tr>
<tr><td>공시가격</td><td>주택 공시가격 합계</td></tr>
<tr><td>공제금액</td><td>9억 원(1세대 1주택자 12억 원)</td></tr>
<tr><td>×공정시장 가액비율</td><td>60%</td></tr>
<tr><td>=종부세 과세표준</td><td>주택분 종합부동산세 과세표준</td></tr>
<tr><td>×세율</td><td>
<table>
<tr><th>과세표준</th><th>일반세율</th><th>3주택자 중 공시가 합계 12억 원 이상자</th></tr>
<tr><td>3억 원 이하</td><td colspan="2">0.5%</td></tr>
<tr><td>3억 원 초과 6억 원 이하</td><td colspan="2">0.7%</td></tr>
<tr><td>6억 원 초과 12억 원 이하</td><td colspan="2">1.0%</td></tr>
<tr><td>12억 원 초과 25억 원 이하</td><td>1.3%</td><td>2.0%</td></tr>
<tr><td>25억 원 초과 50억 원 이하</td><td>1.5%</td><td>3.0%</td></tr>
<tr><td>50억 원 초과 94억 원 이하</td><td>2%</td><td>4.0%</td></tr>
<tr><td>94억 원 초과</td><td>2.7%</td><td>5.0%</td></tr>
<tr><td>법인</td><td>2.7%</td><td>5.0%</td></tr>
</table>
</td></tr>
<tr><td>=종합부동산 세액</td><td>주택분 종합부동산 세액</td></tr>
<tr><td>공제할 재산세액</td><td>재산세 부과세액 중 종부세 과세표준금액에 부과된 재산세 상당액</td></tr>
<tr><td>=산출세액</td><td>주택분 산출세액</td></tr>
<tr><td>-세액공제(%)</td><td>1세대 1주택만 가능, 두 감면은 중복적용 가능, 한도는 80%
1) 보유: 5년 이상(20%), 10년 이상(40%), 15년 이상(50%)
2) 연령: 60세 이상(20%), 65세 이상(30%), 70세 이상(40%)</td></tr>
<tr><td>-세 부담 상한 적용</td><td>[직전년도 총세액상당액(재산세+종부세)×세부담상한율]을 초과하는 세액
→ 세부담상한율: 150%, 법인은 상한 없음</td></tr>
<tr><td>=납부할 세액</td><td>각 과세유형별 세액의 합계액</td></tr>
</table>

3

주택임대사업자는 공부를 철저히 하자

주택임대소득 기초지식

주택임대소득에 대해서 아직까지 세금을 안 내도 된다고 알고 있는 납세자가 많다. 그러나 과거에도 주택임대소득에 대해서는 과세였다. 다만, 2018년 12월 31일까지는 총수입금액이 2천만 원 미만이라면 비과세가 되었기 때문에 이를 착각하여 주택임대소득은 전부 비과세로 잘못 알고 있는 경우가 많다. 그러나 2019년부터는 2천만 원 미만도 전부 과세가 적용되기 때문에 이를 누락한 주택임대사업자가 많다.

주택임대사업을 하고 있다면 사업개시일부터 20일 이내에 사업자등록신청서를 사업장 소재지 관할 세무서장에게 제출하여 사업자등록 신청을 해야 한다. 「민간임대주택에 관한 특별법」상 임대사업자로 등록한 사업자는 그 등록한 주소지(사무소 소재지)를 사업장으로 하여 관할 세무서장에게 사업자등록신청을 할 수 있다. 주택임대소득이 있는 사업자가 사업개시일부터 20일 이내에 등록을 신청하지 않은 경우 사업개시일부터 등록을 신청한 날의 직전일까지 주택임대수입금액의 0.2%에 해당하는 금액을 가산세로 납부해야 한다.

여기서 세무서 사업자등록과 시·군·구청 사업자등록을 구분해야 한다. 세무서 사업자등록은 「소득세법」에 따른 사업자등록으로 주택임대소득에 대한 소득부과용 사업자등록이며, 여기에 추가로 「민간임대주택에 관한 특별법」에 따른 임대사업자등록을 관할 시·군·구청에 할 수 있다.

이렇게 세무서와 시·군·구청 2곳 모두에 사업자등록을 한 임대주택(이하 '등록임대주택')의 임대보증금 또는 임대료의 증가율이 연 5%를 초과하지 않으면 다음의 혜택을 받을 수 있다.

① 주택임대소득 분리과세 시 필요경비 60%와 기본공제 4백만 원(미등록 임대주택은 필요경비 50%, 기본공제 2백만 원)
② 소형주택 임대사업자에 대한 세액 감면적용으로 임대사업에서 발생한 소득에 대한 소득세의 30%[2호 이상인 경우 20%], 장기일반민간임대주택 등은 75%[2호 이상인 경우 50%]에 상당하는 세액을 감면(25년 12월 31일까지 연장 예정)

그 외 종합부동산세 합산배제와 양도소득세 조세감면 혜택 등이 있다. 그러나 임대주택에 대한 세제혜택을 축소하는 방향으로 「민간임대주택에 관한 특별법」이 개정되어 단기임대 및 아파트 장기임대가 폐지되었고, 기존 8년이었던 장기일반민간임대주택이 10년으로 개정되었다.

위 혜택을 받은 상황에서 「민간임대주택에 관한 특별법」에 따른 임대주택을 양도하는 등으로 임대기간을 다 충족하지 못한 상황이 발생하면 사후관리 요건위배로 미등록임대주택을 적용하여 계산한 세액과 당초 신고한 세액의 차액 및 이자 상당 가산액을 그 사유 발생일이 속하는 과세연도의 과세표준신고를 할 때 소득세로 납부(부득이한 사유가 있는 경우 이자상당액은 제외)해야 한다.

사후관리를 배제하는 규정을 예외적으로 신설하였는데, 「민간임대주택에 관한 특별법」상 자진·자동등록이 말소되는 경우와 단기민간임대주택이 재개발, 재건축, 리모델링으로 등록이 말소되는 경우다.

새로 개정되기 전까지 사실상 시·군·구청 사업자등록은 큰 혜택이 있다고 볼 수 없다. 시·군·구청 사업자등록 시 10년이라는 임대의무기간을 꼭 지켜야 하고, 특별한 상황 이외에는 양도 시 과태료를 추징받으므로 시·군·구청 사업자등록은 신중하게 고민하도록 하자.

'2023년 경제정책방향'에서 2020년도에 대폭 축소된 등록임대 유형 중 국민주택규모 장기아파트(전용면적 85㎡ 이하) 등록을 재개하겠다고 밝혔다. 이와 더불어 취득세 감면, 재산세 감면, 국세 인센티브를 다시 복원하겠다고 밝혔다. 이에 따라 임대주택에 대해서 고민중이라면 관련 법 개정이 완료된 이후 본인에게 득과 실이 어떻게 될지 꼭 확인해보도록 하자.

주택임대소득 과세대상

주택임대소득 과세대상에 대해서 살펴보도록 하자.

주택수에 따른 주택임대사업자 과세대상

주택수(부부합산)	과세대상 O	과세대상 ×
1주택 보유	• 기준시가 9억 원* 초과 주택의 월세 수입 • 국외주택의 월세 수입	• 국내 기준시가 9억 원 이하 주택의 월세 수입 • 모든 보증금·전세금
2주택 보유	• 모든 월세 수입	• 모든 보증금·전세금
3주택 이상 보유	• 모든 월세 수입 • 비소형 주택 3채 이상 소유 & 해당 보증금·전세금 합계 3억 원 초과	• 소형주택의 보증금·전세금 • 비소형 주택 3채 미만을 보유한 경우 보증금·전세금 • 비소형 주택의 보증금·전세금 합계 3억 원 이하

* 세제 개편안으로 인해 주택임대소득 과세 고가주택 기준이 9억 원에서 12억 원으로 상향될 예정이다.

주택임대사업자는 결국 보유주택 수에 따라 과세대상이 나뉘게 된다. 본인의 주택 보유상황에 맞춰 과세대상이라고 한다면 주택임대 수입금액은 월세와 보증금 등에 대한 간주임대료(적용이자율 1.2%)로 산정된다.

여기서 '간주임대료'란 사업자가 부동산임대용역을 제공하고 월정임대료와는 별도로 전세금 또는 임대보증금을 받는 경우에 전세금 등에 일정한 이율을 곱하여 계산한 금액을 말하며 과세표준 및 소득금액에 포함된다. 이는 월정임대료만을 수령하는 자와의 세부담 공평을 기하기 위한 제도다. 보증금에 대한 간주임대료는 거주자가 3주택 이상을 소유하고 해당 주택의 보증금 등의 합계액이 3억 원을 초과하는 경우 간주임대료를 총수입금액에 산입해야 한다. 단, 주거전용 면적이 1호戶 또는 1세대당 40㎡ 이하인 주택(소형주택)으로서 해당 과세기간의 기준시가가 2억 원 이하인 주택은 2023년 12월 31일까지는 주택수에 포함하지 않는다. 간주임대료는 다음의 산식으로 계산할 수 있다.

$$\textbf{간주임대료} = (\text{보증금 등} - \text{3억 원})\text{의 적수} \times 60\% \times \frac{1}{\underset{(\text{윤년은 366})}{365}} \times \underset{(\text{'21 귀속: 1.2\%})}{\text{정기예금 이자율}} - \text{해당 임대사업 부분 발생한 수입이자와 할인료 및 배당금의 합계액}$$

주택임대소득 신고 두 가지, 면세사업장 현황 신고와 종합소득세 신고

기존에 주택임대소득을 신고해보지 않았던 분들은 세무서에 '신고'하는 것 자체가 낯설고 어렵게만 느껴질 수 있다. 하지만 주어진 신고의무를 하지 않으면 이에 따르는 제재를 받게 된다. 주택임대소득 관련 신고는 크게 면세사업장 현황 신고와 종합소득세 신고 두 가지이므로 신고기한을 놓치지 않도록 하자.

면세사업장 현황 신고는 매년 2월 10일까지

부가가치세가 면세되는 주택임대 개인사업자는 직전년도 연간 수입금액 및 사업장 현황을 관할 세무서에 신고해야 한다. 사업장 현황 신고는 주택임대소득의 수입금액 합계와 구성 명세에 대한 기입이 주 핵심이 된다. 즉, 월세 수입이 총 얼마였고 이 소득을 계산서, 신용카드 또는 현금영수증 매출 중 어떤 매출로 집계가 되었는지 작성하는 것이다.

대부분의 주택임대사업은 통장으로 월세를 입금 받고, 적격증빙을 따로 발급하지 않기 때문에 '기타 매출'로 집계되는 것이 일반적이다. 다음으로 주택의 수리 또는 관리를 위해서 지출한 비용이 있었다면 이 지출비용은 매입세금계산서, 매입계산서, 신용카드 또는 현금영수증 등 어떤 방식의 매입이었는지를 기록해야 한다.

그 외 주택임대사업을 공동사업자 형태로 하고 있다면 공동사업자 수입금액 부표를 작성하고, 임대주택이 여러 채라면 각 임대주택마다의 임대기간, 임대보증금, 월세 및 임차인 정보 등을 기입하여 신고해야 한다.

면세사업장 현황 신고는 바로 세금을 납부하지 않고 신고의무만 지키면 되며, 추후 5월 종합소득세 신고기한에 주택임대소득 이외의 타 소득과 합산하여 신고 및 납부하면 된다. 그러므로 사업장 현황 신고 시점에서 5월 달에 납부할 세액을 미리 계산해보고 납부세액을 미리 마련하는 자세도 필요하다.

주택임대사업자(소규모사업자 제외)가 면세사업장 현황 신고 시 매출·매입처별 계산서합계표 및 매입처별 세금계산서합계표를 제출기한 내에 미제출하거나 또는 제출한 경우로서 그 합계표에 기재해야 할 사항의 전부 또는 일부가 기재되지 않았거나 사실과 다르게 기재되면 공급가액의 0.5%에 해당하는 금액이 결정세액에 더해 질 수 있다(제출기한이 지난 후 1개월 이내에 제출하는 경우에는 공급가액의 0.3%).

여기서 '소규모사업자'란 당해연도 신규 사업자, 전 과세기간 사업소득 수입금액 4,800만 원 미달자, 사업소득 연말정산자를 말한다.

종합소득세 신고는 매년 5월 31일까지

개인으로 주택임대소득이 있다면 먼저 주택임대 총수입금액 2천만 원 초과여부를 확인하자.

① 2천만 원을 초과하는 경우: 다른 종합과세대상 소득과 함께 합산신고해야 한다.

② 2천만 원 이하인 경우: 주택임대소득만 분리과세(세율 14%)하는 방법과 타 소득과 합산하여 종합과세하는 방법 중 본인이 선택하여 신고할 수 있다. 결국 어떤 계산 구조가 본인의 세액을 더 적게 산출하는지 미리 계산해보고 결정하는 것이 절세를 위한 방법이다.

주택임대소득 분리과세 계산 구조

구분	등록임대주택*	미등록임대주택
수입금액	월세+간주임대료	월세+간주임대료
필요경비	수입금액×60%	수입금액×50%
소득금액	수입금액-필요경비	수입금액-필요경비
과세표준	소득금액-기본공제(4백만 원)**	소득금액-기본공제(2백만 원)**
산출세액	과세표준×세율(14%)	과세표준×세율(14%)
세액감면***	단기(4년) 30%, 장기**** (8·10년) 75%	-
결정세액	산출세액-세액감면	산출세액과 동일

* 등록임대주택: 지자체(시·군·구청)와 세무서에 모두 등록하고 임대료의 증가율이 5%를 초과하지 않아야 한다.

** 기본공제: 분리과세 주택임대소득을 제외한 종합소득금액이 2천만 원 이하인 경우 4백만 원(등록) 또는 2백만 원(미등록) 공제를 적용한다.

*** 세액감면: 국민주택규모 주택으로 「조세특례제한법」 제96조의 요건을 충족하여야 한다.

**** ('20. 8. 18.) 「민간임대주택에 관한 특별법」 개정으로 단기임대 및 아파트 장기임대 폐지, 10년 장기임대를 신설하였다.

CHAPTER

3

주택 처분의 핵심,
양도소득세

1

주택양도 '세후' 이익을 고려 못하면 이사도 못 간다

양도소득세란 개인이 토지, 건물 등 부동산 또는 분양권과 같은 부동산에 관한 권리 및 주식 등을 양도했을 때 발생하는 소득을 과세대상으로 하여 부과하는 세금을 말한다. 과세대상 부동산의 취득일부터 양도일까지 보유기간 동안 발생한 소득에 대하여 양도 시점에 일시과세하게 되며, 비과세를 받거나 양도에 따른 손실을 본 경우에는 양도소득세를 매기지 않는다.

거주 목적이든 투자 목적이든 본인의 주택이 양도될 때 이익이 발생하길 바라는 건 누구나 다 원하는 바다. 특히 주택은 그 보유기간이 장기간일 경우가 많으므로 물가상승률을 고려하는 것은 당연하다. 통상적으로 내가 이사 갈 집의 가격도 과거에 비해서 훌쩍 올라 있을 것이기 때문이다. 이렇게 주택을 양도하게 되면 1세대 1주택 비과세를 적용받는 경우를 제외하고는 양도소득세가 발생할 수

밖에 없다. 그러므로 양도소득세를 고려하지 않으면 투자 수익률뿐만 아니라 본인이 이사를 가는 데 지대한 영향을 받을 수 있으므로 약식이라도 계산할 수 있어야 한다.

경험이 많은 부동산 투자자는 양도 전 매수자와 예정 양도가액이 정해지면, 바로 세무사와 상담 후 예상세액을 전달받아 의사결정을 한다. 양도 전문 세무사는 예상세액 및 절세 가능한 부분에 대해서 특약사항 안내를 통한 절세플랜을 계획하는 등 최대한 고객의 세금을 줄이는 것에 집중하게 된다. 나아가 계약서상에 문제점이 보이게 되면 간단한 조언도 아끼지 않는다. 이는 단순한 양도소득세 계산이 아닌 전반적인 위험을 꼼꼼히 챙겨서 본인의 이득을 높여주는 좋은 파트너십 관계라고 할 수 있다.

1세대 1주택 비과세와 다주택자 중과세 양도소득세 계산 구조를 보면서 약식계산법을 알아보자. 취득가액이 2배나 차이 나는 두 주택소유자 중 누가 납부세액이 많고, 얼마나 더 납부해야 할까?

> * 계산 가정: 취득 이후 조정대상지역 내 위치하는 양도주택에서 계속 거주하였고, 2022년 4월 15억 원에 양도
> 1) 주택소유자 A: 2005년 주택 3억 원에 취득, 1세대 1주택 소유자
> 2) 주택소유자 B: 2017년 주택 6억 원에 취득, 5주택 소유자

주택소유자 A의 양도소득세 계산

「소득세법」에서는 1세대 1주택 소유자의 주택에 대해서 국민주거생활 안정이라는 정책적인 목적으로 양도가액 12억 원까지는 취득가액에 상관없이 비과세를 적용해주고 있다. 비과세는 국가에서 과세권을 당초부터 포기한 것이므로 당연히 납세자의 신고, 신청 절차나 세무서장의 행정처분 없이 양도소득세가 과세되지 않는다.

주택소유자 A는 양도가액이 12억 원을 초과하는 15억 원으로 "고가주택 양도"에 해당한다. "고가주택"이란 주택과 그 부수토지를 합하여 양도일 현재 양도가액이 12억 원을 초과하는 주택을 의미한다. 이러한 고가주택은 1세대가 하나의 주택을 보유하더라도 세금을 부담할 수 있는 경제 수준인 담세력을 고려하여 1세대 1주택 비과세 규정을 적용하지 않는다.

다만, 비과세 규정을 전면적으로 배제하는 것이 아니라 고가주택의 양도차익 중 12억 원까지는 비과세 규정을 적용하고, 12억 원을 초과하는 부분은 다음 산식에 따라 과세한다.

$$\textbf{1세대 1주택 고가주택 양도차익 계산} = \text{전체 양도차익} \times \frac{\text{양도가액} - \text{12억 원}}{\text{양도가액}}$$

$$\textbf{1세대 1주택 고가주택 장기보유특별공제 계산} = \text{전체 장기보유특별공제액} \times \frac{\text{양도가액} - \text{12억 원}}{\text{양도가액}}$$

1세대 1주택 장기보유특별공제율

장기보유특별공제는 물가상승으로 인하여 보유이익이 과도하게 누적되는 것을 감안하여 일정 기간 이상 보유한 부동산 양도의 경우 양도차익에서 공제율을 곱한 만큼을 공제해준다. 일반적인 장기보유특별공제는 연 2%로 최대 15년 보유 시 30%까지 적용이 가능하지만, 고가주택의 장기보유특별공제는 보유기간과 거주기간으로 나누어서 각 40%로 합계 최대 80%까지 적용받을 수 있다.

보유기간	공제율	거주기간	공제율
3년 이상~4년 미만	12%	2년 이상~3년 미만 (보유기간 3년 이상에 한정)	8%
		3~4년	12%
4~5년	16%	4~5년	16%
5~6년	20%	5~6년	20%
6~7년	24%	6~7년	24%
7~8년	28%	7~8년	28%
8~9년	32%	8~9년	32%
9~10년	36%	9~10년	36%
10년 이상	40%	10년 이상	40%

일반 누진세율 표

과세표준	세율	누진공제
1,200만 원 이하	6%	-
4,600만 원 이하	15%	108만 원
8,800만 원 이하	24%	522만 원
1.5억 원 이하	35%	1,490만 원

3억 원 이하	38%	1,940만 원
5억 원 이하	40%	2,540만 원
10억 원 이하	42%	3,540만 원
10억 원 초과	45%	6,540만 원

주택소유자 A의 1세대 1주택 고가주택 세액계산은 다음과 같다.

(단위: 원)

항목	가액 및 계산식
양도가액	1,500,000,000
(-)취득가액	300,000,000
(=)양도차익	1,200,000,000
(-)비과세 양도차익	960,000,000
(=)과세대상 양도차익	240,000,000
(-)장기보유특별공제	**192,000,000(80%)**
(=)양도소득금액	48,000,000
(-)양도소득기본공제	2,500,000
(=)과세표준	45,500,000
(×)세율	**과세표준×15%-1,080,000**
(=)산출세액	5,745,000
(-)감면세액	-
(=)납부할 세액(지방소득세 포함)	6,319,500

12억 원을 초과하는 부분에 대해서 세금을 내야 한다고 걱정이 앞설 수 있지만, 고가주택 양도차익 계산과 장기보유특별공제 80%를 적용받으니 납부할 세액은 630만 원가량으로 양도가액의 0.5% 정도밖에 되지 않는 것을 확인할 수 있다. 크게 부담되지 않은 양도

소득세이기 때문에 주택소유자 A는 주택 양도 이후에 주택 거래에 따른 공인중개 수수료, 이사비용과 새로 취득하는 주택의 취득세 및 양도소득세 신고를 위한 세무사 수임료 등 거래비용만을 중점적으로 고려하여 거주이전을 고민하면 된다.

주택소유자 B의 양도소득세 계산

그러면 다주택자인 주택소유자 B의 양도소득세는 얼마나 될까? 먼저 계산식을 살펴본 후 계산과정을 알아보자.

(단위: 원)

항목	가액 및 계산식
양도가액	1,500,000,000
(-)취득가액	600,000,000
(=)양도차익	900,000,000
(-)장기보유특별공제	**-(다주택자는 장특적용 불가)**
(=)양도소득금액	900,000,000
(-)양도소득기본공제	2,500,000
(=)과세표준	897,500,000
(×)세율	**과세표준×72%(42% 일반세율+30% 중과세율)-35,400,000**
(=)산출세액	610,800,000
(-)감면세액	-
(=)납부할 세액(지방소득세 포함)	671,880,000

양도가액 15억 원과 취득가액 6억 원의 차액인 9억 원이 양도차

익이 된다. 그 다음 장기보유특별공제를 적용해야 하지만, 주택소유자 B는 다주택자이고 양도주택은 조정대상지역 내 위치하므로 장기보유특별공제를 1원도 받을 수 없다. 현행 「소득세법」에서는 다주택자에 대한 제재의 일환으로 다주택자가 조정대상지역 내에 소재하는 주택을 양도하는 경우 중과배제되는 사항을 제외하고는 장기보유특별공제를 배제하고 있기 때문이다.

장기보유특별공제를 적용받지 못한 후 산정된 양도소득금액에서 납세의무자별로 1년에 250만 원씩 양도소득기본공제를 제한 후의 금액을 과세표준으로 하여 「소득세법」상 세율을 곱하게 된다.

여기서 주택소유자 B는 또 하나의 세법상 제재를 받는다. 바로 다주택자 중과세율 적용이다. 조정대상지역 내 다주택자가 중과배제되는 경우를 제외하고는 일반세율에서 주택수에 따라 2주택자는 20%를, 3주택자 이상은 30%를 추가하여 세율적용을 받는다. 즉, 아주 큰 세율적용으로 인해 대부분의 양도차익이 국가에 세금으로 환수되는 것이다.

이를 적용하여 산출세액을 계산하면 국세 610,800,000원이 산정된다. 하지만 여기서 끝이 아니다. 지방소득세로 국세의 10%를 더하여 납부해야 하기 때문에 총 납부할 세액은 671,880,000원이 산정된다. 15억 원의 양도가액에서 44.79%를 세금으로 납부하게 되는 상황이며, 취득가액을 차감한 양도차익 9억 원에서 74.65%를 세금으로 납부하게 되는 상황이다.

다행히 현재는 보유기간 2년 이상인 주택을 양도하게 되면 2022년 5월 10일부터 2023년 5월 9일까지 일시적으로 중과세 유예를 적용받게 된다. 해당 유예기간은 2024년 5월까지 연장될 것으로 예측된다.

다주택자 중과세는 납부세액이 너무 크기 때문에 사실상 양도를 권하기 힘든 상황이라고 할 수 있다. 그러나 어쩔 수 없이 양도해야 한다면 거래비용까지 포함 시 양도차익의 대부분을 손실 보게 되어 똑같은 15억 원의 부동산으로 거주이전을 한다는 것은 사실상 불가능하다.

주택양도 시 양도가액의 몇 %를 세금으로 납부하면 된다는 식의 대략적인 계산을 하는 경우가 있는데, 이는 본인의 세후 수익률 계산에 있어 매우 좋지 않은 접근법이다. 예상보다 고액의 세금이 나왔을 경우 이는 재투자의 재원 부족을 경험하기 때문이다.

최근에는 인터넷을 통해 직접 양도소득세 계산을 제공하는 사이트가 많으며, 국세청에서도 양도소득세 신고 가이드를 제공하여 모든 절차에 대한 안내사항을 제공하고 있다. 양도소득세를 직접 계산할 때 블로그나 사이트에서 세법 관련 글 작성일이 오래된 내용을 참고하였다가 세법 개정사항을 체크하지 못하는 경우가 발생할 수 있으니, 항상 최신 세법을 찾아서 본인의 양도소득세를 약식계산이라도 할 수 있도록 미리미리 지식을 익혀두자.

2023년 양도소득세율표

과세표준	일반세율	누진공제
1,400만 원 이하	6%	-
1,400만 원 초과 5,000만 원 이하	15%	126만 원
5,000만 원 초과 8,800만 원 이하	24%	576만 원

8,800만 원 초과 1억 5천만 원 이하	35%	1,544만 원
1억 5천만 원 초과 3억 원 이하	38%	1,994만 원
3억 원 초과 5억 원 이하	40%	2,594만 원
5억 원 초과 10억 원 이하	42%	3,594만 원
10억 원 초과	45%	6,594만 원

2

주택 취득계약서를 잘 챙겨야 하는 이유

취득가액이란 당해 자산의 취득과 관련된 직접적인 대가와 그 취득과 관련하여 지출된 부대비용을 포함하는 가액을 의미한다. 이는 자산의 소유권이전을 통해 발생하는 경제적 이익인 양도가액과 대응되는 금액으로서, 취득 당시 발생한 일정한 지출액을 취득가액 및 기타필요경비 항목으로 인정하여 차감함으로써 양도자가 보유기간 동안 발생한 양도자산의 가치상승분인 양도차익을 합리적으로 산정하기 위한 목적이다.

취득가액 산정의 원칙

세법상 실질과세의 원칙에 따라 해당 양도하는 자산의 취득에 소요된 실지거래가액을 취득가액으로 하는 것이 원칙이다. 이러한 실지 거래가액은 취득형태에 따라 다음과 같이 구분된다.

① 매입자산: 매입가액에 취득세·등록면허세 기타 부대비용을 가산한 금액
② 자가건설 취득자산: 원재료비·노무비·운임·하역비·보험료·수수료·공과금(취득세와 등록면허세 포함)·설치비 기타 부대비용의 합계액(단, 공제받은 의제매입세액은 당해 원재료의 매입가액에서 이를 공제함)
③ 그 취득가액이 불분명한 자산과 ① 및 ② 이외의 자산: 해당 자산의 취득 당시의 시가에 취득세·등록면허세, 기타 부대비용을 가산한 금액

실지거래가액의 입증 자료

부동산의 양도 방법이 다양하므로 실지거래가액의 증빙서류 역시 천차만별이다. 그러므로 실지거래가액의 입증 자료는 실지거래에서 거래당사자 간에 생성된 문건 일체를 의미한다고 보아야 한다. 이러한 입증 자료에는 인적 및 그 외 거래의 실제를 확인할 수 있는 일체의 증거자료가 포함되므로, 납세자가 얼마나 객관적인 증빙서류를 제출하느냐에 따라 실지거래가액의 인정범위가 달라진다. 거래 당시 작성된 실제계약서와 2006년 이전 검인계약서로 취득한 매매계약서는 증빙서류로서의 효력을 인정받는다.

상속·증여 취득가액

상속 또는 증여받은 자산의 취득가액 산정은 상속개시일 또는 증여일 현재 「상속세 및 증여세법」 규정에 따라 평가한 가액을 취득 당시의 실지거래가액으로 본다.

여기서 "평가한 가액"이란 상속의 경우에는 평가기준일인 상속개시일 전후 6개월 이내, 증여의 경우에는 증여접수일 전 6개월부터 증여접수일 후 3개월 이내의 기간 중 시가인 매매·감정·수용·경매가액이 있는 경우에 해당 금액으로 보고, 평가한 가액을 산정하기 어려운 경우에는 각 부동산에 따르는 보충적 평가금액으로 산정된다. 자세한 내용은 다음 파트인 상속세 및 증여세법에서 살펴보도록 하자.

> **「상증세법」상 평가액 산정 순서**
>
> ① 시가(매매·감정·수용·경매가액)가 있는 경우: Max(시가, 담보된 채권액 또는 전세금의 합계)
>
> ② 시가가 없는 경우 보충적 평가방법: Max(기준시가, 임대료 환산가액, 담보된 채권액 또는 전세금의 합계)

취득계약서 분실 시 취득가액 산정

현행 양도소득세는 실지거래가액을 기준으로 한 과세가 원칙이다. 실지거래가액 과세원칙이 적용되는 자산의 거래에 있어서 원칙적으로는 양도가액과 취득가액 쌍방의 가액을 모두 실지거래가액에 의하여야 한다.

2006년 부동산 실거래가 신고 제도를 도입한 이후부터 매매취득의 경우는 등기부등본상에 거래가액이 명시되어 취득계약서를 분실해도 취득가액을 입증할 수 있다. 그런데 주택을 너무 오래전에 취득하여 기억나지 않고 취득계약서도 분실한 경우에는 취득가액을 어떻게 산정해야 할까? 이런 상황에서는 추계결정가액으로 취득가액을 산정하게 된다. 장부나 그 밖의 증빙서류에 의하여 해당 자산 취득 당시의 실지거래가액을 인정 또는 확인할 수 없는 경우에는 매매사례가액, 감정가액, 환산가액 순서에 따라 추계로 계산할 수 있다.

구분	정의
매매사례가액	양도일 또는 취득일 전후 각 3개월 이내에 해당 자산과 동일성 또는 유사성이 있는 자산의 매매사례가 있는 경우 그 가액
감정가액	양도일 또는 취득일 전후 각 3개월 이내에 해당 자산에 대하여 둘 이상의 감정평가업자가 평가한 것으로서, 신빙성이 있는 것으로 인정되는 감정가액의 평균액
환산가액	양도 당시 실지거래가액·매매사례가액 또는 감정가액을 취득 당시 기준시가가 양도 당시 기준시가에 차지하는 비율만큼을 곱한 방법에 따라 환산한 취득가액

대부분의 주택은 매매사례가액 또는 감정가액이 적용되는 경우가 많지 않으므로, 환산가액으로 취득가액이 산정된다.

환산가액 = (양도 당시의 실지거래가액, 매매사례가액 또는 감정가액) × 취득 당시의 기준시가/양도 당시의 기준시가

예를 들어 실지양도가액은 3억 원, 양도 당시 기준시가는 2억1천만 원, 취득 당시 기준시가는 7천만 원이라면 환산가액은 1억 원으로 산정된다.

3억 원 × 7천만 원/2억1천만 원 = **1억 원**

취득가액이 실지거래가액에 의하는 경우에만 자본적지출이나 양도비용(이하 "기타필요경비")을 실제지출 증빙서류에 따라 비용으로 인정하는 것이 원칙이다. 따라서 양도가액 또는 취득가액의 실지거래가액을 인정 또는 확인할 수 없어 매매사례가액, 감정가액, 환산가액 등을 적용하여 기타필요경비를 산정하는 경우에는 실제지출한 비용이 있다 하더라도 인정받을 수 없고, 세법에서 별도 계산하는 일정요율만 비용으로 인정된다. 이를 '필요경비 개산공제액'이라고 하며, 해당 경비만을 필요경비로 인정받는다.

토지 및 건물에 대한 필요경비 개산공제액의 산정 방법은 다음과 같다.

(1) 토지: 취득 당시 토지의 개별공시지가×3%(미등기 양도자산의 경우 0.3%)

(2) 건물: 취득 당시 주택, 오피스텔, 상업용건물의 기준시가×3%(미등기 양도자산의 경우 0.3%)

(3) 필요경비 개산공제액 산정의 예외

취득가액을 환산가액으로 적용하는 경우로서 아래 ①의 금액이 ②의 금액보다 적은 경우에는 ③의 금액을 취득가액 및 기타필요경비로 하여 양도차익을 산정할 수 있다. 이는 납세자에게 선택권을 부여함으로써 객관적으로 확인 가능한 필요경비만으로 소득금액을 계산할 수 있도록 하기 위함이다.

Max [① 환산취득가액+필요경비 개산공제액, ② 자본적지출액+양도비용]

3

양도소득세를 줄이기 위해서 필요경비를 잘 챙기자

양도소득세 산정 시 비용인정을 위한 무분별한 지출 남용을 막고자 기타필요경비로 인정하는 지출범위를 다음의 4가지로 정하고 있다.

1) 자본적 지출액
2) 자산취득 후 쟁송·소송에 소요되는 비용
3) 용도변경·개량비용
4) 직접 소요되는 양도비

자본적 지출액

자본적 지출액은 소유하고 있는 감가상각자산의 내용연수를 연장시키거나 당해 자산의 가치를 현실적으로 증가시키기 위하여 지출한 수선비를 말하며, 다음의 지출을 포함하는 것으로 한다.

1) 본래의 용도를 변경하기 위한 개조
2) 엘리베이터 또는 냉·난방장치의 설치
3) 빌딩 등에 피난시설 등의 설치
4) 재해 등으로 인하여 건물·기계·설비 등이 멸실 또는 훼손되어 당해 자산이 본래 용도로의 이용 가치가 없어진 것을 복구
5) 기타 개량·확장·증설 등 1)~4)와 유사한 성질의 것 등

자본적 지출액과 구분해야 할 개념은 수익적 지출액이다. 수익적 지출액이란 정상적인 수선 또는 부동산 본래의 기능을 유지하기 위한 경미한 비용을 말하며, 양도소득세 필요경비로 인정되지 않는다.

자본적 지출액과 수익적 지출액 예시

자본적 지출액 예시	수익적 지출액 예시
주택의 이용편의를 위한 발코니 새시	벽지 또는 장판 교체비용
방 등 확장공사비	외벽 도색작업
난방시설 교체비	보일러 수리비용
토지조성비	문짝이나 조명 교체비용
싱크대 공사비	싱크대 또는 주방기구 교체비용
디지털 도어락 설치비	옥상방수·타일 및 변기공사비
가스 공사비	하수도관·오수정화조 설비 교체비
자바라 및 방범창 설치비용	파손된 유리 또는 기와의 대체
자본적 지출에 해당하는 인테리어 비용	외장 복구 도장 및 유리의 삽입

자산취득 후 쟁송·소송에 소요되는 비용

쟁송에 소요된 비용이라 함은 취득에 관한 쟁송이 있는 자산에 대하여 그 소유권 등을 확보하기 위하여 직접 소요된 소송비용·화해비용 등의 금액으로서 지출 연도의 각 소득금액 계산에 있어서 필요경비에 산입된 것을 제외한 금액을 의미한다. 따라서 해당 자산의 취득단계 또는 취득 이후 단계라 하더라도 토지의 소유권과 관련된 소송비용 등을 의미하는 것이고, 기타 자산을 운용함에 따라 발생하는 소유권 이외의 지출비용은 제외한다.

용도변경·개량비용

토지를 양도하기 전에 당초 필지의 지적대로 양도하지 않고 해당 토지소재지 관할 시·군·구청으로부터 허가를 받아 지목 변경, 토지의 평탄화 작업 및 토지분할과 지적측량을 이행할 때 발생하는 비용은 토지와 관련된 필요경비로 인정된다.

직접 소요되는 양도비

양도비에는 주로 취득세, 법무사비용, 공인중개사 수수료비용, 공증비용, 인지대, 소개비, 매매계약에 따른 인도의무를 이행하기 위하여 양도자가 지출하는 명도비용 및 세무사의 양도소득세 신고대리 수임료 등이 포함된다. 이러한 제반 비용이 양도와 관련된 경비로 인정받기 위해서는 현금영수증, 세금계산서, 신용카드전표 등 세법상 인정되는 적격증빙을 수반해야 한다.

다만, 2018년 4월 1일 이후 양도분부터는 분실 등의 사유로 적격증빙서류를 제시하지 못하는 경우라 하더라도 실제 지출 사실이 계좌이체 등 금융거래를 통해 입증되면 필요경비로 인정된다.

그 밖의 기타필요경비

1) 「하천법」·「댐건설 및 주변지역지원 등에 관한 법률」 그 밖의 법률에 따라 시행하는 사업으로 인하여 해당 사업구역 내의 토지소유자가 부담한 수익자부담금 등의 사업비용
2) 토지이용의 편의를 위하여 지출한 장애철거비용
3) 토지이용의 편의를 위하여 해당 토지 또는 해당 토지에 인접한 타인 소유의 토지에 도로를 신설한 경우의 그 시설비
4) 토지이용의 편의를 위하여 해당 토지에 도로를 신설하여 국가 또는 지방자치단체에 이를 무상으로 공여한 경우 그 도로로 된 토지의 취득 당시 가액
5) 사방사업에 소요된 비용

양도소득세 기초지식 A to Z

양도 및 취득시기

유형	내용
유상취득·양도	원칙: 대금을 청산한 날 • 청산한 날이 분명하지 않거나 청산하기 전 소유권 이전등기 시에는 등기접수일 • 장기할부조건의 경우는 등기접수일·인도일·사용일 중 빠른 날
공익수용	대금을 청산한 날, 소유권 이전 등기접수일, 수용개시일 중 빠른 날
자가 건설한 건축물	사용검사필증교부일, 사실상 사용일, 사용승인일 중 빠른 날
상속 또는 증여취득	상속: 상속이 개시된 날(피상속인의 사망일) 증여: 증여를 받은 날
완성 또는 확정되지 아니한 자산	목적물이 완성 또는 확정된 날
1984. 12. 31. 이전 취득	토지, 건물에 대해서 1985. 1. 1.에 취득한 것으로 간주

양도소득세율

양도소득세율은 종합소득세와 같은 기본 누진세율을 적용한다. 잦은 부동산 정책변화로 2021년에도 주택 관련 양도소득세율이 개정되었다. '23년 경제정책방향'에서 주택·입주권·분양권의 1년 미만 단기양도는 45%, 1년 이상은 일반세율을 적용하겠다고 발표한 상황이다.

NO	과세대상 양도소득		세율
	내용	보유기간&소재지	
1	토지·건물 및 부동산에 관한 권리 (주택·조합원입주권·분양권 제외)	1년 미만	50%
		1년 이상~2년 미만	40%
		2년 이상	6~45%
2	주택·조합원입주권	1년 미만	70%
		1년 이상~2년 미만	60%
		2년 이상	6~45%
3	분양권	조정대상지역	60%(보유기간 1년 미만: 70%)
		비조정대상지역	
4	비사업용 토지		기본세율+10%p
5	2주택 중과세		기본세율+20%p
6	3주택 중과세		기본세율+30%p
7	미등기 양도자산		70%

양도소득세 예정신고 및 합산신고

주택의 양도시기가 도래하면 토지소유자는 양도일이 속하는 달의 말일부터 2개월 이내에 예정신고 및 납부해야 한다. 예정신고는 양도차익이 없거나 양도차손이 발생한 경우에도 해야 한다. 예정신고기한 내에 신고하면 납세의무가 종결되는데, 이는 조세채권을 조기 확보하고 세액의 분산납부를 도와 납세자의 세부담 누적을 방지하기 위한 취지다.

피상속인이 토지 등을 양도하고 예정신고기한 이전에 사망한 경우 그 상속인은 상속개시일이 속하는 달의 말일부터 6개월이 되는 날까지 사망일이 속하는 과세기간에 대한 양도소득세 예정신고를 할 수 있다.

그렇다면 같은 과세기간에 2회 이상 부동산을 양도하면 어떻게 신고해야 할까? 양도소득세는 1년 동안 같은 과세대상 그룹에서 발생한 양도차익 전체에 대하여 신고 및 납부하는 세금이다. 그러므로 주택양도 전후로 다른 부동산 양도가 1회 이상 이루어졌거나 이루어질 예정이라면 꼭 합산신고를 고려해야 한다. 2회 차에 양도한 과세대상에 대해서만 양도소득세 예정신고를 해도 되지만, 이 경우에는 확정신고 기한인 다음 연도 5월 1일부터 5월 31일까지 해당 과세기간에 양도한 모든 양도자산에 대해서 합산하여 신고 및 납부해야 한다. 양도차익이 없거나 양도차손이 발생한 때에도 합산신고의무가 있다.

합산신고는 대개 합산에 따라 더 높은 누진세율을 적용받아 절세에 불리하다. 예를 들어 최초 양도 시 소득세 최고세율 적용구간인 10억 원 이상의 과세표준이 발생하게 되면 45%(지방소득세 포함 49.5%)의 높은 세율을 적용받게 되고, 같은 그룹의 양도자산을 재차 양도하게 되면 추가 과세표준 적용세율이 곧바로 45%나 되는 높은 세율을 적용받게 된다. 그러나 2회차 양도분에서 양도차손이 난다면 차손에 따라서 양도소득세가 절세될 수 있으므로 양도차손이 나는 부동산을 같은 과세기간에 양도하여 절세하는 것도 방법 중 하나다.

주택양도 이외에 주식양도가 있는데, 주식양도는 주택양도와는 다른 양도소득세 과세대상 그룹이므로 합산되지 않고 별도로 계산되기 때문에 합산에 대한 높은 누진세율 과세는 발생하지 않는다.

양도소득세 과세대상 그룹

양도소득세 과세대상은 다음과 같이 3그룹으로 나누어 각 그룹별 양도차익을 합산신고 해야 한다. 과세대상 자산별로 각 자산의 특성에 따라 과세체계가 달라진다.

1그룹: 토지·건물, 부동산에 관한 권리, 기타자산(사업용 고정자산과 함께 양도하는 영업권 등)

2그룹: 주식 등

3그룹: 파생상품

양도소득세 분납과 물납

● 분납

납부할 세액이 각각 1천만 원을 초과하는 경우에는 그 납부할 세액의 일부를 납부기한이 지난 후 2개월 이내에 다음과 같이 분납할 수 있다.

가. 납부할 세액이 2천만 원 이하일 때는 1천만 원을 초과하는 금액

나. 납부할 세액이 2천만 원을 초과할 때는 그 세액의 50% 이하의 금액

납부할 세액의 일부를 분납하고자 하는 자는 양도소득 과세표준 예정신고 및 납부계산서에 분납할 세액을 기재하여 예정신고기한 또는 확정신고기한까지 납세지 관할 세무서장에게 신청해야 한다.

● 물납

양도소득세에 대한 물납제도는 2016. 1. 1. 이후부터 폐지되었다. 아직도 물납이 된다고 알고 있는 납세자는 납부할 세액만큼을 확보해두어야 한다.

양도소득세 관련 가산세

양도소득세와 관련한 가산세는 크게 신고불성실가산세, 납부지연가

산세, 신축·증축건물의 환산가액적용에 따른 가산세가 있다. 가산세 적용 사유가 일반적인 사유인지 부정행위에 따른 사유인지에 따라 신고불성실가산세는 적용률이 달라진다. 또한 일정 기간 내에 성실히 신고의무를 이행한 경우에는 가산세를 감면해주며, 세법상 의무를 이행하지 않은 정당한 사유가 있는 경우에는 가산세를 면제하기도 한다.

● 신고불성실 가산세

양도 후 법정신고기한 내에 양도소득세 과세표준 신고의무를 이행하지 않았거나 과소신고한 세액에 대해서는 세법상 부정행위 여부에 따라 10~40%의 가산세율을 적용한다.

사유	무신고	과소신고
일반	무신고 납부세액×20%	과소신고 납부세액×10%
부정행위*	무신고 납부세액×40%	과소신고 납부세액×40%

* 세법상 부정행위란 장부의 거짓 기장, 거짓 문서의 작성 및 수취, 장부와 기록의 파기, 재산의 은닉, 소득·수익·행위·거래의 조작 또는 은폐 등을 말한다.

● 납부지연가산세

양도 후 법정신고기한 내에 양도소득세 과세표준에 따른 세액을 납부하지 않았거나 미달하여 납부한 경우에는, 다음의 가산세를 적용하여 당초 납부해야 할 세액에 가산하여 납부해야 한다. 이 경우 일수의 계산은 당초 법정신고·납부기한의 다음 날부터 자진납부일 또는 고지일까지의 일수로 산정한다.

납부지연 가산세	=	미납·미달 납부한 세액	×	미납·미달 납부한 일수	×	0.022%(2022. 2. 15. 이후 기간 분부터)

● 건물환산가액 적용에 따른 가산세

세금을 적게 납부할 목적으로 실지거래가액이 아닌 환산가액을 적용하여 양도소득세를 신고하는 경우가 있다. 이를 방지하기 위해 2018. 1. 1. 이후 양도하는 분부터 부동산의 소유자가 건물을 신축·증축하고, 그 신축·증축한 건물의 취득일부터 5년 이내에 해당 건물을 양도하는 경우, 환산가액을 그 취득가액으로 신고하면 해당 건물 환산가액의 5%를 가산세로 납부해야 한다. 양도소득세 산출세액이 없는 경우에도 환산가액 적용에 따른 가산세는 적용한다.

5

주택양도의 핵심, 1세대 1주택 비과세

「소득세법」상 1세대가 보유하고 있는 유일한 1주택의 양도는 비과세 요건 충족 시 비과세 된다. 1세대 1주택 비과세 취지는 1세대가 국내에 소유하고 있는 1개의 주택을 양도하는 것이 양도소득을 얻거나 투기를 할 목적을 가지고 일시적으로 거주하거나 소유하다가 양도하는 것이 아닌 경우에는 그 양도소득에 대한 소득세를 부과하지 않음으로써 국민의 주거생활안정과 거주이전의 자유를 보장하는 데 있다. 1세대 1주택 비과세 규정을 적용받고자 할 때는 다음의 요건을 모두 충족해야 한다.

> ▶ 거주자인 1세대가 국내에 1주택(주택 부수토지 포함)을 보유할 것
> ▶ 2년 이상 보유할 것
> ▶ 2017. 8. 2. 이후 조정대상지역에서 취득한 주택인 경우는 2년 이상 거주할 것

1세대란?

양도일 현재를 기준으로 1세대란 거주자 및 그 배우자(법률상 이혼을 하였으나 생계를 같이하는 등 사실상 이혼한 것으로 보기 어려운 관계에 있는 사람을 포함)가 그들과 같은 주소 또는 거소에서 생계를 같이하는 자와 함께 구성하는 가족 단위를 말한다. 여기서 '생계를 같이한다'라는 의미는 주민등록 등본상 주소지의 일치를 의미하는 것이 아니라, 동일한 주소 또는 거소에서 숙식을 같이하고 이에 기반을 둔 경제활동도 함께하는 것을 말한다.

1세대를 구성하는데 가장 기본단위는 거주자 본인과 배우자이므로, 배우자가 없는 본인은 원칙적으로 단독세대를 구성할 수 없다. 또한, 부부가 세대를 분리하여 주민등록상의 세대주로 등재되어 있어도 부부는 합산하여 1세대로 판정한다.

다만, 예외적으로 다음에 해당하는 경우에는 배우자가 없더라도 별도의 세대로 인정한다.

1) 거주자의 나이가 30세 이상인 경우
2) 배우자가 사망했거나 이혼한 경우
3) 「국민기초생활 보장법」에 따른 기준 중위소득의 40% 수준 이상으로서 소유하고 있는 주택 또는 토지를 유지 또는 관리하면서 독립된 생계를 유지할 수 있는 경우

1주택이란?

주택이란 허가 여부나 공부상의 용도 구분과 관계없이 사실상 주거용으로 사용하는 건물을 말하며, 이 경우 그 용도가 분명하지 않으면 공부상 용도에 따른다. 이러한 주택은 해당 건축물이 상시 주거용으로 사용할 수 있을 정도의 상태를 말하는 것으로서, 양도일 현재 실제 주거로 이용하고 있지 않더라도 언제든지 거주에 이용할 수 있는 상태에 준하면 주택으로 본다. 거주자가 직접 신축한 건물일 경우에는 완성됐을 때 주택에 해당하므로, 미완성 건물일 경우에는 주택에 해당하지 않는다.

건축허가를 받지 않았거나 불법으로 건축된 주택이라 하더라도 주택으로 사용할 목적으로 건축되었다면 건축에 관한 신고 여부, 건축 완성에 대한 사용검사나 사용승인 여부와 상관없이 주택에 해당하며, 1주택만 소유한 경우에는 1세대 1주택 비과세 규정도 적용받을 수 있다. 또한, 실제 용도가 별장, 콘도, 점집, 사업장 내 종업원 합숙소, 사무실, 음식점 및 펜션 등으로 사용하는 경우에는 주택에 해당하지 않는다.

1주택이란 물리적인 형태를 의미하는 것이 아니라 1세대가 실제 주거용으로 사용하고 있는 주택건물의 집합체를 말한다. 따라서 한 울타리 안에 본채와 별채 등 여러 채의 주택건물을 사실상 1세대가 사용하거나 연립주택 2호를 벽을 허물고 1세대가 주거하는 경우, 또는 2필지 안에 2채의 주택이 있어도 1세대가 동일한 생활영역으로 사용한다면 1주택으로 볼 수 있다.

일반적으로 하나의 주택을 여러 사람이 지분으로 나누어 소유하게 될 때는 각각 1개씩 주택을 소유하는 것으로 보지만, 공유지분권자가 생계를 같이하는 동일세대원이면 세대원 전체의 지분을 합쳐 하나의 주택으로 본다.

다만, 하나의 주택을 상속으로 지분 취득하는 경우로서 상속인이 2인 이상이면 다음의 선순위에 따른 상속인 1인의 귀속으로 판단하여 상속지분이 적은 소수 지분권자는 자신의 주택수에 포함하지 않는다.

1) 상속지분이 가장 큰 자
2) 상속주택에 거주하는 자
3) 최연장자

2년 보유요건

1세대 1주택 비과세는 해당 주택을 2년 이상 보유할 것을 요건으로 한다. 주택의 보유기간 계산은 취득일부터 양도일까지로 하며, 가등기한 기간은 보유기간으로 보지 않는다.

취득 구분		보유 및 거주기간 계산
상속	같은 세대원 간 상속인 경우	같은 세대원으로서 피상속인의 보유 및 거주기간과 상속인의 보유 및 거주기간 통산
	같은 세대원 간 상속이 아닌 경우	상속이 개시된 날부터 양도한 날까지 계산

증여	같은 세대원 간 증여인 경우	같은 세대원으로서 증여자의 보유 및 거주기간과 증여 후 수증인의 보유 및 거주기간 통산
	같은 세대원 간 증여가 아닌 경우	증여받은 날부터 양도한 날까지 계산
이혼	재산분할로 취득	재산분할 전 배우자가 해당 주택을 취득한 날부터 양도한 날까지 보유 및 거주기간 통산
	위자료로 취득	소유권이전등기 접수일부터 양도한 날까지 계산

2년 거주요건

조정대상지역 지정 이후 조정대상지역 내 주택을 취득하면 비과세를 위해서 2년 거주요건이 추가로 충족되어야 한다. 다만, 다음의 경우는 2년 거주요건이 필요하지 않다.

1) 조정대상지역 지정 이전에 취득한 주택
2) 조정대상지역 지정 이전에 매매계약을 체결하고 계약금을 지급한 사실이 증빙서류에 의하여 확인되는 주택(해당 주택의 거주자가 속한 1세대가 계약금 지급일 현재 주택을 보유하지 않은 경우로 한정한다)

비과세 되는 주택 부수토지

주택의 부수토지 면적은 주택의 정착 면적에 지역별 배율을 곱하여 계산한다. 해당 면적을 벗어난 주택 부수토지에 대해서는 비과세를 적용받을 수 없다.

1) 도시지역 중 수도권(서울·인천·경기) 내 주거·상업·공업은 3배

2) 도시지역 중 수도권 내 녹지지역 및 수도권 밖은 5배

3) 도시지역 외의 토지는 10배

일시적 1세대 2주택 비과세

1세대가 1주택을 취득하고 있는 상황에서 주거이전을 목적으로 일시적으로 신규주택을 취득하고 종전주택을 양도할 때 일정 요건을 충족하면 종전주택은 비과세를 적용받을 수 있다. 잦은 부동산 대책으로 인해서 주택 취득시기와 양도시기에 따라 적용요건이 상이하므로 비과세요건을 양도 전에 꼼꼼히 확인해야 한다. 여기서 놓치지 말아야 할 점은 양도주택은 1세대 1주택 비과세 기본요건인 2년 보유 및 2년 거주(2017. 8. 2. 이후 조정대상지역에서 취득한 주택)를 충족한 상태여야 한다는 점이다.

현재 적용되고 있는 일시적 1세대 2주택 비과세는 2022년 5월 10일 이후 종전주택을 양도하는 경우부터 적용한다. 국내에 1주택을 소유한 1세대가 그 주택(이하 "종전주택")을 양도하기 전에 다른 주택(이하 "신규주택")을 취득함으로써 일시적으로 2주택이 된 경우 종전주택을 취득한 날부터 1년 이상이 지난 후 신규주택을 취득하고, 3년 이내에 종전주택을 양도하는 경우에는 이를 1세대 1주택으로 보아 비과세를 적용받을 수 있다.

1세대가 1주택을 양도하기 전에 다른 주택을 대체취득하거나 상속, 동거봉양, 혼인 등으로 인하여 2주택 이상을 보유하는 경우

그 외 「소득세법」에서는 1주택을 소유한 상태에서 상속받은 주택, 60세 이상 직계존속의 동거봉양 또는 혼인을 위해서 1세대가 2주택이 되는 경우, 문화재주택, 농어촌주택, 이농주택, 귀농주택 등 예외적 사유로 인해 1세대가 2주택을 소유하는 경우에도 각 요건에 맞게 주택을 양도한다면 2주택 중과세가 아닌 1세대 1주택 비과세 특례를 적용해주고 있다. 각 조항의 세부요건은 꼭 양도 전 세무사와 상담을 통해 요건충족 여부를 검토하도록 하자.

6

주택 이외에 입주권과 분양권을 가지고 있다면 비과세가 가능할까?

1주택을 가진 상태에서 새로운 주택이 아닌 조합원입주권 또는 분양권을 취득할 수도 있다. 이러한 상황에서도 요건을 충족한다면 비과세가 가능하다. 특히 분양권은 2021년 1월 1일 이후 취득한 경우부터 주택수에 포함되기 때문에 주택수 판단 시 분양권을 놓치지 않도록 하는 것이 중요하다.

「소득세법」에서 정의하는 조합원입주권과 분양권

최근 「소득세법」에서 조합원입주권과 분양권의 정의가 더 명확하게 개정되었다.

소득세법 제88조

9. "조합원입주권"이란 「도시 및 주거환경정비법」 제74조에 따른 관리처분계획의 인가 및 「빈집 및 소규모주택 정비에 관한 특례법」 제29조에 따른 사업시행계획인가로 인하여 취득한 입주자로 선정된 지위를 말한다. 이 경우 **「도시 및 주거환경정비법」에 따른 재건축사업 또는 재개발사업, 「빈집 및 소규모주택 정비에 관한 특례법」에 따른 자율주택정비사업, 가로주택정비사업, 소규모재건축사업 또는 소규모재개발사업을 시행하는 정비사업조합의 조합원**(같은 법 제22조에 따라 주민합의체를 구성하는 경우에는 같은 법 제2조 제6호의 토지 등 소유자를 말한다)**으로서 취득한 것**(그 조합원으로부터 취득한 것을 포함한다)**으로 한정**하며, 이에 딸린 토지를 포함한다(2021. 12. 08. 후단개정).

10. "분양권"이란 「주택법」 등 대통령령으로 정하는 법률에 따른 주택에 대한 공급계약을 통하여 주택을 공급받는 자로 선정된 지위(해당 지위를 매매 또는 증여 등의 방법으로 취득한 것을 포함한다)를 말한다(2020. 08. 18. 신설).

조합원입주권이 돼버린 주택의 비과세

「소득세법」상 기존 주택이 조합원입주권으로 전환되는 시점은 크게 「도시 및 주거환경정비법」 제74조에 따른 관리처분계획의 인가일 및 「빈집 및 소규모주택 정비에 관한 특례법」 제29조에 따른 사업시행계획인가일이다.

이 전환되는 시점까지 기존주택이 1세대 1주택 비과세 기본요건인 2년 보유 및 2년 거주(2017. 8. 2. 이후 조정대상지역에서 취득하는 주택)를 충족한 상태에서 조합원입주권으로 전환되었고, 다음의 어느 하나 요건을 충족하여 양도하는 경우 해당 조합원입주권을 양도하여 발생하는 소득은 비과세를 적용받는다.

1) 양도일 현재 다른 주택 또는 분양권을 보유하지 아니할 것
2) 양도일 현재 1조합원입주권 외에 1주택을 보유한 경우(분양권을 보유하지 않은 경우로 한정한다)로서 해당 1주택을 취득한 날부터 3년 이내에 해당 조합원입주권을 양도할 것(3년 이내에 양도하지 못하는 경우로서 대통령령으로 정하는 사유에 해당하는 경우를 포함)

1주택을 소유한 1세대가 1조합원입주권 취득 후 양도한다면 비과세가 될까?

물론 가능하다. 그리고 그 요건이 일시적 1세대 2주택보다 더 완화되어 적용된다.

1) 3년 이내 종전의 주택을 양도하여 비과세를 받는 경우

국내에 1주택을 소유한 1세대가 그 주택(이하 "종전의 주택")을 양도하기 전에 조합원입주권을 취득함으로써 일시적으로 1주택과 1조합원입주권을 소유하게 된 경우 종전의 주택을 취득한 날부터 1년 이상이 지난 후에 조합원입주권을 취득하고, 그 조합원입주권을 취득한 날부터 3년 이내에 종전의 주택을 양도하는 경우(3년 이내에 양도하지 못하는 경우로서 기획재정부령으로 정

하는 사유에 해당하는 경우를 포함)에는 이를 1세대 1주택으로 보아 비과세를 적용받을 수 있다.

2) 3년 이후 종전의 주택을 양도하여 비과세를 받는 경우

국내에 1주택을 소유한 1세대가 그 주택을 양도하기 전에 조합원입주권을 취득함으로써 일시적으로 1주택과 1조합원입주권을 소유하게 된 경우 종전의 주택을 취득한 날부터 1년이 지난 후에 조합원입주권을 취득하고, 그 조합원입주권을 취득한 날부터 3년이 지나 종전의 주택을 양도하는 경우로서 다음의 요건을 모두 갖추었을 때 이를 1세대 1주택으로 보아 비과세를 적용받을 수 있다.

가. 재개발사업, 재건축사업 또는 소규모재건축사업의 관리처분계획 등에 따라 취득한 주택이 완성된 후 2년 이내에 그 주택으로 세대전원이 이사(기획재정부령이 정하는 취학, 근무상의 형편, 질병의 요양, 그 밖의 부득이한 사유로 세대원 중 일부가 이사하지 못하는 경우를 포함한다)하여 1년 이상 계속하여 거주할 것

나. 재개발사업, 재건축사업 또는 소규모재건축사업의 관리처분계획 등에 따라 취득한 주택이 완성되기 전 또는 완성된 후 2년 이내에 종전의 주택을 양도할 것

3) 종전주택의 재개발, 재건축 또는 소규모재건축사업의 시행기간 동안 거주하기 위해 취득한 주택을 양도하여 비과세를 받는 경우

국내에 1주택을 소유한 1세대가 그 주택에 대한 재개발사업, 재건축사업 또는 소규모재건축사업의 시행기간 동안 거주하기 위하여 다른 주택(이하 이 항에서 "대체주택"이라 한다)을 취득한 경우로서 다음의 요건을 모두 갖추어 대체주택을 양도할 때는 이를 1세대 1주택으로 보아 비과세를 적용받을 수 있다. 이 경우 보유기간 및 거주기간의 제한을 받지 않는다.

가. 재개발사업, 재건축사업 또는 소규모재건축사업의 사업시행인가일 이후 대체주택을 취득하여 1년 이상 거주할 것

나. 재개발사업, 재건축사업 또는 소규모재건축사업의 관리처분계획 등에 따라 취득한 주택이 완성된 후 2년 이내에 그 주택으로 세대전원이 이사(기획재정부령으로 정하는 취학, 근무상의 형편, 질병의 요양, 그 밖에 부득이한 사유로 세대원 중 일부가 이사하지 못하는 경우를 포함한다)하여 1년 이상 계속하여 거주할 것

다만, 주택이 완성된 후 2년 이내에 취학 또는 근무상의 형편으로 1년 이상 계속하여 국외에 거주할 필요가 있어 세대전원이 출국하는 경우에는 출국사유가 해소(출국한 후 3년 이내에 해소되는 경우만 해당한다)되어 입국한 후 1년 이상 계속해서 거주해야 한다.

위 1)번과 2)번의 경우는 조합원입주권 대신 분양권을 소유하는 경우에도 똑같이 비과세를 적용받을 수 있지만, 3)번의 경우는 기존주택이 분양권으로 바뀌는 경우가 없기 때문에 해당사항이 존재하지 않는다.

7

세금폭탄 다주택자 중과세, 곧 사라지지 않을까?

주택시장 안정화 방안으로 시작된 2017년 8·2 대책 이후로 5년간 수차례 부동산 대책이 나오면서 주택 관련 세법 중 특히 양도소득세에 많은 개정이 있었다. 핵심은 다주택자에 대한 징벌적 과세를 통해 주택가격을 잡겠다는 의도였지만, 오히려 전국적으로 주택가격이 급등하는 사태가 벌어졌다. 주택가격은 급등했지만, 이를 양도할 때 조금이라도 세법 판단을 잘못하게 되면 1세대 1주택 비과세가 3주택 중과세가 되어 10배 이상의 양도소득세가 부과되는 경우가 심심치 않게 발생하였고, 이 때문에 주택양도 전에 중과세 적용이 되는 건 아닌지 하는 세법 판단이 선행되어야 했다.

그러나 이것도 2022년 5월 전까지의 이야기일 뿐이다. 시장의 변화는 급격히 변화하고 있다. 팬데믹에 따른 글로벌 경제위기로 2021년 10월 즈음부터 주택시장의 기류가 변하더니 2022년부터 주택가격의 강한 조정장이 이뤄지고 있다. 이렇게 하락장이 지속되는 상황에서 다주택자 중과세는 곧 사라지지 않을까? 중과세율의 판단 및 흐름이 앞으로 어떻게 변화할지를 예측하는 것이 주택 자산관리에서 더욱 중요한 시각이 되고 있다.

주택수 판단 및 중과세 적용세율

주택수가 2주택인지 3주택 이상인지의 여부를 판단할 때는 주택, 오피스텔, 상가건물 등 공부와 관계없이 그 실질이 주거용으로 쓰이고 있다면 전부 주택으로 포함하며, 주택의 재개발·재건축 조합원입주권과 분양권도 포함된다. 그러므로 기존주택을 양도할 계획이 있다면 입주권 및 분양권의 신규 취득에 대해서도 주의를 기울여야 한다.

2021년 6월 1일 이후 조정대상지역 내 주택양도 시 2주택자는 기본세율+20%, 3주택 이상자는 기본세율+30%의 더 높은 중과세율을 적용하고, 추가로 그동안 보유하고 있었던 기간을 인정하여 공제하는 장기보유특별공제를 전혀 적용받을 수 없어서 세 부담은 더욱 상승하게 된다.

향후 중과세 제도는 없어질까?

그렇다면 다주택자의 주택양도 시 무조건 장기보유특별공제 배제와 고율의 중과세율이 적용될까? 장기임대주택 등 양도소득세 중과세 제외는 본인의 양도주택이 해당한다면 적용될 수 있다. 사실상 다주택자 중과세인지 아니면 일반과세 혹은 비과세인지를 판단할 수 있는 경우는 수백 가지로 파생되어서 이를 다 설명할 수 있는 세부적인 사항은 책 한 권으로 써도 부족하다.

오히려 지금은 주택시장이 조정을 받고 있어서 향후 중과세가 어떻게 변화할 것인지를 예측해보는 게 더 도움이 될 것이다. 그렇다면 과연 중과세는 계속 적용될까? 앞에서 '최근 조정대상지역의 대폭적인 해제가 발표되었다'라는 말을 한 바 있다. 조정대상지역이 해제된 이후 주택을 양도한다면 복잡한 중과세율 적용 여부를 따질 필요 자체가 없어진다. 즉, 앞으로 조정대상지역 해제에 관한 뉴스에 귀를 기울이는 한편, 과거의 다주택자 중과세율 적용의 역사를 통해 앞으로의 상황을 예측해보는 것이 좋다.

조정대상지역 내 다주택자에게 양도소득세 중과세율이 적용되기 때문에 사실상 서울 일부지역을 제외하고는 중과세율에 대한 두려움은 해소되었다고 볼 수 있다. 이에 더해 보유기간 2년 이상인 주택을 2022년 5월 10일부터 2023년 5월 9일까지 양도하는 경우에는 중과세율 적용을 한시적으로 배제하고 있다. 지금 같이 주택가격이 조정되고 오히려 시장경기가 죽어가는 상황이라면 정부에서는 다주택자 중과세가 문제가 아니라 거래 활성화를 위해 힘쓸 것이다. 그렇기 때문에 2023년 5월 9일 이후 중과세를 한시적으로 배제하는 방안이 연장될 것으로 기대하고 있다. 아니나 다를까 '23년 경제정책방향'에서 중과배제를 1년간 연장하겠다고 밝힌 상황이다.

이와 함께 서울 강남구, 서초구, 송파구, 용산구 역시 2023년도에 조정대상지역이 해제될 것으로 예상된다. 그로 인해 양도소득세 중과세율 적용 자체를 받지 않게 되므로 이를 통해 거래 활성화를 바라게 될 것이다.

항상 염려할 바는 조정대상지역은 해제된 이후 다시 자산가치 폭등과 투기 세력의 움직임이 보인다면 국토교통부는 언제든지 다시 설정할 것이고, 양도소득세 중과세율 적용도 지금 당장은 한시적으로 배제한 것일 뿐 폐지한 것이 아니기 때문에 언제든지 다시 이 카드를 꺼낼 수 있다는 점이다. 요동치는 시장 속에서 영원한 규제와 영원한 완화 정책은 없다. 항상 시장의 변화를 면밀히 살펴서 들어가고 나가는 시점을 조율하도록 하자.

CHAPTER

똑똑한 부의 이전, 증여세와 상속세

차이점을 통해 살펴보는 증여세와 상속세

비슷하지만 하나씩 살펴보면 너무나도 다른 상속세와 증여세의 기초지식에 대해서 알아보자.

증여세와 상속세의 차이점 비교

구분	증여세	상속세
개념	증여자 생전에 수증자에게 재산이 이전될 때 발생하는 세금	피상속인의 사망으로 인해 상속인에게 재산이 이전될 때 발생하는 세금
계산 방식	유산취득형 방식	유산과세형 방식
납세의무자	수증자	상속인
신고·납부기한	증여받은 날이 속하는 달의 말일부터 3개월 이내	상속개시일이 속하는 달의 말일부터 6개월 이내
관할 세무서	수증자의 주소지	피상속인의 주소지
장점	수증자별로 과세되어 인별로는 낮은 세율이 적용 가능하다.	상속공제액이 다양하고 크다.
단점	배우자를 제외한 증여재산공제액이 상속세보다 현저히 작다.	상속재산 전체에 대한 과세이므로 고율의 세율이 적용 된다.
세율	10~50% 누진세율	

'증여받은 날'과 '상속개시일'은 무엇일까?

'증여받은 날'이란 재산을 인도한 날 또는 사실상 사용한 날 등을 말하며, 일반적으로 부동산의 경우는 소유권이전등기 접수일, 현금의 경우는 인도받은 날이 된다. '상속개시일'이란 피상속인이 사망한 날을 말하고, 실종선고로 인하여 상속이 개시되는 경우에는 실종선고일을 말한다.

신고 및 납부는 언제까지 어디에 할까?

증여세는 수증자의 주소지(주소지가 없거나 분명하지 않은 경우에는 거소지)를 관할하는 세무서에 증여받은 날이 속하는 달의 말일부터 3개월 이내에 신고 및 납부해야 한다. 다만, 수증자가 비거주자이거나 수증자의 주소 및 거소가 분명하지 않은 경우 등에 속하면 증여자의 주소지를 관할하는 세무서에 신고 및 납부해야 한다. 상속세는 피상속인의 주소지(주소지가 없거나 분명하지 않은 경우에는 거소지)를 관할하는 세무서에 상속개시일이 속하는 달의 말일부터 6개월 이내에 신고 및 납부해야 한다.

증여세와 상속세의 장단점

상속세 및 증여세율

과세표준	세율	누진 공제
1억 원 이하	10%	-
1억 원 초과~5억 원 이하	20%	1,000만 원
5억 원 초과~10억 원 이하	30%	6,000만 원
10억 원 초과~30억 원 이하	40%	1억 6,000만 원
30억 원 초과	50%	4억 6,000만 원

증여세와 상속세는 똑같은 세율 구조를 가지고 있다. 그래서 세 부담이 무차별하다고 생각할 수 있다. 그렇다면 상속이나 증여 등 어떤 방식을 통하더라도 부의 이전에 대한 의사결정 시 세금의 영향은 미비할 것이다. 그러나 동일한 재산가액이라도 어떤 부의 이전 방식을 선택하느냐에 따라 큰 차이가 있다. 바로 과세방식과 공제제도가 서로 상이하기 때문이다.

과세방식에 있어 상속세는 유산과세형 방식으로 망자인 피상속인이 상속개시일에 가진 총 재산가액에 대해 과세한다. 하지만 증여세는 유산취득형 방식으로 수증자가 기준이며, 증여받은 재산가액에 대해서만 과세한다. 결국 과세방식으로만 계산하면 증여받는 자녀수가 많을수록 증여세가 분산되기 때문에 세 부담 관점에서 상속보다 증여가 더 유리하다. 하지만 공제제도까지 같이 살펴봐야 한다. 증여세의 대표적인 공제로 10년간 배우자는 6억 원, 직계존비속은 5,000만 원, 기타 친족은 1,000만 원의 증여재산공제를 적용받는다.

상속세의 대표적인 공제로는 일괄공제 5억 원이 있다. 또 배우자가 생존한 상태에서 먼저 사망함에 따라 최소 5억 원에서 최대 30억 원까지 공제해주는 배우자상속공제, 순금융재산가액의 20%를 2억 원 한도로 공제해주는 금융재산상속공제, 그 외 최대 6억 원을 한도로 받을 수 있는 동거 주택상속공제 및 가업상속공제 등이 있다. 이때 공제를 적용받은 후의 금액인 과세표준을 기준으로 세율이 적용된다.

상속세와 증여세는 이렇게 과세방식과 공제제도가 상이하므로 단순히 상속이 나은 방식인지 아니면 증여가 나은 방식인지를 물어보는 질문에 대한 답변을 즉각적으로 하는 것은 불가능하다.

본인이 속한 가족 구성원의 수, 소유재산 규모 및 구성원의 경제력과 예상 수명기간 등 각각의 가족 구성원이 처한 환경이 너무나 다양하다. 그렇기 때문에 상속세와 증여세의 차이점을 먼저 이해하고, 두 세법에서의 절세 포인트를 익힌 다음에 상속과 증여의 비중을 어떻게 조율하는 것이 가족 구성원의 부의 이전에 유리한지를 대입해봐야 한다.

2

절세를 위해서는 시가를 활용하라

상속세와 증여세는 상속재산 또는 증여재산의 경제적 가치를 화폐액으로 환가하여 그 가액을 결정하고, 이를 기초로 하여 과세하기 때문에 재산평가는 세액의 산출에 있어 가장 중요한 일이다. 그래서 재산평가에 관한 문제는 과세대상 포착 못지않게 납세자와 과세관청의 이해가 가장 첨예하게 대립되는 분야로 납세자로부터 빈번하게 불복이 제기되어 왔다. 반대로 이는 곧 재산의 평가기준일과 평가방식을 잘 활용하면 능동적인 절세가 가능하다는 말이기도 하다.

법상 부동산 시가의 정의

재산평가는 '시가'를 원칙으로 하며, 시가를 산정하기 어려운 경우 해당 재산의 종류·규모·거래 상황 등을 고려하여 법 제61조부터 제65조까지에 규정된 보충적 평가 방법에 따른 가액으로 평가한다. 이때 '시가'란 불특정 다수인 사이에 자유롭게 거래가 이루어지는 경우 통상적으로 성립된다고 인정되는 가액을 의미하고, 재산의 평가기준일과 평가방식을 잘 활용하면 능동적인 절세가 가능하다.

시가로 인정되는 매매가액·수용가액·공매가액·감정가액 등이란, 상속개시일 전후 6개월, 증여일 전 6개월부터 증여일 후 3개월 이내의 기간 중 매매·감정·수용·경매 또는 공매가 있는 경우에 확인되는 가액을 말한다.

상속개시일은 피상속인의 사망일을 말하고, 증여일은 증여에 의하여 재산을 취득한 때를 말한다. 대표적으로 부동산은 소유권이전등기 접수일, 입주권과 분양권 등 부동산을 취득할 수 있는 권리인 권리의무승계일을 말한다. 여기서 상속개시일과 증여일을 평가 기간의 중심이 되는 '평가기준일'이라고 한다. 다만, 평가 기간에 해당하지 않는 기간으로서 평가기준일 전 2년 이내의 기간에 매매 등이 있거나, 상속세 과세표준 신고기한 이후 9개월(상속세 결정기한) 또는 증여세 과세표준 신고기한 이후 6개월(증여세 결정기한) 내에 매매 등이 있는 경우 평가심의위원회의 심의를 거쳐 확인되는 가액을 시가에 포함할 수 있다. 평가심의위원회 심의신청은 납세자와 세무서 둘 다 신청이 가능하다.

그러므로 평가 기간이 경과했더라도 시가가 존재하는 경우, 적용이 가능하다. 따라서 재산평가액을 낮게 하고자 무조건 보충적 평가 방법인 기준시가를 적용하는 것은 오히려 추후 과세관청의 결정 과정이나 세무조사에서 세금 추징으로 이어질 가능성이 높다.

왜 시가 평가가 중요한가?

첫 번째 이유는 '시점'에 따라 시가가 달라질 수 있기 때문이다. 물론 상속의 경우 시점을 조율하는 것이 불가능에 가깝다. 하지만 증여의 경우 시점을 조율하여 원하는 재산가액으로 증여가 가능하다. 예를 들어, 부동산 증여시점에 너무 높은 가액이 시가로 설정되어 있다면 증여시점을 뒤로 미루어서 가액이 낮아진 시점에 증여하여 증여세를 낮출 수 있다.

두 번째 이유는 시가를 '조절'할 수 있다는 것이다. 부동산 증여의 대표적 형태인 아파트의 경우 유사매매사례가액이 존재할 때가 많다. 그러나 증여일 이후 밝혀지지 않은 유사매매가 발생하게 되면 시가의 안정성 및 예측하지 못한 증여세가 발생할 수 있다. 그러므로 부동산 가격이 급등락하는 지역의 부동산은 선순위 시가인 감정가액을 활용하여 안정적이고, 납세자에게 조금 더 유리한 가액으로 부동산 시가를 산정할 수 있다.

세 번째는 미래의 세액을 고민하기 위해서 필요하다. 부의 이전 방식인 상속과 증여는 상속인과 수증자 입장에서는 부동산의 취득 단계로 상속재산가액 또는 증여재산가액이 미래 취득가액이 된다. 상속 또는 증여받은 부동산을 미래에 결국 양도로 처분할 계획이라면 현재 눈앞의 상속세와 증여세만 관심을 둘 것이 아니라 미래에 예상되는 양도소득세도 고려하여 시가를 평가하는 것이 현명한 부의 이전이라고 할 수 있다.

시가 산정 기준

시가를 재산가액으로 적용할 때 매매가액·수용가액·공매가액·감정가액이 평가기준일 전후 6개월(증여재산의 경우에는 평가기준일 전 6개월부터 평가기준일 후 3개월까지) 이내에 해당하는지는 아래의 기준으로 판단하며, 시가로 보는 가액이 둘 이상이면 평가기준일을 전후하여 가장 가까운 날에 해당하는 가액(가액이 둘 이상이면 그 평균액)을 적용한다.

① 매매가액: 매매계약일
② 감정가액: 가격산정 기준일과 감정가액평가서 작성일
③ 수용가액·경매가액: 보상가액·경매가액 또는 공매가액이 결정된 날

시가 평가 방법

1) 당해 재산의 매매가액

당해 재산이 평가 기간 내에 거래된다면 그 매매가액은 가장 정확한 시가에 해당한다. 다만, 특수관계자와의 거래로 정상적인 거래가격이 아닌 경우 시가로 보지 않는다.

2) 감정가액

공신력 있는 감정기관이 평가한 감정가액이 둘 이상인 경우 그 평균액이 시가가 된다. 다만, 토지, 건물, 오피스텔 및 상업용 건물, 주택의 기준시가가 10억 원 이하면 하나의 감정기관에서 평가한 감정가액으로도 시가를 인정받을 수 있다. 다만, 증여재산을 지분으로 증여하는 경우로서 지분에 해당하는 기준시가가 10억 원 이하지만, 전체 재산가액의 기준시가가 10억 원을 초과할 때는 지분 별로 판단하지 않고 전체를 기준으로 판단하여 둘 이상의 감정평가 대상인지를 판단한다.

3) 수용가액 등

해당 재산에 대하여 수용·경매 또는 공매 사실이 있는 경우에는 그 보상가액·경매가액 또는 공매가액을 시가로 본다. 보상가액 등이 평가 기간 내에 존재하는지의 여부는 보상가액 등이 결정된 날을 기준으로 한다. 보상가액이 결정된 날은 수용보상계약을 체결한 날을 의미한다.

4) 유사매매사례가액

유사매매사례가액은 평가 대상이 되는 재산과 면적, 위치, 용도, 종목 및 기준시가가 동일하거나 유사한 다른 재산의 가액을 말한다. 주로 아파트, 오피스텔 등 공동주택건물이 유사매매사례가액을 적용받는다.

5) 담보 등으로 제공되어 있는 경우

매매가액·수용가액·공매가액·감정가액 등의 가액이 있더라도 해당 부동산에 저당권 등의 가액과 비교해야 한다. 저당권·담보권·질권·근저당권·전세권 등이 설정되어 있다면, 설정된 전체 담보채권액의 합계액과 매매가액·수용가액·공매가액·감정가액 등의 가액 중 큰 금액을 해당 부동산의 시가로 평가한다.

시가: Max(① 매매가액·수용가액·공매가액·감정가액 등, ② 담보채권액)

시가가 없다면 보충적 평가를 활용하자

시가를 산정하기 어려운 경우에는 해당 재산의 종류, 규모, 거래 상황 등을 고려하여 법상 분류된 재산마다 규정된 방법으로 평가한 가액을 보충적으로 인정하여 재산가액으로 산정한다.

1) 부동산의 일반적인 보충적 평가 방법은 개별공시지가다

주택의 경우는 개별주택가격 또는 공동주택가격으로 표현한다.

2) 임대료 환산가액

사실상 임대차계약이 체결되거나 임차권이 등기된 재산의 경우에는 임대료 등을 기준으로 하여 다음과 같이 산정한 임대료 등의 환산가액과 위에서 언급한 1)에 따르는 평가가액 중 큰 금액을 그

재산의 가액으로 한다.

임대료 환산가액 = (1년간의 임대료 ÷ 12%) + 임대보증금
간편 계산식 = 월세 × 100 + 임대보증금

3) 담보 등으로 제공되어 있는 경우

보충적 평가액과 임대료 환산가액 중 큰 금액으로 재산가액을 산정하였더라도 해당 부동산의 저당권 등의 가액과 비교해야 한다. 저당권·담보권·질권·근저당권·전세권 등이 설정되어 있다면 설정된 전체 담보채권액의 합계액, 보충적 평가액, 임대료 환산가액 중 큰 금액을 해당 부동산의 시가로 평가한다.

보충적 평가 방법: Max(① 보충적 평가액(공시지가, 개별주택가격, 공동주택가격 등),
② 임대료 환산가액, ③ 담보채권액

3

증여세란 이런 세금! 증여세의 '계산 구조'

증여세는 동일인으로부터 10년 이내 증여받은 1,000만 원 이상의 재산을 합산하여 계산하도록 되어 있다. 또한, 상속 발생 시 상속개시일 전 5년과 10년 이내에 증여한 가액을 상속재산에 합산하여 계산하도록 되어 있다. 증여로 인해 발생하는 위 두 합산 규정이 상속세와 증여세를 폭발적으로 증가시키는 주범이다. 그러므로 우리는 기본적인 증여세 계산법을 익히고 현행법상 10년 주기 증여설계가 얼마나 큰 절세효과가 있는지를 이해하여 하루라도 빨리 증여를 실행해야 할 것이다.

'합산'으로 높은 세액이 부담되는 것을 피하기 위해서는 하루라도 빨리 증여를 고민하라고 말할 수밖에 없는 절세전략의 한계는 분명히 존재하지만, 현행 세법의 변화가 없는 이상 이를 적법하게 지켜야 한다는 점을 잊지 말자.

증여세 계산법

<table>
<tr><th colspan="2">구분</th><th>내용</th></tr>
<tr><td colspan="2">증여재산가액</td><td>• 증여일 현재 시가 평가(시가 없을 시 보충적 평가액)</td></tr>
<tr><td colspan="2">(-)증여세
과세가액 불산입</td><td>• 비과세 재산, 과세가액 불산입 재산
• 과세가액 불산입 재산은 국가로부터 증여받은 재산, 공익법인 등이 출연받은 재산 등 일반적인 증여에는 해당 사항 없음</td></tr>
<tr><td colspan="2">(-)채무 부담액</td><td>• 증여재산에 담보된 채무인수액
(채무승계 시 부담부증여가 되며 채무액은 양도소득세 과세대상이 됨)</td></tr>
<tr><td colspan="2">(=)증여세 과세가액</td><td></td></tr>
<tr><td colspan="2">(+)증여재산
가산가액</td><td>• 증여 전 동일인으로부터 10년 이내 증여받은 1,000만 원 이상의 재산
• 증여자가 직계존속일 경우 배우자 포함</td></tr>
<tr><td colspan="2">(-)증여재산공제
(10년간 누계 한도)</td><td>• 배우자: 6억 원
• 직계존속: 5,000만 원
• 직계비속: 5,000만 원(미성년자 2,000만 원)
• 기타 친족: 1,000만 원</td></tr>
<tr><td colspan="2">(-)감정평가
수수료 공제</td><td>• 부동산과 서화·골동품 등 유형 재산은 각각 500만 원 한도
• 비상장주식은 평가대상 법인, 의뢰기관 수별로 각각 1,000만 원 한도</td></tr>
<tr><td colspan="2">과세표준
(누진세율 및
누진 공제 적용)</td><td><table>
<tr><th>과세표준</th><th>세율</th><th>누진 공제</th></tr>
<tr><td>1억 원 이하</td><td>10%</td><td></td></tr>
<tr><td>1억 원 초과~5억 원 이하</td><td>20%</td><td>1,000만 원</td></tr>
<tr><td>5억 원 초과~10억 원 이하</td><td>30%</td><td>6,000만 원</td></tr>
<tr><td>10억 원 초과~30억 원 이하</td><td>40%</td><td>1억 6,000만 원</td></tr>
<tr><td>30억 원 초과</td><td>50%</td><td>4억 6,000만 원</td></tr>
</table></td></tr>
<tr><td colspan="2">(+)세대 생략 가산액</td><td>• 산출세액x30% (미성년자이면서 증여가액 20억 원 초과 시 40%)</td></tr>
<tr><td rowspan="3">(-)세액
공제</td><td>기납부
세액공제</td><td>• 기납부 증여 산출세액 공제</td></tr>
<tr><td>외국납부
세액공제</td><td>• 외국에 있는 증여재산에 대하여 외국의 법령에 따라 부과받은 증여세</td></tr>
<tr><td>신고
세액공제</td><td>• 증여일이 속하는 달의 말일로부터 3개월 이내 신고 시 산출세액의 3%</td></tr>
<tr><td>(+)가산세</td><td>신고, 납부
가산세</td><td>• 신고: 과소신고는 산출세액의 10%, 무신고는 산출세액의 20%
• 납부: 1일당 2.5/10,000(2022. 2. 15. 이후 분은 2.2/10,000)</td></tr>
<tr><td colspan="2">(=)납부할 세액</td><td></td></tr>
</table>

4

증여 절세를 위한 기본 설계 방향

과연 증여를 누구에게, 어떻게, 무엇을 해야 할까? 이처럼 증여 설계를 위한 방향성을 면밀히 생각해봐야 한다. 통상 일반적인 사전 증여 절세 설계 방향은 다음과 같다.

현금 VS 부동산

현금은 즉각적인 유동성이 확보되므로 현금 증여 후 자녀가 필요한 용도로 현금을 사용해 부의 상승을 이룩할 수 있다. 예를 들어, 자녀가 사업 또는 투자를 하거나 아니면 본인 명의로 주택을 취득하는 데 일부 자금이 필요하다면 부동산보다는 현금을 증여하는 것이 목적에 적합하다. 그러나 증여자인 부모가 다주택자인 상황이어서 다주택자에 대한 각종 보유세 및 양도소득세를 줄이면서 무주택자인 자녀에게는 주택의 가치 상승분을 안겨주고 싶다면 주택 증여가 더 적합하다. 또한 당장 줄 수 있는 현금이 없어서 부동산을 증여하는 경우도 있다. 결국 증여 대상을 설정하는 것은 증여자와 수증자의 현재 상황과 앞으로의 계획에 따라 다를 수 있다.

임대 수익률이 높은 부동산 VS 가치 상승이 커질 부동산

증여 이후 임대부동산의 임대료는 수증자의 소득이 되므로 일상생활 영위와 추후 상속세 재원 마련을 위한 현금 유동성 확보가 가능하다. 그러나 상가건물이나 원룸 형태의 빌라는 미래에 재산 가치 상승이 높지 않을 수 있다. 현재 자녀가 소득이 있다면 유동성을 확보할 수는 없더라도 미래 재산 가치 상승이 커질 것으로 예상되는 부동산을 증여하는 것을 생각해 볼 수 있다.

토지와 건물의 증여, 우선순위를 정하자

일반적으로 토지는 매년 공시지가가 상승하고, 건물은 감가상각으로 인해 증여재산가액이 하락한다. 건물의 임대소득이 증여의 주목적이라면 건물만 먼저 증여하는 방식을 활용할 수 있다. 일반적으로 건물 부분의 증여재산가액은 토지보다 소액인 경우가 많기 때문에 현재의 증여세 부담을 최대한 낮추면서 임대소득을 확보할 수 있다. 물론 토지소유자에게 토지 사용에 따르는 적정 임대료는 별도로 지급해야 한다. 그러나 추후 언젠가는 증여받을 토지의 공시지가 상승이 부담스럽다면 토지를 먼저 증여하거나 또는 건물과 동시에 증여하는 방안을 고려해야 한다.

단독주택 VS 아파트

실거래가액이 존재하는 아파트는 공동주택 가격보다 높은 시가로 증여가 돼 증여세도 높다. 물론 추후 양도하는 시점에서는 높은 취득가액으로 인정받아 양도소득세를 줄이는 효과를 볼 수 있다. 하지만 지금 당장의 증여세가 부담된다면 유사매매사례가액이 존재하지 않는 단독주택을 개별주택 가격으로 증여받아 증여세 납부금액을 낮출 수 있다. 그러나 어떤 주택이 미래에 증여자와 수증자 모두에게 더 큰 이익을 주는지를 꼭 비교 및 검토해봐야 한다는 것을 기억하자.

5

똑똑하게 주택 부담부증여 하기

부담부증여는 배우자나 자녀에게 부동산 등의 재산을 증여할 때 증여일 현재 증여재산에 담보된 전세보증금이나 주택담보대출과 같은 채무를 포함해서 부를 이전하는 것을 말한다. 해당 채무의 실질적인 채무자는 증여자, 실질적인 채무인수자는 수증자라면 해당 증여세를 산정할 때 채무 부분을 차감한 금액을 기준으로 계산하기 때문에 증여세 부담이 줄어들어 절세 수단으로 활용되고 있다. 여기서 증여일 이후 미래에 발생할 것으로 예상되는 채무는 증여등기접수일 현재 해당 증여재산에 확정된 채무가 아니므로 부담부증여 대상이 되지 않는다. 그렇다고 채무 부분에 세금부과가 없다는 것은 아니다. 채무는 증여받는 사람에게 유상 양도한 것으로 보기 때문에 증여자가 곧 양도자가 되어 채무액만큼 양도소득세를 납부해야 한다.

예시를 통해 살펴보는 주택 부담부증여 절세 원리

1) 성년 자녀에게 시가 10억 원 주택 순수 증여 시

자녀에게 시가 10억 원의 주택을 순수 증여한다면, 자녀는 두 가지 세금을 납부해야 한다.

가. 증여세: 2억 2,500만 원(증여재산가액 10억 원)

나. 취득세: 기준시가의 3.8%(전용면적 85㎡ 초과는 4%), 증여자가 다주택자이고, 조정대상지역 내에 시가표준액 3억 원 이상인 주택을 증여한다면 12.4%(전용면적 85㎡ 초과는 13.4%)

2) 성년 자녀에게 시가 10억 원 주택(전세보증금 및 주택근저당권 합계 6억 원, 취득가액 3억 원, 보유기간 15년 이상 가정) 부담부증여 시

자녀는 마찬가지로 두 가지 세금을 납부해야 한다.

가. 증여세: 6,000만 원(증여재산가액 4억 원)

나. 취득세

① 증여 부분은 기준시가의 3.8%(전용면적 85㎡ 초과는 4%), 증여자가 다주택자이고, 조정대상지역 내에 시가표준액 3억 원 이상인 주택을 증여한다면 12.4%(전용면적 85㎡ 초과는 13.4%)

② 채무 부분은 임대보증금 및 근저당권 합계액에서 자녀의 독립세대 여부 및 주택수와 주택의 조정대상지역 내 유무 등에 따라 1.1%~13.4%로 달라진다.

다. 양도소득세

3주택 중과세와 일반과세 세액비교표

구분		3주택 중과세	일반과세
	양도가액	600,000,000	600,000,000
(-)	취득가액	180,000,000	180,000,000
(=)	양도차익	420,000,000	420,000,000
(-)	**장기보유특별공제**	**0**	**126,000,000**
(=)	양도소득금액	420,000,000	294,000,000
(-)	기본공제	2,500,000	2,500,000
(=)	과세표준	417,500,000	291,500,000
(x)	**세율**	**70%-25,9400,000**	**38%-19,940,000**
(=)	납부할 세액 (지방소득세 포함)	292,941,000	99,913,000
세액 차이		193,028,000	

부모는 채무승계 6억 원에 대해서 양도소득세를 납부해야 한다. 해당 양도소득세가 순수 증여 시 발생하는 자녀의 증여세보다 적다면 분명히 절세된다. 3주택 중과세와 일반과세 시 세액을 비교하면 1억 9,300만 원 이상의 차이가 발생한다. 그리고 일반과세 적용 시 발생하는 증여세와 일반과세 양도소득세의 합 1억 6,000여만 원이 순수 증여의 증여세액 2억 2,500만 원보다 적어 부담부증여가 순수 증여보다 절세 측면에서 유리한 것을 확인할 수 있다. 만약 양도소득세 비과세 적용이 가능한 주택이었다면 절세는 훨씬 커졌을 것이다. 나아가 증여세와 취득세는 경제력이 부족한 자녀에게는 부담이 될 수 있는데, 양도소득세는 부모가 납부하므로 세 부담의 당사자 측면에서도 분산 효과를 볼 수 있다.

부담부증여의 장점

1) 증여자가 다주택자인 경우 부담부증여를 통해 주택수가 하나 줄어들게 되어 2주택자에서 1주택자가 된다면 종합부동산세 과세표준이 줄어들고 1주택자에 대한 혜택을 받아 종합부동산세를 크게 절세할 수 있다.
2) 부담부증여 진행 시 발생하는 양도차익은 시가와 채무액의 비율만큼만 산정되기에 주택 전체를 양도할 때보다 현저히 적다. 처분해야만 하는 주택이라면, 부담부증여를 통해 양도차익을 비교적 낮게 처분할 수 있다.
3) 증여자의 재산 상황에 따라 사전증여를 통해 미래의 상속세를 줄이는 효과가 있다. 또한 승계하는 채무 부분은 증여가 아니므로 추후 증여자 사망 시 합산되는 10년 내 증여 부분에도 속하지 않는다.

   수증자가 증여받은 주택을 10년 내 양도한다면 이월과세규정이 적용될 수 있는데, 이때도 승계하는 채무 부분은 증여가 아니므로 이월과세규정을 적용받지 않는다.
4) 수증자가 무주택자였다면 1주택자가 된 후 주택의 재산 가치 상승에 대해서도 온전히 본인의 몫이 되면서 추가적인 증여세가 추징되지 않는다. 또한 미래에 1세대 1주택 비과세 요건을 충족하여 양도한다면 이전된 부를 온전히 보존할 수 있다.

주택 부담부증여 절세전략

부담부증여가 무조건 절세를 보장하는 것은 아니다. 증여세, 양도소득세, 그리고 취득세까지 유기적으로 복잡하게 얽힌 주택 세법으로 인해 무작정 부담부증여를 진행한다면 상황에 따라 순수 증여보다 더 높은 세금이 발생할 수 있다. 주택의 부담부증여를 고려 중이라면 실행 전 아래의 사항을 꼭 확인해 보아야 한다.

● 증여자가 다주택자라면 과도한 양도소득세를 고려하자

부모 세대가 1세대 1주택 비과세 적용이 가능한 상황이거나, 양도차익이 발생하지 않는 상황에서 독립한 자녀 세대에게 주택을 부담부증여한다면 양도소득세 부담이 적어 최상의 절세플랜이 될 수 있다. 다만, 부모 세대가 다주택 세대이면서 양도차익이 큰 주택을 부담부증여한다면 장기보유특별공제 배제 및 중과세율 적용으로 인해 고액의 양도소득세를 납부하게 되어 전체 납부세액 측면에서 오히려 더 큰 세액을 납부하는 상황이 될 수 있다. 또한, 부담부증여는 증여를 통한 가족 구성원 간 내부거래이므로 타인에게 양도할 때와는 다르게 외부 유입자금이 발생하지 않는다. 그러므로 부모가 다주택자여서 고액의 양도소득세가 나오는데, 이를 납부할 여력이 없다면 부담부증여는 세 부담 측면에서 상당히 부담스러울 수 있다.

보유기간 2년 이상인 주택에 한해 2022년 5월 10일부터 2023년 5월 9일까지 양도소득세가 한시적으로 중과배제되고 있다. 이렇게 부동산 정책에 맞춰 개정이 잦은 것이 부동산 세금이므로 이에 대해서 관심을 갖고 본인에게 적합한 절세를 이룰 수 있는 때에 맞춰 부를 이전해야 한다.

● 취득세 중과를 고려하자

조정대상지역 내 다주택자의 취득세는 이제 부의 이전인 증여를 진행할 때 필수적으로 검토해야 한다. 취득세의 차이가 1억 원 이상인 경우가 심심치 않게 발생하기 때문이다.

순수 증여 시 만일 부모가 3주택 이상을 보유한 상황에서 조정대상지역 내 공시지가 3억 원 이상의 주택을 증여하는 경우라면 취득세율은 12.4%(전용면적 85㎡ 초과는 13.4%, 중과세율 6%로 개정 예정)를 적용받게 되어 일반 증여세율인 4%에 비해 세 부담이 3배 이상 증가하게 된다.

부담부증여 방법에서 취득세는 채무 부담 부분과 증여 부분으로 나누어 그 세액을 적용받게 된다. 이때 증여 부분도 마찬가지로 부모의 상황에 따라 취득세 중과세율인 12.4% 또는 13.4%가 적용될 수 있고, 자녀가 매매 취득하게 되는 채무 부분은 수증자인 자녀의 독립세대 여부, 자녀 세대의 주택수 및 조정대상지역 내 여부에 따라 1.1%의 일반 취득세율에서 13.4%(4%와 6%로 중과 취득세율 개정 예정)의 중과 취득세율까지 최대 12배 이상의 차이를 가져오게 된다.

추가로 채무를 승계하는 자녀가 경제적 능력이 전혀 없다면 매매취득에 따른 취득세율을 적용받지 못하고 채무 부분에 대해서도 일괄적으로 증여취득세율을 적용받는다. 「지방세법」에서는 배우자 또는 직계존비속의 부동산을 취득하는 경우에는 증여취득으로 보고 있으며, 그 대가를 지급하기 위한 취득자의 소득이 증명되는 경우에만 유상취득으로 인정하고 있기 때문이다.

그러므로 증여 전 자녀의 독립세대 및 소득 유무를 체크하여 낮은 취득세율을 적용받을 수 있도록 준비하는 것이 필요하다.

● 자녀의 납부 여력을 고려하자

순수 증여를 하면 고액의 증여세와 취득세를 자녀가 혼자 납부하게 된다. 그러나 부담부증여를 하면 채무승계 부분의 양도소득세는 자녀가 아닌 부모의 몫이 되므로 세 부담을 덜 수 있다. 그러나 자녀가 경제적 능력이 없거나 미비하다면 분산되었더라도 증여세와 취득세에 대한 부담이 클 수 있다. 이 경우 취득세를 우선순위로 마련해야 한다. 취득세 납부 없이는 부동산 등기를 완료할 수 없기 때문이다. 그러므로 취득세의 절세전략이 더욱 중요하고, 취득세 재원을 조부모를 통한 증여로 마련하는 방식을 취하는 것도 하나의 방법이다.

그렇다면 증여세는 어떻게 해야 할까? 납부 방식 중 하나인 연부연납을 활용할 수 있다. 증여세의 납부세액이 2,000만 원을 초과하는 경우 연부연납 신청서 제출 및 신청 세액에 상당하는 납세담보를 제공하면 허가를 통해 최대 5년간 세금을 나누어낼 수 있다.

부담부증여를 통해 증여받은 주택을 담보로 연부연납을 신청하여 최대 5년간 세금을 나누어 낸다면 고액의 증여세에 대한 부담을 줄일 수 있고, 자녀가 정기적금으로 돈을 모으듯 매년 연부연납 세액을 모아 스스로 세금을 해결하게 하는 경제 교육도 병행할 수 있다.

● 근저당권 승계가 가능한지 검토하자

나머지 사항이 다 절세 가능한 방향으로 검토되었더라도 근원적인 검토사항이 있다. 바로 주택근저당권 승계가능 여부다. 지속적인 부동산 정책 갱신으로 인해 LTV와 DSR의 비율이 계속 낮아졌으며, 부모의 신용도 및 소득과 달리 자녀의 신용도 및 소득에 따라 은행에서 근저당권 승계가 불가능 혹은 일부만 가능하다는 이야기가 있다.

세법 외의 검토사항이지만 근저당권의 승계가 되지 않는다면 예상했던 부담부증여 세액보다 높은 세액을 납부하는 상황이 펼쳐질 수 있고, 원천적으로 부담부증여 자체가 불가능할 수도 있다는 점을 유의해야 한다.

● 최대 절세가 되는 적정 채무액을 찾아내자

부담부증여의 핵심은 본인과 부모 간에 발생하는 세 가지 세액의 가장 최소화가 되는 채무액을 찾는 것이다. 승계되는 채무액에 따라 세액 차이는 천차만별로 벌어지게 되는데, 현재 상태에서 단순히 세액이 절세될 것이라는 가정으로 부담부증여를 하게 된다면 생각보다 고액의 세금에 놀라게 된다.

세무 컨설팅을 통해 적정 채무액을 확인한 후, 현재 임대보증금과 근저당권 등 채무의 조정 가능 여부 및 조정 시기를 확인해야 한다. 증여자와 수증자의 상황에 맞는 적정 채무액으로 조정을 마친 뒤에 부담부증여를 하는 것이 절세를 위한 최적의 방법이다.

● 채무 사후 관리를 주의하자

부담부증여로 인정받기 위해 수증자의 자력 변제가 가능한지에 대한 판단은 증여일 현재뿐만이 아니다. 세무서에서 채무의 사후 관리를 통해 수증자가 아닌 타인이 대신 채무를 변제한 사항을 포착한다면 증여세 추징을 당할 수 있다. 그러므로 부담부증여 시점에만 채무를 인수한 것으로 처리하고 추후 자녀의 채무를 부모가 몰래 변제한다는 등의 얕은수는 생각하지 않는 것이 좋다.

6

부동산 지분증여를 통한 부부 공동명의 절세

부부 중 1인 명의로 부동산을 소유하고 있을 때와 공동명의로 소유하고 있을 경우 각각의 장단점이 있기 마련이다. 이때 조금이라도 더 절세를 바란다면 부동산을 취득하기 전에 부부 공동명의의 장단점에 따른 세액 차이를 선행해서 예측해보는 것이 좋다.

1인 명의로 부동산을 취득한 후 공동명의가 더 부부에게 장점이 될 것이라고 생각되어 뒤늦게 지분 증여하면 최초 취득 시 취득세를 1회 납부한 후 증여시점에 재차 취득세를 납부하게 되어 두 번 납부하는 꼴이 되므로 꼭 취득 전에 고민하여 절세하도록 하자.

부동산 지분 증여는 부모가 자녀 내외에게 증여할 때도 똑같이 응용할 수 있다. 자녀에게만 지분 전부를 증여한다면 증여세의 누진세율이 높아지기 때문에 자녀의 배우자인 사위 또는 며느리에게도 지분을 나눠서 증여하여 자녀 부부가 지분을 가져가는 방식으로 부동산 지분 증여의 이점을 똑같이 누리게 할 수 있다.

부부 공동명의의 장점

● 증여재산공제를 활용한 상속세 절세

배우자 간에는 10년간 증여재산공제가 6억 원으로 타 관계보다 월등히 높다. 그러므로 10년 주기로 이를 최대한 활용하는 것이 절세에서 상당히 중요하다.

부부가 가진 재산 리스트를 한 번 살펴본 후 그중 각각의 명의로 된 재산비율을 계산해본 사람은 없을 것이다. 일반적으로 대한민국의 50대 이상 부부 관계에서는 남편 명의로 된 부동산이 좀 더 많은 비율을 차지하고 있다. 그러므로 추후 상속세가 과도할 것으로 예측된다면 미리 배우자에게 6억 원의 증여를 통해 10년 주기별로 미래의 상속세를 절세하는 것은 기본 중의 기본 전략이다. 특히 부동산은 지속적인 가치상승이 발생하는 재산 형태이므로 최대한 빠른 시일에 공동명의를 통해서 부의 이전을 하고, 이를 통해서 미래의 가치 상승분에 대한 추가 증여가 발생하지 않도록 하는 것이 좋다.

● 배우자의 경제적 자력 형성

부부 중 1인의 경제적 자력이 없으면서 앞으로 소득 창출이 힘든 상황이라면 배우자 간 증여를 통해 부의 이전을 한 후 해당 부동산의 양도를 통해 현금 유동성을 합법적으로 확보할 수 있다. 특히 증여시점에는 6억 원까지 증여하였지만, 양도시점에는 재산의 가치상승으로 인해 더 높은 유동성으로 돌아올 수 있다. 이를 마중물 삼아 추후 재산 형성을 이어간다면 세무서의 자금출처조사 등 소명 요청에도 명확히 대비할 수 있다.

● 1세대 1주택 종합부동산세 선택 가능

「종합부동산세법」상 1세대 1주택자란 거주자로서 세대원 중 1명만이 주택분 재산세 과세대상인 1주택을 단독으로 소유한 경우로서 그 주택을 소유한 자를 말한다. 우선 1세대 1주택자는 주택 공시가격에서 일반적으로 적용받는 기본공제가 9억 원이 아닌 12억 원을 적용받는다. 또한 1세대 1주택자는 고령자 공제 및 장기보유 공제 두 가지의 세액공제를 합산하여 공제 한도 최대 80%까지 적용받을 수 있다.

고령자 공제		장기보유 공제	
연령	공제율	보유기간	공제율
60~65세 미만	20%	5~10년 미만	20%
65~70세 미만	30%	10~15년 미만	40%
만 70세 이상	40%	15년 이상	50%

기존에는 부부 공동명의의 1세대 1주택의 경우 각각 지분 소유를 주택 소유로 보아 1주택자임을 인정하지 않았다. 그런데 2021년 종합부동산세 부과 분부터는 부부가 소유하는 지분이 같은 경우에 한해 1주택자에 대한 혜택을 부여해 12억 원의 기본공제에서 고령

자 및 장기보유 공제를 더한 계산방식과 1주택자로 인정하여 인별 지분 비율에 따른 일반 종합부동산세 계산방식 중 부부의 선택으로 적용받을 수 있게 세법이 개정되었다. 이를 통해 부부 공동명의의 경우 두 가지 방식 중 부부에게 더 적은 종합부동산세가 나오도록 하는 방식을 선택할 수 있어서 절세에 용이하다.

● 취득가액을 높여 양도소득세 절세

증여일 당시의 재산가액을 시가 평가하여 증여세가 계산된다. 해당 부동산의 유사매매사례가액이 있다면 활용할 수 있고, 없다면 감정평가를 통해 증여재산공제인 6억 원에 맞추어서 비율을 증여하는 전략을 고민해 볼 수 있다.

간혹 부부 공동명의는 무조건 비율을 50:50으로만 해야 한다고 알고 있는 경우가 있다. 부동산의 재산가액이 30억 원이라면 20% 정도만 배우자에게 증여하여 6억 원의 증여재산공제액에 맞추어서 지분 증여가 가능하며, 이를 통해서도 절세효과를 충분히 볼 수 있다.

1인 명의에서 부부 공동명의로 증여한 후 10년이 지나서 양도하면 인별로 납부하는 양도소득세 계산 구조로 인해 양도차익이 분산되고, 증여자보다 높은 취득가액으로 증여받았기 때문에 낮은 양도차익이 산정되어 양도소득세를 절세할 수 있다. 여기서 유의할 점은 증여예정 부동산의 최초 취득가액보다 현재의 증여재산가액이 낮은지를 살펴봐야 한다는 점이다. 예를 들어 최초 취득 시 14억 원에 단독주택을 취득하였고, 시세는 20억 원, 기준시가는 8억 원이라고 가정해보자. 증여시점에 유사매매사례가액이 없다고 하여 기준시가인 8억 원으로 시가산정 후 지분 50%를 증여하면, 이 지분 50%에 대해서는 오히려 증여취득가액이 4억 원이 되어 증여자의 최초 취득가액 7억 원보다 더 낮아진다. 이는 미래 양도시점에 취득가액 분산 및 취득가액을 높여서 양도소득세를 줄이고자 했던 절세 목적이 달성되지 않을 수 있다.

'이월과세'가 증여 절세플랜에 미치는 영향

원 취득시점의 취득가액이 낮다면 고액의 양도소득세가 예상될 것이다. 이를 회피하기 위해 미리 배우자에게 증여하여 취득가액을 높인다면 양도차익을 줄여서 양도소득세를 줄일 수 있다고 생각할 수 있다. 이를 막기 위해 세법에서는 증여자와 수증자의 관계가 부부 및 직계존비속이라면 이월과세규정을 적용하여 과세 형평을 도모하고 의도적인 조세 회피를 방지하고 있다.

'이월과세'란 거주자가 양도일부터 소급하여 10년 이내에 그 배우자 또는 직계존비속으로부터 증여받은 토지, 건물 및 부동산상의 권리 등 자산의 양도차익을 계산할 때 양도가액에서 차감하는 취득가액을 '증여자인 그 배우자 또는 직계존비속의 취득 당시 실제 취득금액'으로 적용하는 것을 말한다. 이 경우 거주자가 증여받은 재산에 대하여 납부하였거나 납부할 증여세 상당액이 있는 경우에는 양도차익 계산 시 필요경비에 포함하여 양도가액에서 차감하며, 장기보유특별공제, 세율적용 및 비사업용 토지 판정 시 보유기간도 당초 증여자의 취득일로 계산한다. 하지만 계산만 당초 증여자의 기준으로 하는 것이지 납부 대상자는 증여받은 수증자가 납부한다.

그러나 증여 후 10년 후에 양도하면 이월과세규정을 적용받지 않는다. 그래서 '증여 후 양도는 항상 10년 후에 하라'는 말이 정석처럼 받아들여졌었다. 10년 이내에 양도하면 증여세는 증여세대로 부과되고, 양도소득세에 대한 큰 혜택을 보지 못하기 때문에 추가적으로 증여받았을 때의 증여취득세까지 고려하면 납부세액만 커질 수 있기 때문이다.

단, 다음의 경우는 이월과세가 배제되므로 10년 이내에 양도하더라도 무관하다.

① 사업인정고시일부터 소급하여 2년 이전에 증여받은 경우로 「토지보상법」이나 그 밖의 법률에 따라 협의매수 또는 수용된 경우

② 1세대가 1주택을 보유하는 경우로서 비과세 요건을 충족하는 주택을 양도하는 경우(양도소득의 비과세 대상에서 제외되는 고가주택 포함)

③ 이월과세규정을 적용하여 계산한 양도소득 결정세액이 이월과세규정을 적용하지 않고 계산한 양도소득 결정세액보다 적은 경우

2023년부터는 '이월과세' 5년이 10년으로 길어진다

2022년 7월에 나온 2023년 세제 개편안에서 증여 후 5년이 아닌 10년이 지나야 이월과세 적용을 배제하겠다는 개편안이 나왔다. 말 그대로 취득가액을 높인 후 양도를 하여 절세 및 유동성 확보를 하려고 했던 시점이 5년에서 10년으로 바뀌게 되어 자산관리에 차질이 생길 수 있다. 다행인 점은 2022년까지 증여 시에는 5년, 2023년 1월 1일 이후 증여분에 대해서는 10년을 적용한다는 점이다. 2022년까지 증여를 한 경우에는 5년을 적용하니 해당 세법의 개정으로 당황해하지 않도록 하자.

7

'증상 없는 전염병' 상속세, 대비는 되어 있으세요?

집 한 채만 있으면 상속세가 부과된다는 사실은 이제 누구나 알고 있을 것이다. 혹시 모르고 있었다면 상속세를 계산해 본 적이 없거나 애써 무시하고 있는 것일 수 있다. 그렇다면 당장 상속세부터 한 번 계산해보자. 상속세로 인해 그동안 쌓은 부의 절반을 자녀가 아닌 국가에 헌납해야 할 수도 있으니 말이다.

물론 불과 10년 전만 하더라도 상속세를 납부하는 지인이 있으면 친하게 지내라는 말이 나올 정도로 대한민국에서 '상속세'는 부자들만 내는 세금이라는 인식이 일반적이었다. 그러나 이제 상속세는 보편적인 세금이 되었다. 매년 세금을 내는 근로소득자 또는 사업소득자라면 해마다 소득 및 세금신고를 통해 그 다음해의 세금을 준비하고 공부한다. 근로자의 경우 포털사이트에서 연말정산에 대한 절세 팁 관련 기사라도 검색해서 찾아볼 정도다. 그렇지만 상속세는 피상속인의 죽음에서 비롯되는 경험이다 보니 국민 대부분이 다른 사람의 이야기처럼 받아들이는 경우가 많다.

현재 대다수의 국민이 잠정적 상속세 신고대상자가 되었음에도 불구하고, 상속세에 대한 상식이나 이해가 전무하다. 그 결과 대부분의 상속인이 사전 상속 절세 계획 자체를 생각하지 못해 고액의 상속세 납부라는 결과를 고스란히 짊어지게 된다. 이 과정을 지켜보는 세무사 입장에서는 절세를 도와줄 수 있는 방법이 없어 정말 안타깝다.

서울에 집 한 채, 상속세는 당연히 발생한다

한국부동산원이 발표한 2022년 1월 〈전국 주택가격 동향조사〉에 따르면 서울의 평균 아파트 매매가격은 11억 5,000만 원이 넘는다. 2년 전인 2021년 1월의 가격은 약 8억 9,700만 원으로 불과 1년 만에 서울의 아파트 매매가격이 28%나 치솟았으며, 5년 전에 비해서는 2배 이상 상승했다. 최근 5년간 아파트 가격은 서울뿐만 아니라 전국적으로도 큰 폭의 상승을 보였다.

최근 5년간 지역별 아파트 평균 매매가격 동향

(단위: 천 원)

지역	2017년 01월	2018년 01월	2019년 01월	2020년 01월	2021년 01월	2022년 01월
전국	283,255	315,961	349,426	366,793	401,083	514,577
수도권	379,016	433,036	494,703	526,563	569,996	758,407

지방권	192,318	204,969	212,775	216,470	242,156	294,196
6대 광역시	235,533	257,577	268,938	282,145	319,357	399,218
9개도	225,121	238,264	256,875	267,026	301,537	400,539
서울	562,025	673,522	810,129	877,128	897,254	1,151,721

출처: R-ONE 부동산통계뷰어, 한국부동산원

주택가격 상승은 누군가에게는 기쁨일 수 있지만, 누군가에게는 절망이 될 수 있다. 그리고 50대 이상의 주택 소유자에게는 상속세 대비 필요성을 알리는 신호이기도 하다. 상속세는 배우자가 있다면 10억 원까지, 배우자가 없다면 5억 원까지 특별한 경우를 제외하고는 과세대상이 아니다. 다만, 그 이상이라면 과세대상이다. 현재 서울 평균 아파트 매매가격을 보면, 아파트 한 채만 보유하고 있어도 상속세를 준비해야 하는 상황이다.

상속 발생 시 가장 기초적으로 적용되는 일괄공제 5억 원만을 반영하여 2017년 1월 서울 아파트 평균 매매가격에 상속세를 계산하면 620만 원가량이지만, 2022년 1월 매매가격에 상속세를 계산하면 1억 3,530만 원가량으로 세액 차이는 약 22배나 벌어지게 된다.

통계로 살펴보는 대한민국 상속세 현위치

이를 뒷받침하듯 국세통계에서도 최근 몇 년 새 상속세 납세의무자 및 재산가액이 큰 폭으로 증가한 것을 확인할 수 있다. 2021년 상속세 신고 인원은 1만 4,951명, 재산가액은 66조 원으로 전년 대비 각각 29.7%, 240% 증가하였고, 2016년 대비 상속세 신고 인원은 2.4배, 재산가액은 4.5배나 증가했다.

2020년 상속세 신고 재산가액 규모별로는 20억 원 이하(10억 원 이상)인 구간이 인원 5,126명(44.5%), 재산가액 6조 6,369억 원(24.2%)으로 가장 큰 비중을 차지했다.

상속세 신고 인원 및 재산가액

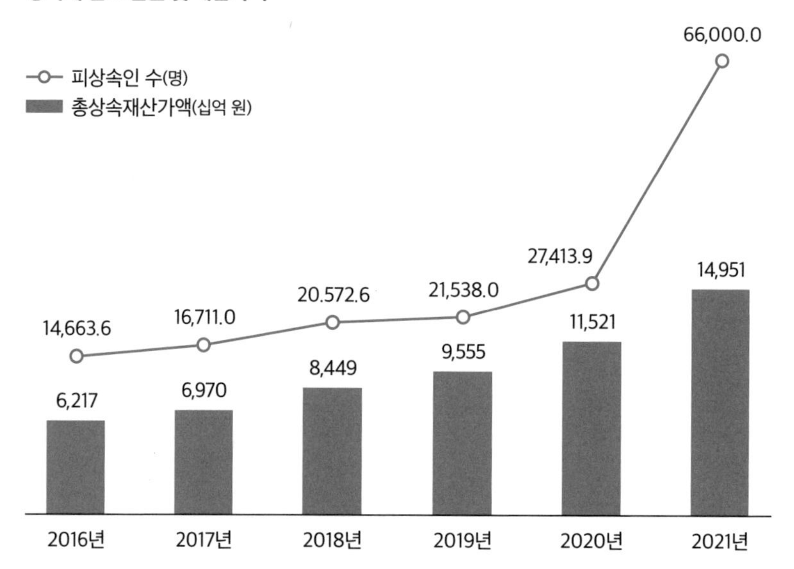

출처: 2022년 2분기 국세통계 공개, 2022. 6. 30. 국세청

상속세 신고 재산가액 규모별 현황

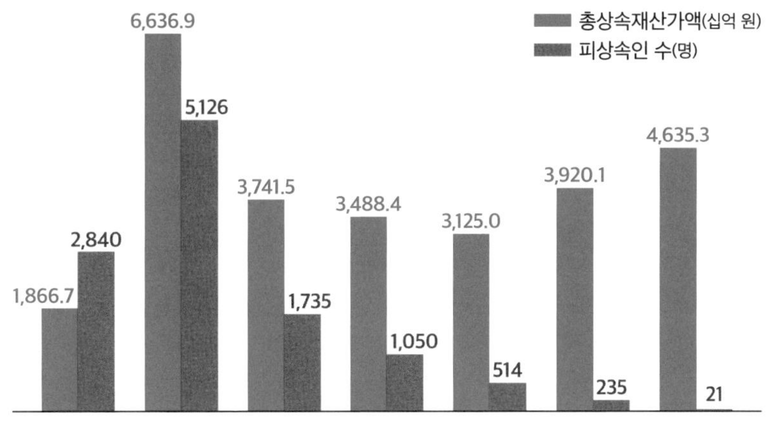

출처: 2021년 국세통계 2차 수시 공개, 국세청, 2021. 6. 29.

과거에는 주택 한 채와 예·적금 및 보험금을 가진 일반적인 망자의 상속은 상속세 신고 대상이 아니었다. 그러나 현재는 주택가격 상승으로 인해 10억 원이 넘는 주택 한 채와 예·적금 및 보험금 등이 상속재산으로 인정되면서 보편적인 상속재산 규모가 10~20억 원 사이로 변화되었다. 말 그대로 이제는 '집 한 채'만 있어도 상속세 납부 대상이 된다.

종종 부모로부터 주택을 상속받았는데, 상속세를 낼 현금 유동성이 없어 어린 시절의 추억이 깃든 주택을 급하게 저가로 처분하는 상속인을 보게 된다. 참담한 심정을 토로하는 상속인을 대할 때마다 미리 대비만 했어도 이런 일은 없었을 텐데 하는 아쉬움이 든다.

8

상속세의 '계산 구조'를 알아야 절세한다

상속 전문 세무사는 모든 부의 이전 과정에서 궁극적으로는 상속세와 증여세, 그리고 타 세금과의 연동성을 지속적으로 살펴 상담자의 환경에 최적인 절세플랜을 기획한다. 눈앞에 닥친 세금 하나만을 고려한 섣부른 판단이 미래에 거대한 세금으로 불어나 돌아오는 경우가 빈번하기 때문에 장기적인 관점에서 더 효과적으로 부를 이전하기 위해서는 계산 구조를 이해하는 것은 기본 중의 기본이다.

구분	내용
상속재산가액	상속개시일 현재 시가 평가(시가 없을 시 보충적 평가)
본래 상속재산가액	피상속인의 사망 당시부터 피상속인에게 귀속되는 경제적·재산적 가치가 있는 모든 재산가액
(+)간주 상속재산가액	피상속인의 사망으로 지급받는 사망보험금, 생명보험금, 신탁재산, 퇴직금 및 이와 유사한 것
(+)추정 상속재산가액	피상속인의 사망 전 일정 금액에 대해 사용처가 불분명한 인출금, 재산 처분액 및 채무 인수액
(=)총 상속재산가액	
(-)비과세 재산가액	국가 등에 유증한 재산, 「문화재보호법」에 따른 일정한 재산, 선조 제사를 위한 일정한 묘토 등
(-)과세가액불산입액	종교·자선·학술 등을 위한 공익법인에 출연한 재산
(-)공과금, 장례비, 채무	사망일 현재 피상속인에게 귀속되는 의무로서 상속인이 실질적으로 승계하는 공과금, 채무액 등
(+)사전증여재산가액	상속개시 전 10년 이내 상속인 또는 상속개시 전 5년 이내 상속인 이외의 자에 대한 증여재산가액
(=)상속세 과세가액	
(-) Max(① 기초공제 + 인적공제, ② 일괄공제)	• 기초공제: 거주자 또는 비거주자의 사망 시 2억 원 공제 • 인적공제: 상속인 중 자녀, 연로자, 장애인, 미성년자가 있는 경우 상속인별로 일정액 공제 • 기초공제와 인적공제를 합한 공제액과 일괄공제 5억 원 중 큰 금액을 선택하여 공제, 대부분 일괄공제 5억 원이 더 큰 공제가 됨
(-)배우자상속공제	피상속인의 사망 당시 법률혼 배우자로 인정되는 자로서 실제 상속받는 금액 중 30억 원을 한도로 최소 5억 원을 공제
(-)금융재산공제	피상속인의 금융재산가액에서 금융채무가액를 차감한 순금융재산가액의 20%를 2억 원 한도로 공제
(-)동거 주택상속공제, 가업상속공제, 영농상속공제 등	피상속인의 사망일부터 소급하여 10년 이상 계속하여 동거한 직계비속이 1세대 1주택인 주택을 상속받는 경우 6억 원 한도 적용받는 동거 주택상속공제 외 가업상속공제 및 영농상속공제 등
(-)감정평가수수료	• 부동산과 서화·골동품 등 유형 재산은 각각 500만 원 한도 • 비상장주식 평가수수료는 평가대상법인, 의뢰기관 수별로 각각 1,000만 원 한도
(=)상속세 과세표준	

<table>
<tr><td>(x)세율(%)</td><td><table><tr><th>과세표준</th><th>세율</th><th>누진 공제</th></tr><tr><td>1억 원 이하</td><td>10%</td><td></td></tr><tr><td>1억 원 초과~5억 원 이하</td><td>20%</td><td>1,000만 원</td></tr><tr><td>5억 원 초과~10억 원 이하</td><td>30%</td><td>6,000만 원</td></tr><tr><td>10억 원 초과~30억 원 이하</td><td>40%</td><td>1억 6,000만 원</td></tr><tr><td>30억 원 초과</td><td>50%</td><td>4억 6,000만 원</td></tr></table></td></tr>
<tr><td>(-)증여재산공제</td><td>상속재산가액에 가산한 증여재산가액의 중복과세 방지를 위해 당초 증여 당시 증여세 산출세액 공제</td></tr>
<tr><td>(-)신고세액공제 외</td><td>상속세 신고기한 이내 상속세 신고의무 이행 시 산출세액에서 공제세액 등을 제외한 금액에서 3% 공제</td></tr>
<tr><td>(=)상속세 납부세액</td><td>일정 요건 충족 시 납부금액의 분납, 연부연납, 물납 가능</td></tr>
</table>

9

상속세 세무조사의 핵심, '사전증여'

법에서는 상속 직전 상속세 과세대상 재산을 증여하는 방식을 통한 상속세 회피행위를 방지하기 위해서 일정 기간 내 증여재산을 상속재산가액에 합산한다. 상속개시일 당시에는 피상속인 재산이 아니었다는 특징이 있기 때문에 대부분의 상속세 세무조사에서 핵심이 되는 주제다. 그렇기 때문에 상속세에서 사전증여재산에 대한 이해는 필수적이다.

사전증여 당시 증여세 신고를 마쳤다면, 신고내역을 확인하여 절차에 따라 상속세 신고서에 반영하면 되기 때문에 전혀 문제가 없다. 그러나 문제는 증여세를 신고하지 않은 사전증여재산이다. 단 한 번도 자녀에게 돈을 주고 나서 국세청으로부터 전화를 받아본 적이 없다며 자신 있게 말씀하는 분들이 있다. 그런데 이 얘기는 일부는 맞고, 일부는 틀리다. 아무리 세무서라고 해도 아무런 혐의가 없는 납세자의 개인계좌를 내 통장 보듯 들여다볼 수는 없고, 조세포탈 등의 혐의가 있거나 조사과정에서 필요한 경우에만 금융기관에 협조 요청하여 확인할 수 있기 때문이다. 그리고 세무서 입장에서도 행정력의 한계로 인해 예상 추징 세액이 크지 않은 경우까지 전수조사를 할 수도 없다.

그럼에도 불구하고 밝혀지는 경우가 있는데, 바로 증여 후 10년 이내에 증여자의 상속이 개시되는 경우다. 증여 당시에는 절대 포착되지 않을 것이라고 확신했던 무신고 증여 내역이 상속세 조사 때 전부 드러나기 때문이다. 상속세 조사시점에서 일반적으로 과세관청은 피상속인을 기준으로 10년간 배우자 및 자녀에게 이체한 계좌내역과 손주, 사위 및 며느리 등에게 이체한 5년 동안의 계좌내역을 조사하여 소명을 요청하게 된다.

생활비는 사전증여로 볼 확률이 아주 높다

납세자 중 대부분은 '생활비는 증여세 비과세 대상이니까 괜찮다'라고 알고 있다. 물론 틀린 말은 아니다. 하지만 법상 생활비 범위를 정확하게 알 때 해당하는 사항이라는 점을 아는 사람은 거의 없다. 즉, 생활비 비과세 증여재산의 범위를 명확히 알아야 '과세'되지 않을 수 있다.

납세자는 종종 '얼마까지가 생활비인가?'라는 질문을 하곤 하지만, 생활비에 금액적인 제한을 두지는 않는다. 사람마다 생활비는 다를 수 있기 때문이다. 예를 들어, 어떤 사람은 하루 생활비가 1만 원일 수 있지만, 또 다른 사람은 100만 원일 수 있다.

하지만 다음의 3가지를 크게 유념하여 생활비를 지급하도록 하자.

1) 생활비 명목으로 수령한 금원으로 재산을 취득하는 행위 등으로 부를 축적한다면, 금액의 크기와 상관없이 생활비로 보지 않는다

생활비를 주장하면서 이를 명목으로 주식, 토지, 주택 등의 매입 자금이나 정기예금으로 활용한다면 이는 자산 형성을 이루었다고 볼 수 있어 명백히 증여가 되기 때문이다.

2) 증여자가 수증자에 대해 부양 의무가 있는 상태여야 한다

수증자인 자녀가 소득이 없거나 자력으로 생활이 어려운 경우가 이에 해당한다. 나아가 경제력이 충분한 부모가 있음에도 조부모로부터 생활비를 받게 된다면, 조부모에게는 손주의 부양의무가 없으므로 생활비에 해당하지 않는다.

3) 생활비 또는 교육비는 필요시마다 직접 비용을 충당해주어야 한다

몇 년치 생활비를 일시에 지급하는 방식은 비과세가 되지 않는다. 이는 결국 남은 돈을 통해 재산 형성을 이루었다고 볼 수 있기 때문이다.

생전에 증여한 재산에 대해 증여세 추징이 되는 경우보다 증여자의 사망으로 인해 상속세 신고 및 조사가 이루어질 때 기존의 증여재산을 전부 사전증여재산으로 보아 과세되는 경우가 많다. 그래서 아무리 생활비를 주어도 증여세가 추징되는 경우는 한 번도 못 봤다고 하는 사람들이 많은 것이다. 하지만 이런 경우 대부분 상속세 때 크게 세금이 추징된다.

늦었지만 지금이라도 증여해야 할까?

시한부 선고 등에 따라 연명 가능한 날을 비교적 예측할 수 있는 경우가 있다. 이때 피상속인의 의사에 따라 상속재산 중 특정 상속인에게만 반드시 남기고 싶은 재산이 있을 수도 있다. 가령, 상속인 중 특히 경제적으로 궁핍한 자녀가 있다면 어떻게든 돕고 싶은 마음이 들기 때문이다.

그러나 안타깝게도 상속인에 대한 사전증여는 상속재산가액에 가산된다는 걱정이 앞서 선뜻 증여하고자 하는 결정을 내리지 못 할 수도 있다. 이 경우에도 증여 후 5년 넘게는 살 수 있을 것으로 예측된다면 자녀의 배우자에게 증여하여 상속세를 줄일 수 있다.

피상속인이 향후 지속적인 건강관리를 통해 증여일 이후부터 상속개시일까지 5년 넘게 건재할 것으로 예상된다면 상가건물을 자녀의 배우자인 사위 또는 며느리에게 증여하는 방법이다. 사위 또는 며느리, 나아가 손주는 상속인이 아닌 자에 해당하므로 상속개시일 전 5년 이내에만 증여하지 않으면 상속세과세가액에 가산되지 않으므로 자녀 세대의 경제적 궁핍함을 도와주면서 미래의 상속세도 절세할 수 있다.

10

상속재산이 적어도 상속세 상담을 꼭 해야 하는 이유

상속이 펼쳐지고 상속재산이 얼마 되지 않는다고 생각하여 상속세 상담을 안 하는 분들이 더러 있다. 그렇게 상속세 상담을 안 하고 수년이 지난 후에 여러 가지 이유로 세금을 추징당하는 경우를 자주 마주한다. 세무사로서 안타까울 뿐이다. 그렇다면 왜 상속재산이 적어도 상속세 상담을 받아야 하는 것일까?

상속받은 주택의 미래 양도소득세를 줄이기 위해서 상속세 신고를 해야 한다

● **상속주택을 상속개시일 후 6개월 이내 양도하는 경우**

피상속인의 사망 후 상속개시일로부터 6개월 이내 상속주택을 양도하는 경우에는 양도소득세가 발생하지 않는다. 앞서 살펴본 대로 평가기준일 후 6개월 이내 상속주택을 매각하면 부동산의 양도가액은 상속세 신고 시 상속재산가액이 됨과 동시에 양도소득 계산 시 취득가액이 된다. 결국 양도소득세 계산 시 양도가액과 취득가액이 같으므로 양도차익이 발생하지 않아 양도소득세는 발생하지 않는다. 이 경우 상속세 납부로 납부의무가 마무리된다.

상속세 납부를 위한 재원이 부족하여 납부 가능한 현금을 확보해야 하거나, 주택 현황에 따라 주택 상속이 상속인에게 불리하다면 바로 피상속인의 주택을 양도하는 것이 좋은 방법일 수 있다.

상속개시일 후 6개월 이내 주택양도 시 상속세·양도소득세 계산

(단위: 백만 원)

상속세		양도소득세	
항목	가액	항목	가액
상속재산가액(매매가액)	**1,000**	양도가액(매매가액)	1,000
상속공제액	-	**취득가액(상속재산가액)**	**1,000**
과세표준	-	양도차익	0

● 상속주택을 미래에 양도하는 경우

아파트와 같은 주택은 유사매매사례가액이 존재하기 때문에 시가와 유사하게 재산가액이 반영될 것이다. 그러나 일반적으로 시가가 존재하지 않는 토지라면 의사결정이 필요하다. 시가가 존재하지 않다면 기준시가로 상속재산가액이 반영될 것이고, 이는 상속세 부담을 덜 수 있는 방법이 된다.

하지만 추후 해당 부동산을 양도할 때는 상속 시 기준시가로 평가된 낮은 취득가액을 통해 양도소득세를 계산하게 되어 큰 세액 손실을 초래하게 된다. 이는 기본적으로 배우자가 있으면 10억 원까지, 배우자가 없다면 5억 원까지 상속세를 납부할 필요가 없으니 상속재산가액이 이보다 낮은 경우 상속세 신고를 대부분 생략해도 된다는 단편적인 지식에서 비롯된다. 그러므로 현재 상속세 부담이 크지 않고, 미래에 지가 급등이 예상되는 지역의 부동산을 상속받거나 현 시세와 기준시가의 차이가 크다면 감정평가로 신고하여 추후 발생할 양도소득세를 절세할 수 있다.

예를 들어, 상속개시일 현재 기준시가 5억 원인 나대지 소유자가 사망하여 배우자와 자녀는 협의상속으로 배우자에게 등기를 이전하고, 가치가 높지 않아 상속세 신고는 할 필요가 없다는 주변의 조언에 따라 상속세 신고를 하지 않았다고 가정해보자. 상속 후 3년이 지나 해당 부동산이 10억 원으로 양도된다면 상속세 신고를 하지 않은 대부분의 나대지는 상속개시일 당시 시가가 존재하지 않으므로 배우자의 취득가액은 보충적 평가 방법인 기준시가 5억 원으로 결정된다. 배우자는 결국 양도가액 10억 원에서 취득가액이 된 기준시가 5억 원의 차이인 5억 원의 양도차익에 대해서 양도소득세를 납부해야 한다. 5억 원의 양도차익에 대한 기본세율 양도소득세는 약 1억 9,000만 원에 달한다.

상속재산가액이 기준시가 5억 원인 경우

(단위: 백만 원)

상속세		양도소득세	
항목	가액	항목	가액
상속재산가액(기준시가)	**500**	양도가액	1,000
상속공제액(배우자상속공제)	**1,000**	**취득가액(상속재산가액)**	**500**
상속세	-	양도소득세	190

만약 상속세 신고기한 내에 해당 나대지를 감정평가하여 상속세를 신고했다면 어떻게 될까? 해당 나대지를 8억 원에 감정평가하여 상속세 신고를 했다면 일괄공제와 배우자 상속공제를 적용받아 마찬가지로 상속세는 전혀 발생하지 않는다.

기준시가로 상속받은 경우와 마찬가지로 상속세는 발생하지 않지만, 나대지의 양도 시 취득가액은 상속재산가액인 8억 원이 되어 양도 시 양도차익은 2억 원으로 줄어든다. 2억 원의 양도차익에 대한 기본세율 양도소득세는 약 6,000만 원에 불과하여 상속세 신고를 하지 않아 기준시가로 취득가액이 결정된 경우와 비교하면 약 1억 3,000만 원의 절세를 할 수 있게 된다.

이 절세플랜의 핵심은 부동산을 감정평가하여 이를 신고서에 반영하는 상속세 신고를 해야 한다는 것이다. 상속세가 나오지 않는다고 신고를 안 한다면 미래에 뒤늦은 후회를 하게 된다. 그러므로 상속이 일어나면 상속세가 나오지 않더라도 세무사를 찾아가 꼭 상담을 받아야 한다.

상속재산가액이 감정평가 8억 원인 경우

(단위: 백만 원)

상속세		양도소득세	
항목	가액	항목	가액
상속재산가액(감정가액)	**800**	양도가액	1,000
상속공제액(배우자상속공제)	**1,000**	**취득가액(상속재산가액)**	**800**
상속세	-	양도소득세	60

● 감정평가를 하는 게 무조건 유리한 것은 아니다

상속개시 발생 후 먼 미래에 부동산을 양도할 계획이다. 그렇다면 앞서 살펴본 바와 같이 감정평가를 통해 취득가액을 높이는 것이 능사일까? 아니다. 상속재산이 단독주택 또는 농지라면 비과세와 감면을 같이 검토할 수 있어야 한다. 단독주택과 농지의 경우는 '시가'가 거의 형성되어 있지 않기 때문에 보충적 평가 방법인 기준시가를 통해 상속재산가액을 산정할 수 있다. 물론 기준시가는 '시가'보다 낮은 가액으로 설정되기 때문에 상속세를 줄이는 역할을 할 수 있다.

여기서 단독주택의 경우 무주택자인 상속인이 상속받아 미래에 1세대 1주택 요건을 충족하여 양도한다면 12억 원까지는 비과세를, 12억 원 초과분에 대해서는 고가주택에 대한 양도소득세 계산방식이 적용돼 낮은 세액만 납부하면 된다. 이 경우 절세 면에서 큰 혜택을 받을 수 있다. 추가로 피상속인과 같은 세대에 속한 상속인의 경우 피상속인의 보유 및 거주기간과 상속인의 보유 및 거주기간을 통산하므로 비과세 요건을 충족하는 것이 어렵지 않다.

농지의 경우도 마찬가지다. 피상속인이 8년 농지자경 감면 요건을 충족한 상황이라면 상속인은 농사를 짓지 않더라도 상속개시 후 3년 이내에 양도 시 양도 당해연도에 최대 1억 원, 양도일이 속하는 연도까지 누적 5년 동안에 최대 2억 원의 양도소득세를 감면받을 수 있다.

이처럼 부동산의 종류에 따라 비과세나 감면 적용 시 양도소득세가 미비할 것이라고 판단되면, 상속세 신고 시 감정평가가 아닌 기준시가로 신고하여 상속세를 줄이는 것이 더 큰 절세효과를 얻을 수 있다.

상속개시일 당시 상속재산이 적어도 사전증여재산이 많다면 추징이 발생한다

상속개시일에 상속재산이 적어서 상속세 신고를 안 한다고 하지만 상속개시일로부터 10년 전에 이미 상속인 또는 상속인 이외의 자에게 증여를 많이 하여 현재 상속재산이 없는 경우도 있다. 하지만 앞서 살펴보았듯이 과세관청에서는 철저히 피상속인과 상속인의 상속개시일로부터 10년 전의 모든 금융 내역 및 부동산 내역을 검토하여 사전증여를 포착하게 된다. 그렇게 포착된 사전증여는 상속재산에 얹어져서 거대한 상속세가 나오게 되며, 신고하지 않음에 따른 무신고 가산세와 납부불성실 가산세가 추가되어 세금폭탄으로 다가올 수 있다.

상속이 개시되면 꼭 상속재산에 대한 앞으로의 운용뿐만 아니라 기존 증여의 역사까지 검토하여 상속세 위험을 한 번 더 체크해 보는 것이 필요하다.

피상속인의 숨겨진 채권·채무를 찾아내야 한다

피상속인의 상속이 일어나더라도 피상속인의 채권과 채무관계를 상속인들이 속속들이 알고 있는 경우는 많지 않다. 특히 피상속인이 사업을 운영하고 있었다면 받아야 할 채권을 누락해서는 안 된다. 그렇기 때문에 미수채권을 최대한 확인하여 피상속인의 상속재산을 되찾도록 하자. 상대방인 채무자는 피상속인의 죽음 이후에 순순히 채무관계를 알리는 경우는 거의 없기 때문이다.

다음으로 피상속인의 채무도 확인할 필요가 있다. 채무에 대한 정확한 금액을 알아야 채권자에 대한 정확한 변제가 가능하다. 채무가액보다 더 높은 채무변제의무가 생기면 상속재산의 손실이 발생하기 때문이다.

핵심! Check Point

2023년 주택세금 예상 정책방향

2022년을 돌이켜보면 주택 중과세의 많은 부분이 완화되었다. 그리고 2023년에도 더 완화되는 정책이 펼쳐질 것으로 예상된다. 주택 중과세는 '취득-보유-처분' 이 3단계에서 모두 발생한다. 2023년도에는 이 3단계에서 각각 주택세금이 어떻게 바뀌게 될지 예상해보자.

취득세 중과완화

2022년 12월 21일에 나온 '2023년 경제정책방향'을 참고하면 2023년의 부동산 세금을 예상하기 쉽다. 우선 매매취득세의 중과세율 현행과 중과완화 방안에 대해서 살펴보자.

현행 다주택자에 대한 취득세 중과세율

구분	1주택	2주택	3주택	4주택 이상·법인
조정대상지역	1~3%	8%	12%	12%
非조정대상지역	1~3%	1~3%	8%	12%

취득세 중과완화 방안

지역	1주택	2주택	3주택	법인·4주택 ↑
조정대상지역	1~3%	8% → 1~3%	12% → 6%	12% → 6%
非조정대상지역		1~3%	8% → 4%	12% → 6%

정부가 취득세 중과완화를 하더라도 한 개인이 여러 주택을 취득하여 발생하는 주택투기, 깡통전세 사기 등 다양한 문제들이 주택 하락장에서 표출되고 있으

므로 이에 따른 제재를 위한 일부 다주택자의 중과세율 정책은 계속 유지하려는 것으로 보인다.

다음으로 증여취득세 역시 완화가 될 것으로 보인다. 조정대상지역의 3억 원 이상 주택 증여에 대한 증여취득세 중과세율도 기존 12%에서 6%로 인하할 계획이다. 또한 2주택자까지는 증여 시 중과를 폐지하고 일반 증여세율을 적용하기로 하였다.

위 취득세 중과완화 법률개정 사항은 2023년 2월 국회 입법을 통해 적용할 예정이고, 소급하여 2022년 12월 21일부터 잔금지급과 증여 완료된 건에 대해서 중과세율 완화를 적용하겠다고 밝혔다.

보유세 중과완화

최근 여야가 합의한 종합부동산세 중과세 제도도 2023년부터는 상당히 완화된 조건으로 적용될 것으로 기대되고 있다. 기본공제가 6억 원에서 9억 원으로 상향되었고, 1세대 1주택자의 기본공제는 11억 원에서 12억 원으로 상향되었다.

그러나 2022년 세제 개편안에 제시했던 중과세율의 대폭적 완화는 전부 반영되지 않아서 아직까지도 3주택 이상자의 중과세율은 과도하다고 느낄 수 있다. 다행인 것은 2023년 공동주택가격과 개별주택가격의 공시를 2020년도 가격으로 회귀하겠다고 밝혔다는 점이다. 이에 따라 종합부동산세의 과세대상자와 납부세액은 대폭으로 줄어들 것으로 보인다.

2023년 7월 예정인 세제 개편안에서 다시 한 번 종합부동산세의 중과세율 완화에 대해서 다루게 될지를 다주택자는 꼭 예의주시하길 바란다.

양도소득세 중과완화

연일 하락하는 집값에 2022년 5월 10일, 보유기간 2년 이상인 주택에 대해서 양도소득세 중과세 한시적 완화 정책이 나왔다. 그리고 '2023년 경제정책방향'에서 양도소득세 중과배제를 2024년 5월까지 연장하고, 2023년 7월에 예정된 세제 개편안을 통해서 근본적인 개편안을 마련하겠다고 하였다. 2023년 7월에는 아마 2주택자까지는 양도소득세 중과세율을 폐지하지 않을까 예상해본다.

다음으로 분양권과 주택 및 입주권의 단기양도세율을 2020년 이전 수준으로 환원하여 세부담을 낮춰주겠다고 하였다.

구분	현행	개선
분양권	1년 미만 70%	1년 미만 45%
	1년 이상 60%	1년 이상→폐지
주택 및 입주권	1년 미만 70%	1년 미만 45%
	1~2년 60%	1년 이상→폐지

그 외 2020년도에 대폭 축소된 등록임대 유형 중 국민주택규모의 장기 아파트(전용면적 85㎡ 이하) 등록을 재개하겠다는 정책방향도 내비쳤다. 10년의 장기 매입임대 주택으로 아파트 제공 시 이에 맞춰 세제 인센티브 제공 및 기 폐지한 세제 혜택 중 일부를 합리적인 수준으로 복구하겠다고 밝혔다. 신규 아파트를 매입·임대하는 사업자에게는 주택 규모에 따라 취득세 감면도 지원해 줄 예정이다.

'2023년 경제정책방향' 중 부동산 세금에 대해서는 여야 합의가 필요한 부분들도 존재하므로 그 실현여부 및 실현되더라도 적용시기에 대해서는 결국 상황을 지켜보는 수밖에 없지만 이를 예측하여 준비한다는 것은 상당히 중요한 일이 아닐 수 없다.

그 외 '2023년 경제정책방향'에 명시되지는 않았지만 개인적으로 바라는 방향이 더 있다.

개인에 대한 종합부동산세는 완화될 것으로 보이지만 법인에 대한 종합부동산세 완화는 현재 논의된 바가 없다. 2022년까지도 법인에 대한 중과완화 입장은 전혀 가지고 있지 않은 것으로 보여 법인에 대한 완화가 바로 이루어질지는 미지수다. 개인적으로는 법인 소유 주택이 거래를 일으키며 시장 활성화를 조금이나마 이룰 수 있다면 이에 대한 취득세 중과, 나아가 보유세 중과완화도 일부 적용되길 바라본다.

참고 문헌 및 참고 사이트

● 참고 문헌

- 감정평가 실무기준 해설서, 한국감정평가협회·한국감정원, 2014
- 부동산평가이론 6판, 안정근, 양현사, 2013
- 주택과 세금, 국세청 부동산납세과, 2021
- 부동산등기실무, 법원행정처, 2015
- 법원실무제요 민사집행, 법원행정처, 2014
- 법원실무제요 민사소송, 법원행정처, 2017

● 참고 사이트

- 국토교통부(http://www.molit.go.kr)
- 기획재정부(https://www.moef.go.kr)
- 행정안전부(https://www.mois.go.kr)
- 국세청(https://www.nts.go.kr/nts/main.do)
- 한국부동산원(http://www.reb.or.kr)
- 인터넷등기소(https://www.iros.go.kr)
- 국가법령정보센터(https://www.law.go.kr)
- 국세법령정보시스템(https://txsi.hometax.go.kr/docs_new/main.jsp)
- 법원경매정보(https://www.courtauction.go.kr/)
- 홈택스(https://www.hometax.go.kr)
- 토지이음(http://www.eum.go.kr/)